D1399437

200 recettes
réconfortantes

Titre original : *Diabetes Comfort Foods*

LES PUBLICATIONS MODUS VIVENDI INC.
55, rue Jean-Talon Ouest, 2ᵉ étage
Montréal (Québec)
Canada
H2R 2W8

Photographies : André Noël
Stylisme culinaire : Louise Rivard
Design graphique : Catherine Houle
Traduction : Jean-Robert Saucyer

Dépôt légal – Bibliothèque et Archives nationales du Québec, 2007
Dépôt légal – Bibliothèque et Archives Canada, 2007

ISBN-13 978-2-89523-485-2

Nous reconnaissons l'aide financière du gouvernement du Canada par l'entremise du Programme d'aide au développement de l'industrie de l'édition (PADIÉ) pour nos activités d'édition.

Gouvernement du Québec – Programme de crédit d'impôt pour l'édition de livres – Gestion SODEC

200 recettes
réconfortantes

JOHANNA BURKHARD

Barbara Selley, bachelière ès arts,
diététiste, spécialiste en nutrition

MODUS
VIVENDI

AVERTISSEMENT

Les recettes réunies dans ce livre ont été soigneusement éprouvées par le personnel de notre cuisine et nos goûteurs. Au meilleur de nos connaissances, elles sont nutritives et ne présentent aucun risque pour le consommateur moyen. Il est conseillé aux personnes aux prises avec une allergie alimentaire ou autre, qui ont des exigences particulières en matière d'alimentation ou des problèmes de santé, de lire attentivement la liste des ingrédients de chaque recette afin d'établir si l'un d'eux peut leur poser problème. Le consommateur exécute toutes les recettes à ses propres risques.

Nous ne saurions être responsables de tout danger, perte ou effet préjudiciable qui pourrait survenir par suite de la préparation de l'un des plats présentés dans ce livre.

Devant le moindre doute, nous invitons les personnes aux prises avec des besoins ou exigences particuliers, des allergies ou des problèmes de santé, à communiquer avec leur médecin avant de préparer l'un des plats présentés dans ce livre.

REMERCIEMENTS

Nous tenons à remercier **Cuisine santé internationale** pour les ustensiles de cuisine; les magasins **Stokes** de la rue Saint-Denis à Montréal ainsi que **Déco Découverte** pour la vaisselle et le linge de table.

TABLE DES MATIÈRES

INTRODUCTION

Chacun de nous a des plats réconfortants qu'il préfère, qu'il s'agisse de plats des grands jours qui rappellent des moments heureux passés en compagnie de la famille et des amis ou de plats qui nous attirent les compliments des convives à qui on les sert. Ce livre vous aidera à préparer des repas sains et délectables à partir de recettes connues de tous les membres de votre famille. Des repas articulés autour d'une variété de pains et d'autres produits à base de grains complets, de légumes et de fruits, de viandes maigres, de volaille et de poissons ainsi que de produits laitiers allégés.

Lorsque l'on parle de cuisine réconfortante il ne s'agit pas nécessairement de nourriture et d'aliments riches et gras. Comme vous le constaterez, 200 recettes réconfortantes contient des recettes préparées à partir d'aliments bons pour la santé, donc qui permettent d'avoir un régime bien équilibré.

Les recettes regroupées dans ce livre font appel à des ingrédients que l'on trouve sans difficulté dans les supermarchés et leur préparation est facile. Nous avons en outre prévu quelques trucs afin de sauver du temps, des renseignements pratiques et des conseils en matière de nutrition. De plus, chaque recette est accompagnée d'une analyse des éléments nutritifs qui fractionnent sa quantité de calories, de glucides, de fibres, de protéines, de matières grasses (en plus des graisses saturées et du cholestérol) et de sodium par portion. Lorsque vous planifierez vos repas, ces renseignements vous seront utiles.

Il n'est pas de plus grand plaisir que celui d'une bonne table partagée avec ses amis et les membres de sa famille. Puisse ce livre vous aider à préparer des repas sains et mémorables qui feront le régal de vos proches !

ENTRÉES
ET AMUSE-BOUCHES

TARTINADE
de crevettes rosée

POUR 300 ML (1 ¼ TASSE)

(30 ml ou 2 c. à soupe par portion)

4 oz (125 g) de fromage à la crème allégé, amolli

¼ tasse (50 ml) de crème sure ou de yogourt nature allégés

2 c. à soupe (30 ml) de sauce chili

1 c. à thé (5 ml) de raifort

sauce au poivre de Cayenne

1 boîte (113 g ou 4 oz) de petites crevettes égouttées et rincées

1 c. à soupe (15 ml) de queues d'oignons verts hachées ou de ciboulette ciselée

Vous pouvez préparer cette tartinade en quelques minutes à partir d'ingrédients que vous avez au garde-manger ou au réfrigérateur. Elle est également délicieuse avec des craquelins ou des bâtonnets de légumes. Si vous êtes comme moi, elle deviendra votre fonds de commerce.

Conseils

Passez le fromage à la crème froid au micro-ondes à puissance moyenne (50 %) pendant 1 minute afin de l'amollir.

On peut préparer cette tartinade jusqu'à deux jours à l'avance; il suffit d'en couvrir le contenant et de le réfrigérer.

1. Déposez le fromage à la crème dans un bol afin de le fouetter jusqu'à l'obtention d'une consistance lisse. Ajoutez en remuant la crème sure, la sauce chili, le raifort et la sauce au poivre de Cayenne, au goût.

2. Incorporez les crevettes et les oignons verts. Versez dans un plat de service, couvrez de pellicule plastique et réfrigérez jusqu'au moment de servir.

ANALYSE DES ÉLÉMENTS NUTRITIFS PAR PORTION	
Calories	45
Glucides	2 g
Fibres	0 g
Protéines	3 g
Total des matières grasses	3 g
Gras saturés	1 g
Sodium	150 mg
Cholestérol	21 mg

TREMPETTE ÉTAGÉE
aux haricots

POUR 1 L (4 TASSES)
(50 ml ou ¼ tasse par portion)

1 boîte (540 ml ou 19 oz) de haricots rouges ou noirs, égouttés et rincés	
1 gousse d'ail émincée	
1 c. à thé (5 ml) d'origan séché	
½ c. à thé (2 ml) de cumin moulu	
1 c. à soupe (15 ml) d'eau	
1 tasse (250 ml) de cheddar allégé, râpé	
¾ tasse (175 ml) de crème sure allégée	
1 c. à soupe (15 ml) de piments jalapeños marinés, hachés	
2 tomates épépinées, taillées en dés	
2 oignons verts hachés fin	
⅓ tasse (75 ml) d'olives noires tranchées	
⅓ tasse (75 ml) de coriandre fraîche ou de persil frais hachés	

Plat de service peu profond de 20 cm (8 po)
ou assiette à tarte

1. Déposez les haricots, l'ail, l'origan, le cumin et l'eau dans un robot culinaire et pulsez jusqu'à obtention d'une consistance homogène. Déposez la préparation uniformément dans le plat de service.

2. Dans un bol, mélangez le fromage, la crème sure et les piments jalapeños. Déposez cette préparation uniformément sur la précédente. (Vous pouvez le faire plus tôt au cours de la journée, couvrir de pellicule plastique et réfrigérer.)

3. Au moment de servir, disposez les tomates, les oignons verts, les olives et la coriandre sur la préparation réfrigérée. Servez avec des tortillas ou des morceaux de pita craquants (reportez-vous à la page 15).

On trouve des variantes de la populaire trempette aux haricots à presque toutes les réceptions. Voici ma plus récente version. À une base de haricots parfumés à l'origan, j'ajoute un étage de fromage rehaussé de piments jalapeños que je coiffe de tomates fraîches, d'olives et de coriandre.

Conseil

La coriandre fraîche, que l'on appelle également persil chinois ou cilantro, ne se conserve que quelques jours au réfrigérateur avant de flétrir et de devenir insipide. Rincez-la bien, passez-la à l'essoreuse à laitue afin d'enlever l'excédent d'eau et entourez-la d'essuie-tout. Glissez-la ainsi dans un sachet de plastique et rangez-la au réfrigérateur. Ne taillez pas les racines, car elles con-servent leur fraîcheur aux feuilles.

ANALYSE DES ÉLÉMENTS NUTRITIFS PAR PORTION	
Calories	74
Glucides	8 g
Fibres	3 g
Protéines	5 g
Total des matières grasses	3 g
Gras saturés	1 g
Sodium	185 mg
Cholestérol	5 mg

BISCOTTES AU CHEDDAR
et aux jalapeños

POUR 36 BOUCHÉES
(3 par portion)

8 oz (250 g) de fromage cheddar allégé, râpé

4 oz (125 g) de fromage à la crème allégé, taillé en dés

2 c. à soupe (30 ml) de poivron rouge taillé en dés

2 c. à soupe (30 ml) de piments jalapeños hachés fin ou

1 c. à soupe (15 ml) de piments jalapeños marinés

2 c. à soupe (30 ml) de persil frais haché fin

36 tranches de baguette de 8 mm (⅓ po) d'épaisseur

Préparez à l'avance ces savoureux amuse-bouches et conservez-les au congélateur. Lorsque vos invités sont sur le point d'arriver, enfournez-les pour les réchauffer.

Conseils

En vue de les congeler, tartinez la garniture sur les tranches de pain, disposez-les en une seule rangée sur une plaque à cuisson et mettez-les au congélateur. Lorsque les biscottes sont congelées, rangez-les dans un contenant rigide en séparant les rangs à l'aide de papier paraffiné. Vous pouvez les conserver pendant près d'un mois au congélateur. Inutile de les faire décongeler avant de les faire cuire.

Portez des gants de caoutchouc lorsque vous manipulez des piments jalapeños pour éviter l'irritation cutanée.

Faites d'abord chauffer le four à 190 °C (375 °F).
Plaques à pâtisserie

1. Réduisez le cheddar et le fromage à la crème en purée dans un robot culinaire jusqu'à l'obtention d'une consistance lisse. Videz la préparation dans un bol; ajoutez en remuant le poivron rouge, les jalapeños et le persil.

2. Tartinez les tranches de baguette d'une généreuse cuillerée à thé (entre 5 et 7 ml) de préparation aux fromages. Disposez les biscottes sur des plaques à pâtisserie.

3. Faites cuire au four pendant 10 à 12 minutes (jusqu'à 15 minutes si les biscottes sont surgelées), jusqu'à ce que la préparation gonfle et que le contour des biscottes soit grillé. Servez chaud.

ANALYSE DES ÉLÉMENTS NUTRITIFS PAR PORTION	
Calories	123
Glucides	9 g
Fibres	0 g
Protéines	7 g
Total des matières grasses	6 g
Gras saturés	4 g
Sodium	320 mg
Cholestérol	20 mg

TREMPETTE CRÉMEUSE
aux épinards

POUR 750 ML (3 TASSES)

2 c. à soupe (30 ml) par portion

1 sachet (300 g ou 10 oz) d'épinards frais ou surgelés
1 tasse de feta allégée, en miettes (environ 125 g ou 4 oz)
⅓ tasse (75 ml) d'oignons verts hachés
¼ tasse (50 ml) d'aneth frais haché
1 gousse d'ail émincée
1 c. à thé (5 ml) de zeste de citron (reportez-vous au conseil ci-contre)
1 ½ tasse (375 ml) de crème sure allégée
½ tasse (125 ml) de mayonnaise allégée

Voici une trempette beaucoup plus savoureuse que celles que l'on prépare avec les sachets de soupe déshydratée trop salée. Servez-la pour accompagner les légumes tels que les carottes, les poivrons, le concombre, le céleri, le brocoli, le fenouil et le chou-fleur. J'utilise ce qui reste pour accompagner les pâtes ou la salade Parmentier ou encore comme garniture dans les sandwiches.

Conseil

Employez un zesteur afin de prélever l'écorce de citron en de minces lanières que vous hacherez finement à l'aide d'un couteau. Lorsque les citrons sont soldés, faites-en provision. Prélevez le zeste et exprimez le jus; déposez-les dans des récipients différents et faites-les congeler.

1. Retirez les tiges des feuilles d'épinards frais; rincez-les en eau froide. Déposez les épinards humides dans une grande poêle. Faites-les cuire à feu vif en remuant, jusqu'à ce qu'ils aient flétri. (Si vous employez des épinards surgelés, reportez-vous au conseil à la page 20.) Déposez les épinards dans une passoire pour qu'ils s'égouttent. Essorez-les à la main; déposez-les dans un torchon propre et sec que vous tordrez afin d'en exprimer le jus.

2. Mélangez les épinards, la feta, les oignons verts, l'aneth, l'ail et le zeste de citron à l'aide d'un robot culinaire. Pulsez jusqu'à ce que les ingrédients soient hachés très fin.

3. Ajoutez la crème sure et la mayonnaise. Pulsez par à-coups jusqu'à ce que les ingrédients soient bien mélangés. Versez dans un bol que vous couvrirez et réfrigérerez jusqu'au moment de servir. Présentez la trempette dans une miche de pain évidée (reportez-vous à la manière de procéder ci-dessous) et accompagnez-la de bâtonnets de légumes.

Miche de pain évidée pour présenter la trempette

À l'aide d'un couteau à lame dentelée, taillez 5 cm (2 po) sur le dessus d'une petite miche de pain de blé complet ou de levain (500 g ou 1 lb). Évidez la miche en réservant la mie et en prenant soin de lui conserver une paroi de 2,5 cm (1 po) d'épaisseur. À l'aide d'une louche, déposez la trempette à l'intérieur de la miche. Taillez la mie réservée en lanières ou en cubes et servez-les avec les légumes.

ANALYSE DES ÉLÉMENTS NUTRITIFS PAR PORTION	
Calories	45
Glucides	3 g
Fibres	0 g
Protéines	2 g
Total des matières grasses	3 g
Gras saturés	1 g
Sodium	105 mg
Cholestérol	3 mg

SALSA
chaude

POUR 750 ML (3 TASSES)
(50 ml ou ¼ tasse par portion)

1 boîte (540 ml ou 19 oz) de haricots blancs égouttés et rincés
1 tasse (250 ml) de salsa douce ou épicée
2 gousses d'ail émincées
1 c. à thé (5 ml) de cumin moulu
1 c. à thé (5 ml) d'origan séché
4 oz (125 g) de fromage à la crème allégé
1 tasse (250 ml) de mozzarella ou de cheddar allégés, râpés
croustilles de maïs ou morceaux de pita craquants (reportez-vous à la manière de les préparer ci-contre)

Cette trempette vous vaudra les acclamations d'une bande d'ados affamés ou de sportifs de salon installés devant un match de foot. Chez nous, personne ne s'entend à savoir si nous préférons que cette trempette soit servie douce ou épicée. La solution ? J'emploie une salsa douce pour faire la recette, après quoi je la divise en deux. Je verse la trempette douce dans un bol et j'ajoute plein de sauce pimentée ou des piments jalapeños marinés et émincés dans l'autre.

Morceaux de pita craquants

Les morceaux de pita font une solution de rechange avantageuse aux croustilles de maïs, car ils contiennent moins de matières grasses. Afin de les préparer, séparez 3 pains pita de 18 cm (7 po) en rondelles et taillez-les en 8 pointes. Déposez-les sans qu'elles ne se touchent sur des plaques à cuisson et faites-les cuire au four à 180 °C (350 °F) pendant 8 à 10 minutes ou jusqu'à ce qu'elles soient craquantes et quelque peu grillées. Laissez-les refroidir. Conservez-les dans un contenant à couvercle. Vous pouvez préparer les pointes de pita un jour à l'avance.

1. Versez les haricots dans un bol et réduisez-les en purée à l'aide d'une fourchette jusqu'à l'obtention d'une consistance passablement homogène.

2. Dans une poêle de taille moyenne, mélangez les haricots, la salsa, l'ail, le cumin et l'origan. Faites cuire à feu moyen en remuant souvent, et ce, jusqu'à ce que la préparation soit très chaude.

3. Ajoutez en remuant le fromage à la crème et remuez jusqu'à l'obtention d'une consistance homogène. Ajoutez la mozzarella et remuez jusqu'à ce qu'elle ait fondu. Servez chaud avec des croustilles de maïs ou des morceaux de pita craquants.

Préparation au micro-ondes

1. Mélangez tous les ingrédients dans un bol allant au micro-ondes. Faites cuire à température moyenne-élevée (70 %), en remuant à deux reprises, pendant 5 à 7 minutes ou jusqu'à ce que la chaleur ait imprégné la préparation et que le fromage ait fondu. Servez chaud avec des croustilles de maïs ou des morceaux de pita craquants.

ANALYSE DES ÉLÉMENTS NUTRITIFS PAR PORTION	
Calories	101
Glucides	10 g
Fibres	4 g
Protéines	7 g
Total des matières grasses	4 g
Gras saturés	2 g
Sodium	315 mg
Cholestérol	13 mg

TREMPETTE EXPRESSE
au crabe

POUR 500 ML (2 TASSES)

(50 ml ou ¼ tasse par portion)

8 oz (250 g) de fromage à la crème allégé
1 boîte (170 ml ou 6 oz) de crabe égoutté, le jus réservé
¼ tasse (50 ml) d'oignons verts hachés fin
2 c. à thé (10 ml) de jus de citron fraîchement pressé
¼ c. à thé (1 ml) de sauce Worcestershire
¼ c. à thé (1 ml) de paprika
sauce au poivre de Cayenne

1. Déposez le fromage à la crème dans un bol de taille moyenne allant au micro-ondes; faites-le chauffer à puissance moyenne (50 %) pendant 2 minutes ou jusqu'à ce que le fromage ait amolli. Remuez-le jusqu'à l'obtention d'une consistance lisse.

2. Ajoutez en remuant le crabe, les oignons verts, 30 ml (2 c. à soupe) de jus de crabe, le jus de citron, la sauce Worcestershire, le paprika et la sauce au poivre de Cayenne, au goût. Passez la préparation au micro-ondes à puissance moyenne-élevée (70 %) pendant 2 minutes ou jusqu'à ce qu'elle soit très chaude. Servez chaud.

S'il se trouve une boîte de crabe dans le garde-manger et du fromage à la crème au réfrigérateur, vous avez de quoi préparer une trempette en l'espace de cinq minutes. Vous pouvez vous servir du micro-ondes ou encore de la cuisinière à feu moyen.

Conseil

Servez cette trempette avec des biscottes Melba ou des bâtonnets de légumes.

Variante

Trempette rapide aux myes

Remplacez le crabe par une boîte (142 g ou 5 oz) de myes égouttées. Ajoutez une gousse d'ail émincée en remuant, si vous voulez.

ANALYSE DES ÉLÉMENTS NUTRITIFS PAR PORTION	
Calories	83
Glucides	2 g
Fibres	0 g
Protéines	5 g
Total des matières grasses	6 g
Gras saturés	3 g
Sodium	345 mg
Cholestérol	20 mg

MOUSSE
de saumon fumé

POUR 36 BOUCHÉES

(3 par portion)

1 boîte (213 g ou 7 ½ oz) de saumon rouge	
1 sachet (7 g ou ¼ oz) de gélatine sans saveur	
½ c. à thé (2 ml) de zeste de citron	
1 c. à soupe (15 ml) de jus de citron fraîchement pressé	
¼ c. à thé (1 ml) de sel	
1 ½ tasse (375 ml) de crème sure allégée	
4 oz (125 g) de saumon fumé haché fin	
2 c. à soupe (30 ml) d'oignons verts émincés	
2 c. à soupe (30 ml) d'aneth frais haché fin	
sauce au poivre de Cayenne	
bouquets d'aneth et zeste de citron pour la garniture	

1. Égouttez le saumon et versez le jus dans une tasse à mesurer. Ajoutez suffisamment d'eau pour obtenir 50 ml (¼ tasse). Versez la gélatine dans la tasse. Laissez agir pendant 1 ou 2 minutes pour qu'elle s'humecte. Passez-la au micro-ondes à puissance moyenne (50 %) pendant 45 à 60 secondes, jusqu'à ce qu'elle se dissolve.
2. Enlevez la peau du saumon et jetez-la. Déposez le saumon dans le bol du robot culinaire avec la gélatine, le zeste et le jus de citron et le sel. Pulsez jusqu'à l'obtention d'une consistance lisse. Versez la préparation dans un bol. Ajoutez en remuant la crème sure, le saumon fumé, les oignons verts et l'aneth. Rehaussez de sauce au poivre de Cayenne, au goût.
3. À l'aide d'une cuillère, déposez la préparation dans un plat de service. Couvrez de pellicule plastique (elle ne doit pas toucher la surface de la mousse), réfrigérez pendant 4 heures ou toute la nuit. Garnissez de bouquets d'aneth et de zeste de citron. Servez avec des biscottes Melba et du pain pumpernickel.

ANALYSE DES ÉLÉMENTS NUTRITIFS PAR PORTION	
Calories	85
Glucides	3 g
Fibres	0 g
Protéines	8 g
Total des matières grasses	4 g
Gras saturés	1 g
Sodium	225 mg
Cholestérol	7 mg

Voici l'une des recettes que l'on me réclame le plus souvent. La mousse a la merveilleuse saveur du saumon fumé, mais elle se compose d'ingrédients relativement peu chers. Mon secret? Je fais des merveilles avec du saumon en conserve, dont le prix demeure raisonnable; ainsi, je peux servir ce hors-d'œuvre plus souvent.

Conseils

Je préfère employer du saumon rouge (ou sockeye) en boîte à cause de sa couleur et de sa saveur supérieure.

On peut préparer cette mousse jusqu'à quatre jours à l'avance pour se faciliter les choses.

Afin d'exprimer davantage de jus d'un citron, roulez-le sur le comptoir de la cuisine ou passez-le au micro-ondes à puissance maximale pendant 20 secondes avant de le presser.

BISCOTTES AUX CHAMPIGNONS
et aux noix

POUR 40 BOUCHÉES

(2 par portion)

1 lb (500 g) de champignons assortis (de Paris, pleurotes et portobellos), hachés grossièrement
2 c. à thé (10 ml) de beurre
⅓ tasse (75 ml) d'oignons verts hachés fin
2 gousses d'ail émincées
½ c. à thé (2 ml) de thym séché
4 oz (125 g) de fromage à la crème ou de chèvre allégé, taillé en morceaux
¼ tasse (50 ml) de parmesan frais râpé (et davantage pour la garniture)
¼ tasse (50 ml) de noix hachées fin
2 c. à soupe (30 ml) de persil haché fin
poivre frais moulu
40 biscottes (tranches de baguette grillées) (reportez-vous à la page 9)

Vous voulez bien commencer un repas? Servez ces bouchées en entrée. Je conserve toujours au congélateur plusieurs récipients de cette délicieuse tartinade aux champignons qu'il suffit de faire décongeler au micro-ondes lorsque s'amènent des amis ou la parenté. La même chose vaut pour le pain que je tranche et congèle dans des sachets de plastique.

Conseils

Le beurre, les noix et le parmesan contiennent tous un fort pourcentage de matières grasses; aussi est-il préférable de vous limiter à une portion de ces délicieux amuse-bouches.

La garniture aux champignons et aux noix se conserve pendant près d'un mois au congélateur.

Faut-il rincer ou pas les champignons? Vous pouvez les nettoyer à l'aide d'un chiffon humide, si vous le voulez. Toutefois, j'estime qu'il est important de rincer tous les produits qui entrent dans ma cuisine. Je passe rapidement les champignons sous l'eau froide et je les enveloppe aussitôt d'un linge à vaisselle ou d'essuie-tout qui en absorberont l'eau.

Faites d'abord chauffer le four à 190 °C (375 °F).
Plaque à cuisson

1. Passez les champignons par lots au robot culinaire afin de les hacher fin en pulsant.

2. Dans une grande poêle antiadhésive, faites chauffer le beurre à feu moyen-vif. Ajoutez les champignons, les oignons verts, l'ail et le thym; faites cuire pendant 5 à 7 minutes ou jusqu'à ce que les champignons aient amolli. Poursuivez la cuisson pendant 1 ou 2 minutes de plus jusqu'à ce que l'eau se soit évaporée. (Le mélange doit être sec, presque friable.) Retirez-les du feu.

3. Ajoutez le fromage à la crème et remuez jusqu'à l'obtention d'une consistance homogène. Ajoutez le parmesan, les noix et le persil. Poivrez au goût. Versez dans un bol, couvrez-le et laissez refroidir.

4. Tartinez les tranches de baguette d'une généreuse cuillerée à thé (entre 5 et 7 ml) de garniture aux champignons. Disposez les biscottes sur une plaque à cuisson. Saupoudrez davantage de parmesan. Faites cuire dans un four préchauffé pendant 8 à 10 minutes ou jusqu'à ce que le contour des biscottes soit grillé.

ANALYSE DES ÉLÉMENTS NUTRITIFS PAR PORTION	
Calories	71
Glucides	7 g
Fibres	1 g
Protéines	3 g
Total des matières grasses	4 g
Gras saturés	2 g
Sodium	135 mg
Cholestérol	8 mg

FONDANTS AU FROMAGE
et à l'artichaut

POUR 24 BOUCHÉES

(3 par portion)

1 boîte (170 ml ou 6 oz) d'artichauts marinés, égouttés et hachés fin

½ tasse (125 ml) de cheddar ou de gouda allégés, râpés

2 c. à soupe (30 ml) de parmesan frais râpé

¼ tasse (50 ml) de mayonnaise

24 biscottes (tranches de baguette grillées) (reportez-vous à la manière de les préparer ci-dessous)

¼ tasse (50 ml) de poivron rouge haché fin

8 olives Kalamáta taillées en lamelles

Chacun adore compter une recette ultra-rapide à son répertoire. Voici la mienne. Un régal que l'on prépare en moins de deux.

Conseils

Vous pourriez penser que les olives sont ici la principale source de sodium, mais on en trouve dans nombre d'aliments, notamment les artichauts marinés, le fromage, la mayonnaise et le pain qui composent ces bouchées.

Vous pouvez préparer cette tartinade jusqu'à trois jours à l'avance; couvrez le contenant et conservez-la au réfrigérateur. Faites le montage au moment de servir, à défaut de quoi les biscottes seront détrempées.

Faites d'abord chauffer le four à 190 °C (375 °F).
Plaque à cuisson

1. Dans un bol, mélangez les artichauts, le cheddar, le parmesan et la mayonnaise. Tartinez la préparation sur les biscottes que vous garnirez ensuite de poivron rouge et d'olives.

2. Disposez les biscottes sur une plaque à cuisson. Faites cuire au four pendant 10 à 12 minutes ou jusqu'à ce que la préparation gonfle et que le contour des biscottes soit grillé. Servez chaud.

Biscottes (tranches de baguette grillées)

Taillez une baguette en tranches de 8 mm (⅓ po) d'épaisseur. Disposez-les sur une plaque à cuisson. Faites-les cuire au four à 190 °C (375 °F) pendant 5 minutes ou jusqu'à ce que le contour des biscottes soit légèrement grillé. Tartinez les biscottes de garniture à l'artichaut au moment de les enfourner pour éviter qu'elles ne soient détrempées.

ANALYSE DES ÉLÉMENTS NUTRITIFS PAR PORTION	
Calories	118
Glucides	11 g
Fibres	1 g
Protéines	4 g
Total des matières grasses	7 g
Gras saturés	2 g
Sodium	375 mg
Cholestérol	9 mg

TREMPETTE CHAUDE
aux épinards et au fromage

POUR 750 ML (3 TASSES)

(30 ml ou 2 c. à soupe par portion)

1 sachet (300 g ou 10 oz) d'épinards frais ou surgelés, hachés
8 oz (250 g) de fromage à la crème allégé, amolli (reportez-vous au conseil à la page 10)
1 tasse (250 ml) de salsa douce ou moyennement épicée
2 oignons verts hachés fin
1 gousse d'ail émincée
½ c. à thé (2 ml) d'origan séché
½ c. à thé (2 ml) de cumin moulu
½ tasse (125 ml) de cheddar allégé, râpé
½ tasse (125 ml) de lait écrémé (environ)
sel
sauce au poivre de Cayenne

Conseils

Si vous préférez une version épicée, ajoutez 2 piments jalapeños frais ou marinés. Pour une version douce, employez une boîte (113 g ou 4 oz) de piments verts égouttés et hachés fin.

Afin de décongeler les épinards, sortez-les de leur sachet et déposez-les dans un plat en pyrex de 1 l (4 tasses). Couvrez-les d'une pellicule plastique et passez-les au micro-ondes à puissance maximale, en remuant à une reprise, pendant 6 à 8 minutes ou jusqu'à ce qu'ils soient décongelés et chauds. Déposez-les dans une passoire et écrasez-les pour en exprimer le surplus d'eau.

1. Retirez les tiges des feuilles d'épinards frais; rincez-les en eau froide. Déposez les épinards humides dans une grande poêle. Faites-les cuire à feu vif en remuant jusqu'à ce qu'ils aient flétri. (Si vous employez des épinards surgelés, reportez-vous au conseil ci-dessous.) Déposez les épinards dans une passoire pour qu'ils s'égouttent. Essorez-les à la main; déposez-les dans un torchon propre et sec que vous tordrez afin d'en exprimer le jus.

2. Dans une casserole moyenne, mélangez les épinards, le fromage à la crème, la salsa, les oignons verts, l'ail, l'origan et le cumin. Laissez cuire à feu moyen en remuant pendant 2 ou 3 minutes ou jusqu'à ce que la préparation soit onctueuse et très chaude.

3. Ajoutez en remuant le fromage et le lait; faites cuire pendant 2 minutes ou jusqu'à ce que le fromage ait fondu. Versez davantage de lait afin d'allonger la trempette, si vous voulez. Rehaussez de sauce au poivre de Cayenne. À l'aide d'une louche, déposez la trempette dans un plat de service.

Préparation au micro-ondes

1. Dans un plat en pyrex de 2 l (8 tasses), déposez les épinards, le fromage à la crème, la salsa, les oignons verts, l'ail, l'origan et le cumin. Remuez, couvrez le plat de pellicule plastique et passez-le au micro-ondes à chaleur moyenne (50 %) pendant 4 minutes en prenant soin de remuer à une reprise. Ajoutez le fromage et le lait, couvrez

ANALYSE DES ÉLÉMENTS NUTRITIFS PAR PORTION	
Calories	39
Glucides	2 g
Fibres	1 g
Protéines	2 g
Total des matières grasses	3 g
Gras saturés	2 g
Sodium	150 mg
Cholestérol	8 mg

de pellicule plastique et passez au micro-ondes à la puissance moyenne-élevée (70 %), en remuant à une autre occasion, pendant 2 ou 3 minutes ou jusqu'à ce que le fromage ait fondu. Rehaussez de sauce au poivre de Cayenne, au goût.

Lorsque vous recevez un groupe, servez cette trempette chaude et regardez-la bien disparaître. Je l'accompagne de croustilles de maïs blanc ou bleu.

HOUMMOS

POUR 550 ML (2 ¼ TASSES)
(50 ml ou ¼ tasse par portion)

1 boîte (540 ml ou 19 oz) de pois chiches égouttés, rincés
⅓ tasse (75 ml) d'olives Kalamáta dénoyautées (environ 12)
¼ tasse (50 ml) d'eau
3 c. à soupe (45 ml) de jus de citron fraîchement pressé
2 c. à soupe (30 ml) de tahini
2 c. à soupe (30 ml) d'huile d'olive
2 gousses d'ail hachées
¼ c. à thé (1 ml) de cumin moulu (facultatif)
2 c. à soupe (30 ml) de persil haché fin

ANALYSE DES ÉLÉMENTS NUTRITIFS PAR PORTION	
Calories	120
Glucides	12 g
Fibres	3 g
Protéines	4 g
Total des matières grasses	7 g
Gras saturés	1 g
Sodium	225 mg
Cholestérol	0 mg

1. À l'aide d'un robot culinaire, réduisez en purée les pois chiches, les olives, l'eau, le jus de citron, le tahini, l'huile d'olive, l'ail et le cumin, le cas échéant, jusqu'à l'obtention d'une consistance homogène.

2. Versez dans un bol; ajoutez le persil en remuant. Couvrez et réfrigérez.

On trouve du hoummos, cette purée de pois chiches libanaise, dans la plupart des supermarchés, mais sa préparation est des plus faciles. Servez-le en trempette avec des pointes de pita ou employez-le comme garniture à sandwich.

BOUCHÉES DE PITA
au hoummos

POUR 24 BOUCHÉES DE PITA
(2 par portion)

2 pains pita de 18 cm (7 po), divisés en 2
1 tasse (250 ml) de hoummos
½ concombre sans pépins
½ poivron rouge taillé en lanières

ANALYSE DES ÉLÉMENTS NUTRITIFS PAR PORTION	
Calories	71
Glucides	11 g
Fibres	2 g
Protéines	2 g
Total des matières grasses	3 g
Gras saturés	0 g
Sodium	130 mg
Cholestérol	0 mg

1. Tartinez l'intérieur de chaque pita d'une généreuse portion de hoummos en prévoyant une petite bordure tout autour.

2. Taillez le concombre en bandes de 12 cm (5 po) de longueur et de 0,5 cm (¼ po) d'épaisseur. Disposez quelques morceaux de concombre et des lanières de poivron sur le pourtour de chaque moitié de pita et roulez-la en fagot. Enveloppez chaque fagot de pellicule plastique et réfrigérez-les jusqu'au moment de servir.

3. Afin de servir, taillez les extrémités des fagots et tranchez des bouchées de 2,5 cm (1 po) d'épaisseur. Disposez dans un plateau de présentation de sorte que l'on aperçoive la garniture.

PÂTÉ
de foie

POUR 20 PERSONNES

(30 ml ou 2 c. à soupe par portion)

3 c. à soupe (45 ml) de raisins secs de Corinthe
2 c. à soupe (30 ml) de porto Ruby
1 lb (500 g) de foies de poulet
½ tasse (125 ml) d'eau
2 c. à soupe (30 ml) de beurre
1 oignon moyen haché fin
1 tasse (250 ml) de pommes pelées, hachées
¾ c. à thé (4 ml) de sel
½ c. à thé (2 ml) de sauge séchée
½ c. à thé (2 ml) de poivre noir frais moulu
¼ c. à thé (1 ml) de muscade moulue (reportez-vous au conseil ci-contre)
⅓ tasse (75 ml) de dés de beurre

Voici une version actualisée d'un vieux classique, le pâté de foies de poulet. Même si vous n'êtes pas amateur de foie, vous ne saurez résister à ce pâté légèrement sucré avec des raisins de Corinthe et du porto. Servez-le sur des biscottes chaudes.

Conseils

Préparez ce pâté jusqu'à trois jours à l'avance. Couvrez-le de pellicule plastique et conservez-le au réfrigérateur. Vous pouvez également le mettre dans des ramequins et le congeler jusqu'à concurrence d'un mois. Le goût de la muscade frais moulue vaut tellement mieux que celui de la muscade moulue du commerce. Vous trouverez les noix de muscade dans la section réservée aux épices du supermarché ou chez les marchands d'aliments en vrac. Vous trouverez une râpe à muscade à bon marché dans les boutiques d'ustensiles de cuisine.

1. Dans un petit plat de verre, mélangez les raisins secs et le porto; passez-les au micro-ondes à puissance maximale pendant 1 minute, jusqu'à ce que les raisins soient gorgés de porto. Mettez-les de côté.

2. Dénervez les foies de poulet et taillez-les en quatre. Déposez-les dans une grande poêle antiadhésive avec l'eau; amenez à ébullition à feu moyen en remuant souvent et faites cuire pendant 5 minutes ou jusqu'à ce que les foies ne soient plus roses. Égouttez-les à l'aide d'une passoire et déposez-les dans le bol d'un robot culinaire.

3. Rincez et asséchez la poêle; ajoutez 30 ml (2 c. à soupe) de beurre que vous laisserez fondre à feu moyen. Ajoutez l'oignon, les pommes, le sel, la sauge, le poivre et la muscade; faites cuire, en remuant souvent, pendant 5 minutes ou jusqu'à ce que l'oignon ait blondi.

4. Versez la préparation à base d'oignon et de pommes dans le bol du robot culinaire et réduisez le tout en purée jusqu'à l'obtention d'une consistance homogène. Laissez refroidir légèrement. Ajoutez les dés de beurre à la prépa-ration et réduisez en purée jusqu'à l'obtention d'une consistance cré-meuse. Ajoutez les raisins et le porto; pulsez par à-coups jus-qu'à ce que tous les ingrédients soient mélangés.

ANALYSE DES ÉLÉMENTS NUTRITIFS PAR PORTION	
Calories	76
Glucides	3 g
Fibres	0 g
Protéines	4 g
Total des matières grasses	5 g
Gras saturés	3 g
Sodium	140 mg
Cholestérol	117 mg

5. À l'aide d'une cuillère, déposez la préparation dans un ramequin. Couvrez-le de pellicule plastique et réfrigérez-le jusqu'à ce que le pâté soit ferme, soit environ 4 heures ou toute une nuit. Servez le pâté avec des tranches de baguette grillées (reportez-vous à l'encadré de la page 19).

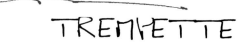

TREMPETTE
aux fines herbes

POUR 500 ML (2 TASSES)

(30 ml ou 2 c. à soupe par portion)

1 tasse (250 ml) de fromage cottage à 1 % de matières grasses, fouetté en crème

½ tasse (125 ml) de yogourt nature allégé ou de crème sure allégée

½ tasse (125 ml) de mayonnaise allégée

⅓ tasse (75 ml) de persil frais haché fin

2 c. à soupe (30 ml) de ciboulette fraîche ou d'oignons verts hachés fin

2 c. à soupe (30 ml) d'aneth frais haché

1 ½ c. à thé (7 ml) de moutarde de Dijon

1 c. à thé (5 ml) de vinaigre de vin rouge ou de jus de citron
sauce au poivre de Cayenne

1. À l'aide d'un robot culinaire, réduisez en purée le fromage cottage, le yogourt et la mayonnaise jusqu'à l'obtention d'une consistance homogène et crémeuse.

2. Versez la préparation dans un bol et ajoutez en remuant le persil, la ciboulette, l'aneth, la moutarde, le vinaigre et la sauce au poivre de Cayenne, au goût. Couvrez le bol et mettez-le au réfrigérateur.

Cette trempette crémeuse est préparée à partir de produits laitiers allégés et de fines herbes, de sorte qu'elle contient beaucoup moins de matières grasses et de calories que vous ne pourriez le croire. Préparez-la au moins un jour à l'avance afin que les parfums se marient. Servez-la accompagnée de légumes frais.

Conseils

Vous pouvez ajouter d'autres fines herbes, notamment du basilic, à cette recette en fonction de ce que vous conservez au réfrigérateur ou de ce qui pousse dans votre potager. Si vous aimez l'aneth frais, augmentez la quantité à 30 ml (2 c. à soupe).

Cette trempette accompagne à merveille les pâtes et la salade Parmentier. Elle se conserve au réfrigérateur dans un contenant fermé pendant une semaine.

ANALYSE DES ÉLÉMENTS NUTRITIFS PAR PORTION	
Calories	40
Glucides	2 g
Fibres	0 g
Protéines	2 g
Total des matières grasses	3 g
Gras saturés	1 g
Sodium	130 mg
Cholestérol	4 mg

TARTINADE DE HARICOTS BLANCS
à l'italienne

POUR 500 ML (2 TASSES)
(30 ml ou 2 c. à soupe par portion)

2 c. à soupe (30 ml) d'huile d'olive
1 petit oignon haché fin
2 grosses gousses d'ail hachées fin
1 c. à soupe (15 ml) de vinaigre de vin rouge
1 boîte (540 ml ou 19 oz) de haricots blancs, égouttés et rincés
2 c. à soupe (30 ml) de tomates confites au soleil, conservées dans l'huile, hachées fin
1 c. à soupe (15 ml) de persil frais haché
1 c. à soupe (15 ml) de feuilles de basilic frais hachées
poivre noir frais moulu

J'aime servir cette tartinade savoureuse et facile à préparer avec des morceaux de focaccia chaude ou des morceaux de pita craquants.

Conseil

Cette trempette peut être préparée jusqu'à trois jours à l'avance.

Variante

Si vous n'avez pas de basilic frais, augmentez la quantité de persil haché à 30 ml (2 c. à soupe) et ajoutez 2 ml (½ c. à thé) de feuilles de basilic séchées à l'oignon au moment de la cuisson.

1. Dans une petite casserole, mélangez l'huile, l'oignon et l'ail; laissez cuire à feu moyen pendant 5 minutes en remuant à l'occasion ou jusqu'à ce que l'oignon ait blondi (il ne doit pas caraméliser). Ajoutez le vinaigre et retirez du feu. À l'aide d'un robot culinaire, réduisez en purée les haricots et l'oignon.

2. Versez dans un bol. Ajoutez en remuant les dés de tomates confites au soleil, le persil et le basilic. Poivrez au goût. Couvrez de pellicule plastique et réfrigérez.

ANALYSE DES ÉLÉMENTS NUTRITIFS PAR PORTION	
Calories	51
Glucides	6 g
Fibres	2 g
Protéines	2 g
Total des matières grasses	2 g
Gras saturés	0 g
Sodium	75 mg
Cholestérol	0 mg

BOULETTES
de viande apéritives

POUR ENVIRON 72 BOULETTES
(3 par portion)

1 c. à soupe (15 ml) d'huile végétale
1 oignon moyen haché fin
2 gousses d'ail hachées
¾ c. à thé (4 ml) de sel
½ c. à thé (2 ml) de thym séché
½ c. à thé (2 ml) de poivre noir frais moulu
½ tasse (125 ml) de bouillon de bœuf à teneur réduite en sodium
2 c. à thé (10 ml) de sauce Worcestershire
2 lb (1 kg) de bœuf haché maigre
1 tasse (250 ml) de chapelure
2 c. à soupe (30 ml) de persil frais haché fin
1 gros œuf légèrement fouetté

Qui n'aime pas les boulettes de viande en guise de hors-d'œuvre ? Elles s'envolent du plat de service aussi vite que je les y dépose !

Conseil

Vous pouvez préparer les boulettes de viande cuites la veille de la réception et les conserver au réfrigérateur dans un récipient couvert; congelées, elles se conservent pendant deux mois. Afin de les surgeler, disposez-les sur des plateaux sans qu'elles se touchent, après quoi vous les rangerez dans des contenants hermétiques. Afin de les décongeler rapidement, déposez-les dans un plat de pyrex et passez-les au micro-ondes à puissance maximale pendant 4 ou 5 minutes en les remuant à une reprise.

Faites d'abord chauffer le four à 200 °C (400 °F).
Plaque à cuisson enduite d'un aérosol de cuisson végétal

1. Faites chauffer l'huile à feu moyen dans une poêle anti-adhésive de taille moyenne. Ajoutez l'oignon, l'ail, le sel, le thym et le poivre; faites cuire, en remuant souvent, pendant 5 minutes ou jusqu'à ce que l'oignon ait blondi. Ajoutez en remuant le bouillon de bœuf et la sauce Worcestershire; laissez refroidir quelque peu.

2. Mélangez dans un bol la préparation à l'oignon, le bœuf haché, la chapelure, le persil et l'œuf. Assurez-vous que la préparation est bien liée.

3. Façonnez des boulettes de 2,5 cm (1 po) de diamètre et disposez-les sur une plaque à cuisson. Enfournez-les dans un four déjà chaud et laissez-les cuire pendant 18 à 20 minutes ou jusqu'à ce qu'elles aient doré. Déposez-les ensuite sur un plateau chemisé d'essuie-tout qui en absorberont le surplus de jus.

ANALYSE DES ÉLÉMENTS NUTRITIFS PAR PORTION	
Calories	78
Glucides	2 g
Fibres	0 g
Protéines	7 g
Total des matières grasses	4 g
Gras saturés	2 g
Sodium	125 mg
Cholestérol	28 mg

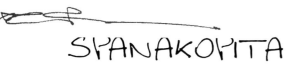

SPANAKOPITA

POUR 12 PARTS

(1 par portion)

2 sachets (300 g ou 10 oz) d'épinards frais
5 c. à soupe (75 ml) d'huile d'olive (environ)
1 tasse (250 ml) d'oignons verts tranchés
2 œufs
1 tasse de feta émiettée finement (environ 150 g ou 5 oz)
¼ tasse (50 ml) d'aneth frais haché
poivre noir frais moulu
9 feuilles de pâte phyllo

Faites d'abord chauffer le four à 190 °C (375 °F).
Plat de cuisson de 3 l (13 x 9 po) enduit d'un aérosol de cuisson végétal

1. Rincez les épinards en eau froide et retirez les tiges. Déposez les épinards humides dans une grande poêle. Faites-les cuire à feu moyen-vif en remuant, jusqu'à ce qu'ils aient flétri. Déposez les épinards dans une passoire pour qu'ils s'égouttent. Essorez-les à la main dans un torchon que vous tordrez afin d'en exprimer le jus et hachez-les fin.

2. Faites chauffer 15 ml (1 c. à soupe) d'huile dans une grande poêle antiadhésive à feu moyen-élevé; faites cuire les épinards et les oignons verts en remuant pendant 4 minutes ou jusqu'à ce que les épinards soient tendres. Laissez refroidir.

3. Dans un bol, fouettez les œufs, puis ajoutez la préparation aux épinards, la feta, l'aneth et le poivre.

4. Déposez 1 feuille de pâte phyllo sur votre plan de travail et enduisez-la légèrement d'huile. Déposez-la ensuite dans le plat de cuisson dont elle débordera. Superposez ainsi 4 autres feuilles de pâte phyllo en badigeonnant chacune d'huile d'olive. Versez ensuite la préparation aux épinards en la répartissant uniformément dans le plat, puis repliez le contour des feuilles de pâte sur la farce. Superposez les 4 feuilles de pâte phyllo qui restent en les enduisant toutes d'un peu d'huile. Repliez soigneusement la pâte sous les feuilles qui composent l'abaisse.

La tourte aux épinards et à la feta est un classique de la cuisine grecque que l'on peut servir chaud ou à température ambiante, en hors-d'œuvre ou dans un buffet.

Conseils

Il est préférable de s'en tenir à une portion de ce hors-d'œuvre délicieux mais plutôt gras. Les matières grasses proviennent principalement de l'huile d'olive, une source de gras monoinsaturés qui sont certes désirables, mais même les gras sains doivent être consommés avec modération. Lorsque les hors-d'œuvre contiennent davantage de matières grasses, choisissez des plats moins riches en gras pour composer le reste du menu.

Lorsque vous travaillez une feuille de pâte phyllo, couvrez le reste des feuilles de pellicule plastique et d'un torchon humide pour éviter qu'elles ne sèchent.

ANALYSE DES ÉLÉMENTS NUTRITIFS PAR PORTION	
Calories	157
Glucides	13 g
Fibres	2 g
Protéines	6 g
Total des matières grasses	10 g
Gras saturés	3 g
Sodium	285 mg
Cholestérol	35 mg

5. À l'aide d'un couteau bien aiguisé, incisez des carrés ou des losanges sur le dessus de la tourte. Badigeonnez d'huile le dessus de la tourte. Faites-la cuire dans un four déjà chaud pendant 35 à 40 minutes ou jusqu'à ce que le dessus soit doré. Laissez refroidir pendant 10 minutes avant de la découper en 12 parts.

'BOULETTES DE VIANDE
en sauce aigre-douce

POUR 36 BOULETTES

(3 par portion avec sauce)

½ tasse (125 ml) de jus d'orange

3 c. à soupe (45 ml) de sauce soja à teneur réduite en sodium

¼ tasse (50 ml) de ketchup

¼ tasse (50 ml) de cassonade

2 c. à soupe (30 ml) de vinaigre balsamique

1 gousse d'ail hachée

1 ½ c. à thé (7 ml) de fécule de maïs

36 boulettes de viande apéritives
(la moitié de la recette de la page 26)

Cette sauce tout-aller accompagne délicieusement les brochettes de poulet ou de porc et les ailes de poulet. Vous pouvez la rehausser en y ajoutant de la sauce au poivre de Cayenne.

Conseil

La sauce soja est un condiment populaire, mais elle contient beaucoup de sodium. La sauce soja à teneur réduite en sodium a tout autant de saveur, mais elle contient 50 % moins de sodium que l'autre. La teneur en sodium varie selon les marques, mais en général on peut compter 1 000 mg de sodium dans 15 ml (1 c. à soupe) de sauce soja ordinaire alors que sa version pauvre en sodium n'en compte que 500 mg.

1. Dans une casserole moyenne, mélangez le jus d'orange, la sauce soja, le ketchup, la cassonade, le vinaigre, l'ail et la fécule de maïs jusqu'à l'obtention d'une consistance homo-gène. Amenez à ébullition à feu moyen en remuant sans cesse jusqu'à ce que la sauce épaississe et qu'elle soit lisse.

2. Ajoutez en remuant les boulettes de viande cuites, couvrez et laissez mijoter pendant 5 minutes ou jusqu'à ce qu'elles soient bien chaudes.

ANALYSE DES ÉLÉMENTS NUTRITIFS PAR PORTION	
Calories	110
Glucides	10 g
Fibres	0 g
Protéines	8 g
Total des matières grasses	5 g
Gras saturés	2 g
Sodium	310 mg
Cholestérol	28 mg

HORS-D'ŒUVRE
antipasti

POUR 24 BOUCHÉES
(2 par portion)

24 olives vertes farcies ou Kalamáta	
8 oz (250 g) de havarti allégé, taillé en dés de 2 cm (¾ po)	
1 petit poivron rouge taillé en carrés de 2,5 cm (1 po)	
1 petit poivron vert taillé en carrés de 2,5 cm (1 po)	
1 c. à soupe (15 ml) d'huile d'olive	
1 c. à soupe (15 ml) de vinaigre balsamique	
poivre noir frais moulu	
2 c. à soupe (30 ml) de basilic ou de persil frais hachés	

1. Enfilez une olive, un cube de fromage et un carré de poivron sur un cure-dents. Disposez-les joliment dans un plat de service peu profond. Couvrez-les de pellicule plastique et réfrigérez-les jusqu'au moment de servir.

2. Dans un petit bol, fouettez l'huile et le vinaigre balsamique. Versez la vinaigrette sur les kébabs. Poivrez généreusement, parsemez de basilic haché et servez.

Voici une autre suggestion de gueuleton rapide à préparer lorsque des amis vous font coucou sans s'être annoncés. Ces petites bouchées nous ramènent aux cocktails des années 1960 alors qu'un hors-d'œuvre équivalait souvent à un cornichon entouré d'une charcuterie retenue par un cure-dents de fantaisie. Je les aime car on peut les assembler en quelques minutes et parce qu'elles ajoutent de la couleur à un plateau de canapés chauds.

Conseil

Les hors-d'œuvre comptent d'ordinaire beaucoup de sodium; vous devriez donc n'en consommer qu'aux grandes occasions, mais gardez-vous d'en manger trop. Ici, les olives et le fromage comptent pour environ la moitié de l'apport en sodium.

ANALYSE DES ÉLÉMENTS NUTRITIFS PAR PORTION	
Calories	79
Glucides	2 g
Fibres	0 g
Protéines	5 g
Total des matières grasses	5 g
Gras saturés	2 g
Sodium	330 mg
Cholestérol	10 mg

RONDELLES DE CHEDDAR
au poivre

POUR 48 BOUCHÉES

(3 par portion)

8 oz (250 g) de cheddar allégé, râpé

4 oz (125 g) de fromage à la crème allégé

2 c. à soupe (30 ml) de brandy ou de sherry

¼ tasse (50 ml) de persil frais haché fin

1 c. à soupe (15 ml) de grains de poivre concassés
(reportez-vous au conseil ci-contre)

biscottes Melba

1. À l'aide d'un robot culinaire, mélangez le cheddar, le fromage à la crème et le brandy. Pulsez jusqu'à l'obtention d'une consistance homogène. Versez dans un bol et réfrigérez pendant 3 heures ou jusqu'à ce que la préparation soit ferme.

2. Divisez la préparation en deux et enveloppez chaque moitié de pellicule plastique. Roulez-les sur une surface plane et façonnez-les pour en faire des bûchettes mesurant environ 15 cm sur 4 cm (6 po sur 1 ½ po).

3. Déposez le persil et le poivre concassé dans un plat. Déballez les bûchettes de fromage et roulez-les dans le mélange de persil et de poivre de manière à les en enduire uniformément. Remballez-les avec de la pellicule plastique et remettez-les au réfrigérateur jusqu'à ce qu'elles soient fermes.

4. Au moment de servir, taillez chaque bûchette en tranches de 0,5 cm (¼ po) de longueur et disposez les rondelles sur des biscottes Melba.

Voici une version revisitée d'un classique, la boule de fromage que l'on servait à toutes les soirées dans les années 1950 et 1960. La recette semble nécessiter une grande quantité de grains de poivre, mais ne vous y fiez pas. Le poivre ne fait que relever le goût.

Conseils

Afin de moudre les grains de poivre, mettez-les dans un sac de plastique résistant et, après l'avoir posé sur une planche de bois, concassez-les à l'aide d'un rouleau à pâtisserie ou d'une poêle en fonte.

Les bûchettes de fromage se conservent pendant près d'un mois au congélateur. Laissez-les décongeler au réfrigérateur pendant plusieurs heures avant de les trancher.

ANALYSE DES ÉLÉMENTS NUTRITIFS PAR PORTION	
Calories	108
Glucides	8 g
Fibres	1 g
Protéines	6 g
Total des matières grasses	5 g
Gras saturés	3 g
Sodium	260 mg
Cholestérol	16 mg

SOUPES

SOUPE AU POULET
et aux nouilles

POUR 8 PERSONNES

(375 ml ou 1 ½ tasse par portion)

3 lb (1,5 kg) de poulet complet ou en morceaux, p. ex. les cuisses et la poitrine
10 tasses (2,5 l) d'eau (environ)
1 gros oignon haché fin
3 carottes pelées et hachées
2 tiges de céleri, dont les feuilles, hachées
2 c. à soupe (30 ml) de persil frais haché
½ c. à thé (2 ml) de thym séché
1 ½ c. à thé (7 ml) de sel
¼ c. à thé (1 ml) de poivre noir frais moulu
1 feuille de laurier
1 ½ tasse (375 ml) de nouilles aux œufs moyennes et grosses
1 tasse (250 ml) de courgette en tranches fines ou de petits bouquets de chou-fleur
2 c. à soupe (30 ml) d'aneth ou de persil frais hachés

Souvent qualifiée de pénicilline des Juifs, la soupe de poulet est l'antidote idéal lorsqu'on sent poindre un rhume. Mais elle peut faire plus qu'un reconstituant. Riche et délicieuse, elle peut chasser le spleen hivernal et vous récon-forter quelle que soit la saison.

Conseils

Les soupes, dont celle-ci, contiennent souvent une grande quantité de sodium. Commencez en ajoutant seulement la moitié de la quantité de sel que demande la recette et goûtez pour voir si vous devez ajouter le reste. Vous n'êtes pas tenu de passer des heures devant la cuisinière pour préparer cette soupe. En ajoutant le poulet et les légumes au même moment dans la marmite, vous vous simplifierez la tâche en sautant l'étape de la préparation du bouillon. Le résultat sera tout aussi satisfaisant.

1. Rincez le poulet et enlevez le plus de peau et de gras que vous pouvez. Déposez-le dans une grande marmite, versez l'eau afin de couvrir la volaille. Amenez à ébullition à feu vif; à l'aide d'une cuillère à rainures, écumez la mousse à mesure qu'elle se forme à la surface.

2. Ajoutez l'oignon, les carottes, le céleri, le persil, le thym, le sel, le poivre et la feuille de laurier. Ramenez le feu à moyen-doux, couvrez et laissez mijoter pendant environ 75 minutes ou jusqu'à ce que le poulet soit tendre.

3. Enlevez le poulet à l'aide de la cuillère à rainures et déposez-le dans un grand bol; laissez-le refroidir quelque peu. Prélevez la chair des os; jetez la peau et les os. Taillez la chair pour en faire des bouchées. Réservez-en 500 ml (2 tasses) pour faire la soupe. (Employez le reste pour faire d'autres recettes et des sandwiches.)

4. Dégraissez le bouillon et amenez-le à ébullition. Ajoutez les cubes de poulet, les nouilles, la courgette et l'aneth; faites cuire pendant 10 minutes environ ou jusqu'à ce que les nouilles et les courgettes soient tendres. Enlevez la feuille de laurier. Poivrez au goût.

ANALYSE DES ÉLÉMENTS NUTRITIFS PAR PORTION	
Calories	139
Glucides	12 g
Fibres	3 g
Protéines	15 g
Total des matières grasses	3 g
Gras saturés	1 g
Sodium	525 mg
Cholestérol	39 mg

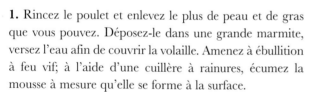

SOUPE
de lentilles vertes

POUR 6 PERSONNES

(325 ml ou 1 ⅓ tasse par portion)

6 tasses (1,5 l) de bouillon de poulet à teneur réduite en sodium	
2 tasses (500 ml) d'eau	
1 tasse (250 ml) de lentilles vertes rincées et triées	
8 oz (250 g) de champignons hachés	
2 carottes pelées et hachées	
2 tiges de céleri, avec les feuilles, hachées	
1 gros oignon haché	
2 gousses d'ail hachées fin	
1 c. à thé (5 ml) de marjolaine ou de thym séchés	
¼ tasse (50 ml) d'aneth ou de persil frais hachés	
poivre noir frais moulu	

De toutes les légumineuses séchées, les lentilles sont mes préférées. Leur cuisson est rapide et facile et, en outre, elles sont nutritives. Pour faire cette soupe, j'amène le bouillon à ébullition, j'y verse quelques légumes, je m'assois et me relaxe en savourant l'arôme. En l'espace de 40 minutes je sers des bols de cette délicieuse soupe.

Conseil

Afin d'épargner du temps, je hache les champignons, les oignons, les carottes et le céleri par lots à l'aide du robot culinaire.

Variante

Ajoutez au bouillon 125 ml (⅓ tasse) de jambon cuit haché fin.

1. Dans un grand faitout ou une marmite, mélangez le bouillon, l'eau, les lentilles, les champignons, les carottes, le céleri, l'oignon, l'ail et le thym.

2. Amenez à ébullition; réduisez le feu, couvrez et laissez mijoter pendant 35 à 40 minutes ou jusqu'à ce que les lentilles soient tendres. Ajoutez l'aneth ou le persil en remuant et poivrez au goût.

ANALYSE DES ÉLÉMENTS NUTRITIFS PAR PORTION	
Calories	155
Glucides	26 g
Fibres	7 g
Protéines	12 g
Total des matières grasses	1 g
Gras saturés	0 g
Sodium	520 mg
Cholestérol	0 mg

SOUPE DE FRUITS DE MER
à la méditerranéenne

POUR 6 PERSONNES

(375 ml ou 1 ½ tasse par portion)

2 c. à soupe (30 ml) d'huile d'olive
1 oignon espagnol haché (environ 500 g ou 1 lb)
3 gousses d'ail hachées fin
1 poivron rouge, en dés
1 poivron vert, en dés
1 grande tige de céleri, avec les feuilles, hachée
1 feuille de laurier
1 c. à thé (5 ml) de paprika
¼ c. à thé (1 ml) de flocons de piment de Cayenne
¼ c. à thé (1 ml) de pistils de safran écrasés
1 boîte (540 ml ou 19 oz) de tomates hachées et leur jus
4 tasses (1 l) de bouillon de poisson ou de poulet à teneur réduite en sodium (environ)
1 tasse (250 ml) de vin blanc sec, de vermouth ou de bouillon
1 lb (500 g) de flétan ou d'un autre poisson à chair blanche, taillé en cubes
8 oz (250 g) de crevettes moyennes crues, pelées, éviscérées, avec leurs queues
8 oz (250 g) de pétoncles taillés en 2 s'ils sont gros
¼ tasse (75 ml) de persil frais haché

1. Faites chauffer l'huile à feu moyen-vif dans un grand faitout ou une grande casserole. Ajoutez l'oignon, l'ail, les poivrons, le céleri, la feuille de laurier, le paprika, les flocons de piment de Cayenne et le safran; faites cuire, en remuant souvent, pendant 5 minutes ou jusqu'à ce que les légumes aient fondu.
2. Ajoutez les tomates et leur jus, le bouillon et le vin. Amenez à ébullition, réduisez l'intensité du feu pour qu'il soit moyen-doux et laissez mijoter à couvert pendant 30 minutes.
3. Ajoutez en remuant le flétan, les crevettes, les pétoncles et le persil; couvrez et laissez mijoter pendant 3 à 5 minutes ou jusqu'à ce que le poisson devienne opaque. Servez sans tarder dans des bols à soupe chauds.

Voici une soupe alléchante qui embaume l'ail et qui regorge de fruits de mer baignant dans un riche bouillon fait de vin et de tomates. Lorsque j'invite des amis à un repas décontracté, je sers cette soupe avec du pain croustillant, une salade toute simple et un dessert de fruits frais.

Conseils

Pour faire une version meilleur marché de cette soupe, remplacez les crevettes et les pétoncles par une quantité égale de poisson au goût peu relevé. Si vous employez du poisson surgelé en bloc, sortez-le de l'emballage, disposez-le sur une plaque de cuisson et passez-le au micro-ondes à puissance moyenne (50 %) pendant 5 minutes ou jusqu'à ce qu'il soit décongelé en partie. Taillez-le en cubes, laissez-le reposer pendant 15 minutes, jusqu'à ce qu'il soit décongelé.

Vous pouvez réaliser les deux premières étapes de cette soupe, couvrir et réfrigérer pendant une journée ou la congeler pendant près de trois mois. Au moment de la réchauffer, ramenez-la au point d'ébullition.

ANALYSE DES ÉLÉMENTS NUTRITIFS PAR PORTION	
Calories	215
Glucides	11 g
Fibres	2 g
Protéines	26 g
Total des matières grasses	6 g
Gras saturés	1 g
Sodium	435 mg
Cholestérol	74 mg

CHAUDRÉE
de moules

POUR 4 PERSONNES

(325 ml ou 1⅓ tasse par portion)

2 lb (1 kg) de moules cultivées
1 tasse (250 ml) de vin blanc ou d'eau
4 tranches de lard taillées en dés
1 poireau moyen, le blanc et le vert pâle seulement, haché (reportez-vous au conseil à la page 42)
2 tiges de céleri
1 ½ tasse (375 ml) de dés de pommes de terre pelées
½ c. à thé (2 ml) de sel
¼ c. à thé (1 ml) de poivre noir frais moulu
½ tasse (125 ml) de dés de poivron rouge
2 c. à soupe (30 ml) de farine tout usage
1 ½ tasse (375 ml) de lait faible en gras
2 c. à soupe (30 ml) de persil frais haché

Les moules cultivées sont idéales pour la cuisson rapide. Elles sont vendues ébarbées, c'est-à-dire que les fils qui les retiennent à des objets immobiles ont été coupés, et il suffit de les rincer rapidement à l'eau froide avant de les faire cuire. Jetez-les dans une marmite et passez-les à la vapeur pendant 4 ou 5 minutes.

Conseil

Afin de conserver les moules, déposez-les dans un bol et couvrez-les d'essuie-tout humides. Ne les rangez jamais dans un sac de plastique fermé, car elles suffoqueraient. De même, ne les déposez jamais dans un évier plein d'eau car elles se noieraient. Afin qu'elles soient au maximum de leur fraîcheur, cuisinez-les au cours des deux jours qui suivent leur achat.

1. Déposez les moules et le vin blanc dans une grande marmite. Couvrez et amenez à ébullition à feu vif. Faites-les cuire à la vapeur pendant 4 minutes ou jusqu'à ce que les coquilles s'ouvrent. Égouttez-les et réservez le jus de cuisson. Ajoutez suffisamment d'eau ou de bouillon de poisson à teneur réduite en sodium pour obtenir 500 ml (2 tasses) de liquide. Enlevez la chair des moules des coquilles et déposez-la dans un bol. Jetez les moules qui ne se sont pas ouvertes.

2. Faites cuire le lard dans une grande casserole à feu moyen en le remuant souvent pendant 4 minutes ou jusqu'à ce qu'il soit croustillant. Enlevez le lard de la casserole à l'aide d'une cuillère à rainures et déposez-le sur des essuie-tout. Enlevez le gras de la casserole. Ajoutez le poireau et le céleri, et faites-les cuire en remuant pendant 3 minutes ou jusqu'à ce qu'ils aient fondu. Ajoutez les dés de pommes de terre, le bouillon des moules, le sel et le poivre. Amenez à ébullition; réduisez le feu, couvrez et laissez mijoter pendant 15 minutes ou jusqu'à ce que les pommes de terre soient tendres. Ajoutez le poivron rouge en remuant.

ANALYSE DES ÉLÉMENTS NUTRITIFS PAR PORTION	
Calories	231
Glucides	25 g
Fibres	2 g
Protéines	16 g
Total des matières grasses	6 g
Gras saturés	2 g
Sodium	605 mg
Cholestérol	30 mg

3. Dans un bol, mélangez la farine avec 50 ml (¼ tasse) de lait pour en faire une pâte lisse. Ajoutez en remuant le reste de lait jusqu'à obtention d'une consistance lisse et sans grumeaux. Versez dans la casserole; amenez à ébullition en remuant souvent jusqu'à ce que la préparation épaississe. Ajoutez les moules que vous avez réservées, les dés de lard et le persil; faites cuire 2 minutes de plus ou jusqu'à ce que la chaudrée soit bien fumante.

CRÈME
de champignons

POUR 6 PERSONNES
(250 ml ou 1 tasse par portion)

1 c. à soupe (15 ml) de margarine ou de beurre amollis
1 gros oignon haché fin
2 gousses d'ail hachées
8 oz (250 g) de champignons assortis, p. ex. des shiitakes et des cremini, en tranches
1 ½ c. à thé (7 ml) de thym frais haché ou 2 ml (½ c. à thé) de thym séché
2 c. à soupe (30 ml) de farine tout usage
4 tasses (1 l) de bouillon de poulet à teneur réduite en sodium
½ c. à thé (2 ml) de sel
¼ c. à thé (1 ml) de poivre noir frais moulu
1 tasse (250 ml) de crème 10 %
¼ tasse (50 ml) de xérès assez sec (facultatif)
2 c. à soupe (30 ml) de ciboulette ou de persil frais hachés

1. Faites chauffer le beurre à feu moyen-vif dans un faitout ou une grande casserole. Faites cuire l'oignon et l'ail en remuant pendant 2 minutes jusqu'à ce qu'ils aient fondu. Ajoutez les champignons et le thym en remuant; faites cuire en remuant souvent pendant 5 minutes ou jusqu'à ce que les champignons soient tendres.
2. Saupoudrez la farine, ajoutez le bouillon en remuant, puis le sel et le poivre. Amenez à ébullition à feu vif. Ramenez le feu à moyen-doux, couvrez et laissez mijoter pendant 25 minutes. Laissez refroidir quelque peu.
3. À l'aide d'un robot culinaire, réduisez la soupe en purée. Retournez-la à la casserole. Refaites-la chauffer à feu moyen; ajoutez la crème et le xérès (le cas échéant) en remuant. Poivrez au goût. Faites chauffer jusqu'à ce que la soupe soit bien fumante. Servez-la dans des bols chauds et saupoudrez-la de ciboulette hachée.

Employez des champignons shiitake et des champignons café moins onéreux afin de préparer cette soupe à la saveur intense qui donne un bon coup d'envoi à un grand souper.

Conseil

Les tiges des champignons shiitake sont pleines de saveur, mais elles sont coriaces. Conservez-les au congélateur et servez-vous-en afin de rehausser le goût de vos soupes et bouillons.

ANALYSE DES ÉLÉMENTS NUTRITIFS PAR PORTION	
Calories	113
Glucides	11 g
Fibres	2 g
Protéines	4 g
Total des matières grasses	6 g
Gras saturés	3 g
Sodium	570 mg
Cholestérol	13 mg

SOUPE AUX POIS
et au jambon fumé à l'ancienne

POUR 8 PERSONNES

(375 ml ou 1 ½ tasse par portion)

1 c. à soupe (15 ml) d'huile de canola
1 poireau moyen, le blanc et le vert pâle seulement, haché (reportez-vous au conseil à la page 42)
1 gros oignon haché
2 gousses d'ail hachées fin
3 carottes pelées et hachées
1 grosse tige de céleri, avec les feuilles, hachée
1 ½ c. à thé (7 ml) de marjolaine séchée
1 feuille de laurier
¼ c. à thé (1 ml) de poivre noir frais moulu
6 tasses (1,5 l) de bouillon de poulet à teneur réduite en sodium
2 tasses (500 ml) d'eau
2 tasses (500 ml) de jambon fumé maigre et haché
1 ½ tasse (375 ml) de pois jaunes ou de pois verts cassés, rincés et épluchés
¼ tasse (50 ml) de persil frais haché

1. Faites chauffer l'huile à feu moyen dans un faitout ou une marmite. Ajoutez le poireau, l'oignon, l'ail, les carottes, le céleri, la marjolaine, la feuille de laurier et le poivre; faites cuire en remuant souvent pendant 8 minutes ou jusqu'à ce que les légumes aient fondu.

2. Ajoutez le bouillon, l'eau, le jambon et les pois cassés en remuant. Amenez à ébullition, réduisez le feu, couvrez et laissez mijoter pendant 90 minutes environ ou jusqu'à ce que les pois soient tendres.

3. Enlevez la feuille de laurier. Ajoutez le persil en remuant. La soupe épaissit alors qu'elle refroidit. Vous pouvez l'allonger avec un peu de bouillon ou d'eau pour obtenir la consistance voulue.

Ma famille est venue des Pays-Bas pour s'installer en Ontario dans les années 1950 et ma mère préparait souvent ce potage hollandais. J'ai ensuite vécu plusieurs années au Québec où j'ai découvert que la soupe aux pois est l'un des aliments fétiches de cette province, et je m'y suis sentie chez moi.

Conseil

Afin de rehausser la saveur de cette soupe, j'ajoute un os de jambon auquel s'attache encore quantité de chair alors qu'elle mijote. Étant donné que la plupart des jambons sont désormais commercialisés sans os, on peut remplacer l'os par des dés de jambon et du bouillon de poulet. Si vous disposez d'un os de jambon, ajoutez-le (en prélevant d'abord tout le gras) et remplacez le bouillon par de l'eau. Le jarret de porc fumé est une autre solution de rechange lorsque vous ne trouvez pas d'os de jambon.

ANALYSE DES ÉLÉMENTS NUTRITIFS PAR PORTION	
Calories	208
Glucides	29 g
Fibres	5 g
Protéines	16 g
Total des matières grasses	4 g
Gras saturés	1 g
Sodium	685 mg
Cholestérol	14 mg

CRÈME DE CAROTTES
parfumée à l'orange

POUR 6 PERSONNES

(300 ml ou 1 ¼ tasse par portion)

1 c. à soupe (15 ml) d'huile végétale
1 oignon moyen haché
1 grosse gousse d'ail hachée fin
2 c. à thé (10 ml) de pâte ou de poudre de curry doux
4 tasses (1 l) de carottes tranchées
4 tasses (1 l) de bouillon de poulet à teneur réduite en sodium
1 tasse (250 ml) de jus d'orange
1 tasse (250 ml) de yogourt nature allégé
1 c. à soupe (15 ml) de fécule de maïs
poivre noir frais moulu
2 c. à soupe (30 ml) de persil ou de ciboulette frais hachés
zeste d'orange

Vous cherchez un excellent potage à servir en début de repas ? Le voici. La douceur de la carotte et de l'orange est équilibrée par le goût aigrelet du yogourt dans cette recette peu calorique.

Conseil

En théorie, le yogourt caille lorsqu'on l'ajoute à une soupe ou une sauce, mais lorsqu'on le mélange avec de la fécule de maïs le problème ne se pose plus.

1. Faites chauffer l'huile à feu moyen dans une grande casserole. Ajoutez l'oignon, l'ail et la pâte de curry; faites cuire en remuant pendant 2 minutes ou jusqu'à ce que l'oignon ait fondu. Ajoutez les carottes, le bouillon et le jus d'orange. Amenez à ébullition, couvrez et laissez mijoter pendant 45 minutes ou jusqu'à ce que les carottes soient très tendres. Laissez refroidir pendant 10 minutes.

2. Réduisez la soupe en purée à l'aide d'un robot culinaire ou d'un mélangeur. Retournez-la à la casserole. Dans un bol, mélangez le yogourt et la fécule de maïs, puis versez-les dans la soupe en remuant. Laissez cuire à feu moyen en remuant pendant 5 minutes ou jusqu'à ce qu'elle soit bien fumante. Poivrez au goût. Servez dans des bols et garnissez de persil et de zeste d'orange.

ANALYSE DES ÉLÉMENTS NUTRITIFS PAR PORTION	
Calories	132
Glucides	20 g
Fibres	3 g
Protéines	5 g
Total des matières grasses	4 g
Gras saturés	1 g
Sodium	470 mg
Cholestérol	2 mg

SOUPE AU CHOU,
à la pomme de terre et au poireau

POUR 8 PERSONNES

(375 ml ou 1 ½ tasse par portion)

1 c. à soupe (15 ml) d'huile d'olive

2 poireaux moyens, le blanc et le vert pâle seulement, hachés (reportez-vous au conseil ci-contre)

2 gousses d'ail hachées fin

¼ c. à thé (1 ml) de poivre noir frais moulu

¼ c. à thé (1 ml) de graines de carvi (facultatif)

2 tasses (500 ml) de cubes de pommes de terre pelées

4 tasses (1 l) de chou vert haché fin

6 tasses (1,5 l) de bouillon de bœuf à teneur réduite en sodium

4 oz (125 g) de saucisse kolbassa ou d'une autre saucisse fumée et cuite, taillée en petits cubes

¼ tasse (50 ml) de persil frais haché

Nous négligeons souvent le chou depuis que des légumes plus exotiques nous sont proposés dans les marchés. C'est dommage. Le chou est le complément idéal de la pomme de terre et de la saucisse fumée dans cette soupe charpentée – cela montre bien les qualités de ce légume mal aimé. Goûtez-y et jugez par vous-même !

Conseils

Afin de nettoyer les poireaux, taillez les feuilles vert foncé. Taillez ensuite le centre du poireau jusqu'aux racines et hachez-le. Rincez-le dans un bac d'eau froide afin d'en enlever le sable; récupérez les morceaux de poireau et jetez-les dans une passoire afin de les égoutter ou passez-les dans une essoreuse à laitue.

Cette soupe se conserve pendant cinq jours au réfrigérateur dans des contenants hermétiques.

1. Faites chauffer l'huile à feu moyen dans une grande casserole. Ajoutez les poireaux, l'ail, le poivre et les graines de carvi, le cas échéant. Faites cuire en remuant pendant 4 minutes ou jusqu'à ce que les poireaux aient fondu.

2. Ajoutez en remuant les pommes de terre, le chou et le bouillon. Amenez à ébullition; ramenez le feu à moyen-doux et faites mijoter à couvert pendant 20 minutes ou jusqu'à ce que les légumes soient tendres.

3. Ajoutez la saucisse et le persil; faites cuire pendant 5 minutes de plus ou jusqu'à ce que la saucisse soit bien chaude.

ANALYSE DES ÉLÉMENTS NUTRITIFS PAR PORTION	
Calories	113
Glucides	13 g
Fibres	3 g
Protéines	6 g
Total des matières grasses	5 g
Gras saturés	1 g
Sodium	520 mg
Cholestérol	10 mg

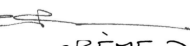

CRÈME DE LÉGUMES-RACINES
parfumée au curry

POUR 6 PERSONNES

(250 ml ou 1 tasse par portion)

1 c. à soupe (15 ml) d'huile végétale
1 ½ tasse (375 ml) de dés de pommes pelées
1 oignon moyen haché
2 gousses d'ail hachées
1 c. à soupe (15 ml) de gingembre frais haché
1 ½ c. à thé (7 ml) de pâte ou de poudre de curry
½ c. à thé (2 ml) de cumin moulu
½ c. à thé (2 ml) de coriandre moulue
¼ c. à thé (1 ml) de thym séché
1 pincée de poivre de Cayenne
2 carottes pelées, en cubes
1 patate douce (environ 200 g ou 7 oz) pelée, en cubes
1 tasse (250 ml) de cubes de rutabaga
4 tasses (1 l) de bouillon de poulet à teneur réduite en sodium
1 tasse (250 ml) de crème 10 %
¼ tasse (50 ml) de coriandre ou de persil frais hachés

1. Faites chauffer l'huile à feu moyen dans une grande casserole. Ajoutez les pommes, l'oignon, l'ail, le gingembre, la pâte de curry, le cumin, la coriandre, le thym et le poivre de Cayenne. Faites cuire en remuant pendant 5 minutes ou jusqu'à ce que les pommes et l'oignon aient fondu.

2. Ajoutez les carottes, la patate douce, le rutabaga et le bouillon. Amenez à ébullition; ramenez le feu à moyen-doux et laissez mijoter à couvert pendant 30 minutes ou jusqu'à ce que les légumes soient très tendres. Laissez refroidir quelque peu.

3. Réduisez la soupe en purée à l'aide d'un mélangeur ou d'un robot culinaire jusqu'à obtention d'une consistance lisse. Retournez la soupe à la casserole, ajoutez la crème en remuant et faites-la bien chauffer. Ne la laissez pas bouillir, car la soupe pourrait cailler. Servez dans des bols et garnissez de coriandre.

Voici une soupe d'inspiration caribéenne à servir les jours de fête. L'étonnante association entre les légumes-racines et des épices telles que le gingembre et le curry lui procure une délicieuse saveur qui rappelle les îles. Mes amis repartent toujours chez eux avec la recette.

Conseil

Les carottes, les patates douces et le rutabaga taillés en cubes de 1 cm (½ po) devraient compter pour 1 l (4 tasses).

ANALYSE DES ÉLÉMENTS NUTRITIFS PAR PORTION	
Calories	126
Glucides	19 g
Fibres	3 g
Protéines	3 g
Total des matières grasses	4 g
Gras saturés	1 g
Sodium	395 mg
Cholestérol	3 mg

SOUPE À L'OIGNON
gratinée

POUR 6 PERSONNES

(375 ml ou 1 ½ tasse par portion)

2 c. à soupe (30 ml) de margarine ou de beurre amollis

8 tasses (2 l) d'oignons espagnols hachés fin (2 ou 3)

¼ c. à thé (1 ml) de thym séché

¼ c. à thé (1 ml) de poivre noir frais moulu

2 c. à soupe (30 ml) de farine tout usage

3 tasses (750 ml) de bouillon de bœuf à teneur réduite en sodium

3 tasses (750 ml) d'eau

6 tranches de pain français de 2 cm (¾ po) d'épaisseur

1 ½ tasse (500 ml) de gruyère allégé, râpé

Cette savoureuse soupe vous réchauffera les jours où vous vous sentirez enrhumé. La saveur nette de l'oignon s'adoucit et devient plus sucrée lorsqu'on le blondit. Cette recette classique fait une transition réussie entre la table de tous les jours et celle des soirs de réception.

Conseils

Vous pouvez préparer à l'avance la base de la soupe à l'oignon et la conserver au réfrigérateur pendant près de cinq jours ou au congélateur pendant près de trois mois.

Hacher des oignons vous fait pleurer ? Afin d'atténuer les larmes, servez-vous d'un couteau bien tranchant pour prévenir la perte du jus et couvrez l'oignon à l'aide d'un essuie-tout au moment où vous le hachez pour empêcher les vapeurs de monter jusqu'à vos yeux.

1. Faites fondre le beurre à feu moyen dans un faitout ou une grande casserole. Ajoutez les oignons, le thym et le poivre; faites cuire en remuant souvent pendant 15 minutes ou jusqu'à ce que les oignons aient fondu et blondi. Ajoutez la farine en remuant, versez le bouillon et l'eau. Amenez à ébullition en remuant jusqu'à ce que la préparation ait épaissi. Ramenez le feu à moyen-doux, couvrez et laissez mijoter pendant 15 minutes.

2. Entre-temps, réglez la clayette du four de sorte qu'elle soit à 15 cm (6 po) sous la salamandre; faites chauffer cette dernière.

3. Disposez les tranches de pain sur une plaque à cuisson, passez-les sous le gril et faites-les griller des deux côtés.

4. Déposez les tranches de pain grillé dans des bols à soupe qui supportent le four; saupoudrez-y la moitié du fromage. Déposez les bols à soupe dans un grand plateau peu profond. Versez la soupe chaude dans les bols. Saupoudrez-y le fromage qui reste. Passez-les sous le gril pendant 3 minutes ou jusqu'à ce que le fromage ait fondu et doré. Servez sans tarder.

ANALYSE DES ÉLÉMENTS NUTRITIFS PAR PORTION	
Calories	256
Glucides	30 g
Fibres	3 g
Protéines	13 g
Total des matières grasses	9 g
Gras saturés	4 g
Sodium	595 mg
Cholestérol	17 mg

CHAUDRÉE
de palourdes (myes)

POUR 4 PERSONNES

(325 ml ou 1 ⅓ tasse par portion)

4 tranches de lard en dés	
1 boîte (142 g ou 5 oz) de palourdes égouttées, dont vous aurez réservé le jus	
1 petit oignon haché fin	
1 tige de céleri taillée en dés fins	
1 gousse d'ail hachée	
1 feuille de laurier	
1 ½ tasse (375 ml) de dés de pommes de terre de 1 cm (½ po)	
1 tasse (250 ml) de bouillon de poisson ou de poulet à teneur réduite en sodium	
2 tasses (500 ml) de lait écrémé	
3 c. à soupe (45 ml) de farine tout usage	
2 c. à soupe (25 ml) de persil frais haché fin	
poivre noir frais moulu	

1. Faites cuire le lard à feu moyen dans une grande casserole en le remuant pendant 4 minutes ou jusqu'à ce qu'il soit croustillant. Retirez-le de la casserole, épongez-le à l'aide d'essuie-tout et laissez-le de côté. Enlevez le gras de la casserole.

2. Ajoutez les palourdes égouttées, l'oignon, le céleri, l'ail et la feuille de laurier; faites cuire en remuant souvent pendant 3 minutes ou jusqu'à ce que les légumes aient fondu.

3. Ajoutez en remuant le jus des palourdes, les dés de pommes de terre et le bouillon; amenez à ébullition. Ramenez à feu moyen-doux, couvrez et laissez mijoter pendant 15 minutes ou jusqu'à ce que les légumes soient tendres.

4. Dans un bol, mélangez une petite quantité de lait avec la farine pour en faire une pâte. Ajoutez en remuant le reste de lait jusqu'à obtention d'une consistance lisse et sans grumeaux. Versez dans la casserole; amenez à ébullition à feu moyen-vif en remuant souvent jusqu'à ce que la préparation épaississe.

5. Ajoutez en remuant les dés de lard, le persil et poivrez au goût. Enlevez la feuille de laurier avant de servir.

Épaisse et crémeuse, regorgeant de morceaux de pommes de terre, avec une pointe de lard, cette chaudrée qui fait la fortune des restaurants est facile à recréer dans votre cuisine.

ANALYSE DES ÉLÉMENTS NUTRITIFS PAR PORTION	
Calories	199
Glucides	24 g
Fibres	1 g
Protéines	14 g
Total des matières grasses	5 g
Gras saturés	2 g
Sodium	425 mg
Cholestérol	23 mg

CHAUDRÉE AU BROCOLI
et au cheddar

POUR 6 PERSONNES

(250 ml ou 1 tasse par portion)

2 c. à soupe (30 ml) d'huile végétale

1 petit oignon haché fin

¼ tasse (50 ml) de farine tout usage

3 tasses (750 ml) de bouillon de légumes ou de poulet à teneur réduite en sodium

2 tasses (500 ml) de pommes de terre pelées et taillées en cubes de 1 cm (½ po)

1 feuille de laurier

3 tasses (750 ml) de têtes de brocoli hachées fin et de tiges pelées

1 ½ tasse (375 ml) de lait faible en gras

1 ½ tasse (375 ml) de cheddar allégé, râpé

poivre noir frais moulu

1. Faites chauffer l'huile à feu moyen dans une grande casserole. Faites cuire l'oignon en remuant pendant 2 minutes ou jusqu'à ce qu'il ait fondu. Ajoutez la farine en remuant, puis le bouillon. Amenez à ébullition en remuant jusqu'à épaississement.

2. Ajoutez les pommes de terre et la feuille de laurier; réduisez le feu, couvrez et laissez mijoter en remuant à l'occasion pendant 10 minutes.

3. Ajoutez le brocoli; laissez mijoter en remuant à l'occasion pendant 10 minutes de plus ou jusqu'à ce que les légumes soient tendres.

4. Ajoutez le lait et le fromage en remuant; faites chauffer jusqu'à ce que le fromage fonde et que la soupe soit fumante. Ne la faites pas bouillir, car la soupe pourrait cailler. Enlevez la feuille de laurier, rectifiez l'assaisonnement à l'aide du poivre.

Si l'un des membres de votre famille est végétarien, voici une recette qui saura lui plaire. De préparation facile, il suffit de la réchauffer pour faire un repas complet.

Conseil

Je réalise différentes variantes de cette soupe goûteuse en fonction des légumes que j'ai au réfrigérateur, par exemple des carottes et du chou-fleur.

ANALYSE DES ÉLÉMENTS NUTRITIFS PAR PORTION	
Calories	244
Glucides	22 g
Fibres	2 g
Protéines	12 g
Total des matières grasses	12 g
Gras saturés	5 g
Sodium	515 mg
Cholestérol	22 mg

SOUPE DE MAÏS
et de haricots noirs

POUR 6 PERSONNES

(375 ml ou 1 ½ tasse par portion)

1 c. à soupe (15 ml) d'huile d'olive
1 oignon moyen haché
2 gousses d'ail hachées fin
1 poivron vert taillé en dés
1 grosse tige de céleri taillée en dés
1 c. à thé (5 ml) d'origan séché
1 c. à thé (5 ml) de cumin moulu
½ c. à thé (2 ml) de thym séché
1 pincée de poivre de Cayenne
4 tasses (1 l) de bouillon de poulet ou de légumes à teneur réduite en sodium
1 boîte (540 ml ou 19 oz) de tomates hachées et leur jus
1 boîte (540 ml ou 19 oz) de haricots noirs égouttés et rincés
1 tasse (250 ml) de grains de maïs (surgelés, en conserve ou frais)
¼ tasse (50 ml) de coriandre ou de persil frais hachés

1. Faites chauffer l'huile à feu moyen-vif dans une grande casserole. Ajoutez l'oignon, l'ail, le poivron vert, le céleri, l'origan, le cumin, le thym et le poivre de Cayenne; faites cuire en remuant pendant 5 minutes ou jusqu'à ce que les légumes aient fondu.

2. Versez le bouillon, les tomates et leur jus; amenez à ébullition. Ramenez le feu à moyen-doux et faites mijoter à couvert pendant 20 minutes.

3. Ajoutez les haricots et le maïs en remuant. Laissez cuire pendant 5 minutes de plus ou jusqu'à ce que les légumes soient tendres. Ajoutez la coriandre en remuant et servez dans des bols chauds.

Quand le temps manque, je prépare cette soupe que je sers avec du pain chaud. Je suis rassurée en sachant que, lorsque je rentre tard le soir à la maison, je n'ai qu'à piger quelques conserves dans le garde-manger et que le repas est sur la table en moins de deux!

Conseils

On trouve toutes sortes de haricots dans les supermarchés à présent. Pour faire cette recette, pourquoi ne pas employer des pois chiches, des romanos ou des haricots blancs?

Les produits en conserve tels que les tomates et les haricots contiennent d'énormes quantités de sel; il n'est donc pas nécessaire de saler les soupes contenant ces produits. Tournez-vous plutôt vers le moulin à poivre pour relever l'assaisonnement.

ANALYSE DES ÉLÉMENTS NUTRITIFS PAR PORTION	
Calories	158
Glucides	26 g
Fibres	7 g
Protéines	8 g
Total des matières grasses	3 g
Gras saturés	0 g
Sodium	680 mg
Cholestérol	0 mg

SOUPE AU BŒUF
et aux nouilles à l'asiatique

POUR 6 PERSONNES

(375 ml ou 1 ½ tasse par portion)

8 oz (250 g) de bœuf maigre et tendre, p. ex. du surlonge

1 c. à soupe (15 ml) de sauce soja à teneur réduite en sodium

4 tasses (1 l) de bouillon de bœuf à teneur réduite en sodium

4 tasses (1 l) d'eau

2 tranches fines de gingembre frais écrasées sous la lame d'un couteau

2 oz de vermicelle de riz rompu en longueurs de 7,5 cm (3 po) (environ 500 ml ou 2 tasses)

2 carottes pelées et tranchées

2 tasses (500 ml) de chou Napa ou de bok-choï tranchés

½ c. à thé (2 ml) d'huile de sésame grillée

2 tasses (500 ml) de germes de soja

½ tasse (50 ml) de coriandre fraîche hachée grossièrement

2 oignons verts hachés

Généreuse en légumes, cette soupe à la mode vietnamienne est savoureuse et exige moins de 10 minutes de cuisson.

Conseils

Rassemblez et préparez tous les ingrédients avant d'entreprendre la cuisson.

Afin de séparer les nouilles de riz, déposez un lot de nouilles dans un sac de papier pour éviter qu'elles n'éclaboussent dans toute la cuisine.

Le vermicelle peut remplacer les nouilles de riz.

1. Taillez le bœuf en fines lanières. Dans un bol, mélangez le bœuf et la sauce soja. Mettez-le de côté.

2. Dans une grande casserole à feu vif, amenez le bouillon et le gingembre à ébullition. Ajoutez le vermicelle et laissez bouillir pendant 2 minutes ou jusqu'à ce que les nouilles aient amolli. Ajoutez le bœuf, les carottes et le chou.

3. Ramenez au point d'ébullition et laissez cuire pendant 2 minutes. Ajoutez l'huile de sésame et les germes de soja; prolongez la cuisson de 1 minute ou jusqu'à ce que les ingrédients soient bien chauds. Servez dans des bols à soupe et garnissez de coriandre et d'oignons verts.

ANALYSE DES ÉLÉMENTS NUTRITIFS PAR PORTION	
Calories	123
Glucides	13 g
Fibres	2 g
Protéines	12 g
Total des matières grasses	3 g
Gras saturés	1 g
Sodium	535 mg
Cholestérol	20 mg

CRÈME
de tomate

POUR 6 PERSONNES
(250 ml ou 1 tasse par portion)

1 c. à soupe (15 ml) d'huile d'olive	
6 tomates mûres épépinées et taillées en quartiers (environ 1 kg ou 2 lb)	
1 poireau moyen, le blanc et le vert pâle seulement, haché (reportez-vous au conseil à la page 42)	
1 petit oignon haché grossièrement	
2 carottes moyennes, pelées et hachées grossièrement	
1 tige de céleri, avec les feuilles, hachée	
2 grosses gousses d'ail tranchées	
½ c. à thé (2 ml) de sel	
¼ c. à thé (1 ml) de poivre noir frais moulu	
1 pincée de muscade fraîche moulue	
2 tasses (500 ml) de bouillon de poulet à teneur réduite en sodium	
1 tasse (250 ml) d'eau	
1 tasse (250 ml) de crème légère (5 %)	
2 c. à soupe (30 ml) de fines herbes hachées, p. ex. du persil, du basilic ou de la ciboulette	

Faites d'abord chauffer le four à 200 °C (400 °F).
Rôtissoire

1. Versez l'huile dans une grande rôtissoire peu profonde. Ajoutez les tomates, le poireau, l'oignon, les carottes, le céleri et l'ail; assaisonnez avec le sel, le poivre et la muscade.

2. Faites-les cuire à découvert dans un four chaud en remuant souvent pendant 75 minutes ou jusqu'à ce que les légumes soient très tendres. Ils ne doivent toutefois pas dorer.

3. Mélangez le bouillon et l'eau et ajoutez-en 500 ml (2 tasses) dans la rôtissoire. Réduisez la préparation en purée, de préférence au mélangeur ou au robot culinaire, jusqu'à obtention d'une consistance lisse. Passez la soupe au tamis et versez-la dans une grande casserole.

4. Ajoutez la crème et suffisamment du bouillon qui reste pour allonger la soupe selon la consistance voulue. Poivrez au goût. Faites cuire jusqu'à ce qu'elle soit fumante; la soupe ne doit cependant pas bouillir, car la crème risquerait de cailler. Servez-la dans des bols chauds en la saupoudrant de fines herbes.

J'attends toujours avec impatience la fin de l'été, lorsque les paniers de tomates mûres envahissent les marchés en plein air, pour pouvoir préparer cette soupe à la texture soyeuse. L'hiver, les tomates de serre mûries sur pieds font une bonne solution de rechange, en particulier si l'on ajoute de la pâte de tomate pour lui donner plus de profondeur. Il suffit d'en ajouter de 15 à 30 ml (1 à 2 c. à soupe) au moment de réduire la soupe en purée.

Conseil

Si les tomates ne sont pas tout à fait mûres au moment où vous les achetez, conservez-les dans un sac de papier sur le comptoir de la cuisine pendant un jour ou deux. L'éthylène que libèrent les graines des tomates accélère le mûrissement des fruits. Ne conservez jamais de tomate au réfrigérateur, car le froid les prive de goût. Un rebord de fenêtre ensoleillé est l'endroit idéal pour mettre les tomates à mûrir, mais un soleil trop ardent peut les faire cuire au lieu de les faire mûrir.

ANALYSE DES ÉLÉMENTS NUTRITIFS PAR PORTION	
Calories	112
Glucides	14 g
Fibres	3 g
Protéines	4 g
Total des matières grasses	5 g
Gras saturés	2 g
Sodium	410 mg
Cholestérol	8 mg

SOUPE À LA COURGE
parfumée au gingembre

POUR 4 PERSONNES

(250 ml ou 1 tasse par portion)

1 c. à soupe (15 ml) d'huile végétale

1 gros oignon haché

2 gousses d'ail hachées fin

4 c. à thé (20 ml) de gingembre frais haché fin

2 c. à soupe (30 ml) de farine tout usage

2 tasses (500 ml) de bouillon de poulet à teneur réduite en sodium

2 tasses (500 ml) de purée de courge cuite (musquée ou poivrée)

½ tasse (125 ml) de crème légère (5 %)

1 c. à thé (5 ml) de zeste d'orange

poivre noir frais moulu

muscade frais moulue

2 c. à soupe (30 ml) de ciboulette ou de persil frais hachés

Servez cette soupe à la robe magnifique dans des tasses pour lancer d'élégante façon un repas d'automne. J'en prépare dès que les maraîchers nous proposent les courges cueillies depuis peu. J'en fais également de la purée que je conserve au congélateur dans de petits contenants. Cette soupe se prépare en un tournemain si l'on dispose de purée de courge congelée. La soupe même se conserve également bien au congélateur.

Conseil

Pour faire la purée de courge, taillez en quartiers une petite courge musquée ou une grosse courge poivrée (environ 1 kg ou 2 lb); enlevez les pépins. Déposez les quartiers de courge dans un plat de pyrex avec 125 ml (½ tasse) d'eau. Couvrez-les d'une pellicule plastique et passez-les au micro-ondes à puissance maximale pendant 15 ou 20 minutes ou jusqu'à ce que les dents d'une fourchette s'y enfoncent sans difficulté. (Le temps de cuisson varie selon la variété et la grosseur de la courge.) Laissez reposer pendant 15 minutes ou jusqu'à ce qu'elle ait suffisamment refroidi pour que vous puissiez la manipuler. À l'aide d'une cuillère, retirez la chair que vous réduirez en purée à l'aide d'un robot culinaire. Vous obtiendrez environ 500 ml (2 tasses) de purée.

1. Faites chauffer l'huile à feu moyen-doux dans une grande casserole. Ajoutez l'oignon, l'ail et le gingembre; faites cuire en remuant souvent pendant 5 minutes ou jusqu'à ce que l'oignon ait fondu. Ajoutez la farine en remuant, versez le bouillon et ajoutez la purée de courge. Amenez à ébullition et laissez cuire en remuant jusqu'à épaississement. Réduisez l'intensité du feu, couvrez et laissez mijoter pendant 10 minutes.

2. À l'aide d'un robot culinaire ou d'un mélangeur, réduisez la soupe en purée jusqu'à obtention d'une consistance homogène. Retournez la soupe dans la casserole. Ajoutez la crème et le zeste d'orange; assaisonnez de poivre et de muscade au goût. Faites chauffer jusqu'à ce que la soupe soit fumante, mais ne la faites pas bouillir car elle risquerait de cailler. Servez dans des bols et garnissez de ciboulette hachée.

ANALYSE DES ÉLÉMENTS NUTRITIFS PAR PORTION	
Calories	151
Glucides	22 g
Fibres	4 g
Protéines	6 g
Total des matières grasses	6 g
Gras saturés	2 g
Sodium	390 mg
Cholestérol	6 mg

SOUPE DE POISSON
à la créole

POUR 4 PERSONNES
(375 ml ou 1 ½ tasse par portion)

1 c. à soupe (15 ml) d'huile d'olive
4 oignons verts hachés
1 grosse gousse d'ail hachée
2 tiges de céleri, avec les feuilles, hachées
1 poivron vert, en dés
1 c. à thé (5 ml) de paprika
½ c. à thé (2 ml) de thym séché
1 pincée de poivre de Cayenne
2 tasses (500 ml) de dés de pommes de terre pelées
1 boîte (540 ml ou 19 oz) de tomates à l'étuvée, avec leur jus, hachées
2 tasses (500 ml) de bouillon de poisson ou de légumes (environ)
1 lb (500 g) de filets de poisson frais ou surgelés
poivre noir frais moulu

Les ingrédients fétiches de la cuisine créole, soit les oignons verts, le poivron vert et le céleri, sont associés ici à une base de crème et de tomate pour créer cette soupe divine.

Conseil

Vous pouvez employer n'importe quel poisson, qu'il s'agisse de morue, de sole, d'aiglefin ou de morue charbonnière. Si vous prenez des filets de poisson surgelés, sortez-les de leur emballage et disposez-les sur une plaque que vous passerez au micro-ondes à puissance maximale pendant 3 ou 4 minutes ou jusqu'à ce qu'ils soient décongelés en partie. Taillez le poisson en petits cubes et laissez-le décongeler pendant 15 minutes de plus.

1. Faites chauffer l'huile à feu moyen dans une grande casserole. Ajoutez les oignons verts, l'ail, le céleri, le poivron vert, le paprika, le thym et le poivre de Cayenne. Faites cuire en remuant pendant 3 minutes ou jusqu'à ce que les légumes aient fondu. Ajoutez les dés de pommes de terre, les tomates à l'étuvée, leur jus et le bouillon; amenez à ébullition. Réduisez la chaleur, couvrez et laissez mijoter pendant 15 minutes ou jusqu'à ce que les légumes soient tendres.

2. Ajoutez le poisson et laissez mijoter pendant 2 minutes ou jusqu'à ce que le poisson se défasse à la fourchette. (Ajoutez du bouillon si la soupe est trop épaisse.) Poivrez au goût.

ANALYSE DES ÉLÉMENTS NUTRITIFS PAR PORTION	
Calories	304
Glucides	28 g
Fibres	4 g
Protéines	32 g
Total des matières grasses	8 g
Gras saturés	1 g
Sodium	595 mg
Cholestérol	41 mg

MINESTRONE

POUR 12 PERSONNES

(375 ml ou 1 ½ tasse par portion)

1 c. à soupe (15 ml) d'huile d'olive
2 oignons moyens hachés
4 gousses d'ail hachées fin
3 carottes moyennes pelées, en dés
2 tiges de céleri, avec les feuilles, hachées
1 ½ c. à thé (7 ml) de basilic séché
1 c. à thé (5 ml) de marjolaine ou d'origan séchés
½ c. à thé (2 ml) de poivre noir frais moulu
8 tasses (2 l) de bouillon de poulet à teneur réduite en sodium
2 tasses (500 ml) d'eau
1 boîte (540 ml ou 19 oz) de tomates et leur jus, hachées
2 tasses (500 ml) de petits bouquets de chou-fleur
1 ½ tasse (375 ml) de haricots verts, taillés en longueur de 2,5 cm (1 po)
¾ tasse (175 ml) de pâtes courtes, p. ex. des tubettis ou des coquilles
1 boîte (540 ml ou 19 oz) de pois chiches ou de petits haricots blancs égouttés et rincés
⅓ tasse (75 ml) de persil frais haché
parmesan fraîchement râpé

Cette soupe nutritive, généreuse en légumes, vous réchauffera pendant la froidure de l'hiver. Elle est réconfortante tant pour le corps que pour l'âme.

Conseil

Afin d'obtenir plus de saveur et consommer moins de sodium, remplacez les tomates en conserve par 4 grosses tomates mûres, pelées et hachées.

1. Faites chauffer l'huile à feu moyen dans un faitout ou une grande marmite. Ajoutez les oignons, l'ail, les carottes, le céleri, le basilic, l'origan et le poivre; faites cuire en remuant pendant 5 minutes ou jusqu'à ce que les légumes aient fondu.

2. Ajoutez en remuant le bouillon, l'eau, les tomates et leur jus, le chou-fleur et les haricots. Amenez à ébullition; ramenez le feu à moyen-doux et laissez mijoter à couvert pendant 20 minutes ou jusqu'à ce que les légumes soient tendres.

3. Ajoutez les pâtes en remuant, couvrez et laissez mijoter pendant 10 minutes, en remuant à l'occasion, jusqu'à ce que les pâtes soient cuites.

4. Ajoutez les pois chiches et le persil; faites cuire 5 minutes de plus ou jusqu'à ce que la soupe soit fumante. Servez-la dans des bols chauds et saupoudrez-la de parmesan râpé.

ANALYSE DES ÉLÉMENTS NUTRITIFS PAR PORTION	
Calories	132
Glucides	21 g
Fibres	4 g
Protéines	6 g
Total des matières grasses	3 g
Gras saturés	0 g
Sodium	505 mg
Cholestérol	0 mg

POTAGE À LA POMME DE TERRE
et au poireau

POUR 6 PERSONNES

(250 ml ou 1 tasse par portion)

1 c. à soupe (15 ml) de margarine ou de beurre amollis

2 poireaux moyens, le blanc et le vert pâle seulement, hachés (reportez-vous au conseil à la page 42)

2 tasses (500 ml) de dés de pommes de terres pelées

1 c. à thé (5 ml) d'estragon ou de fines herbes séchés

2 c. à soupe (30 ml) de farine tout usage

4 tasses (1 l) de bouillon de poulet à teneur réduite en sodium

1 bouquet de cresson, sans les tiges, haché

1 tasse (250 ml) de lait faible en gras

poivre noir frais moulu

pousses de cresson

Le cresson ajoute une couleur vive et du punch à ce classique qui allie pommes de terre et poireau.

Conseil

Vous pouvez préparer ce potage un jour à l'avance et le réchauffer jusqu'à ce qu'il soit bien fumant. Il est également délicieux lorsqu'on le sert froid.

1. Faites fondre le beurre dans une grande casserole à feu moyen. Ajoutez les poireaux, les pommes de terre et l'estragon; faites cuire en remuant pendant 5 minutes ou jusqu'à ce que les poireaux aient fondu. Ajoutez la farine en remuant et versez le bouillon aussi en remuant. Amenez à ébullition, baissez le feu, couvrez et laissez mijoter, en remuant à l'occasion, pendant 20 minutes ou jusqu'à ce que les pommes de terre soient très tendres.
2. Ajoutez le cresson; laissez mijoter pendant 1 minute ou jusqu'à ce que le cresson ait amolli et que sa couleur soit vive.
3. Passez la soupe au mélangeur ou au robot culinaire pour la réduire en purée. Retournez-la à la casserole. Ajoutez le lait en remuant et poivrez au goût. Faites réchauffer pour que la soupe soit bien fumante, mais sans la faire bouillir. Servez dans des bols et garnissez de pousses de cresson.

ANALYSE DES ÉLÉMENTS NUTRITIFS PAR PORTION	
Calories	114
Glucides	18 g
Fibres	3 g
Protéines	5 g
Total des matières grasses	3 g
Gras saturés	1 g
Sodium	390 mg
Cholestérol	2 mg

SANDWICHES
ET REPAS LÉGERS

ROULÉS
à la garniture aux œufs

POUR 2 ROULÉS

(1 roulé par portion)

2 c. à soupe (30 ml) de fromage à la crème allégé, amolli

2 c. à soupe (30 ml) de yogourt nature allégé

1 c. à thé (5 ml) de moutarde de Dijon

¼ c. à thé (1 ml) de poivre noir frais moulu

3 œufs durs hachés fin (reportez-vous au conseil ci-contre)

1 petit oignon vert haché fin

2 tortillas de blé complet (23 cm ou 9 po)

laitue frisée ou romaine

6 tranches de tomate minces

Cette garniture aux œufs convient à merveille aux sandwiches roulés, qu'ils soient faits de pain complet ou de pita, accompagnée de lanières de laitue, de pousses ou de quartiers de tomates.

Conseil

Afin de cuire les œufs durs, déposez-les dans une casserole et versez-y de l'eau froide de manière à les couvrir de 2,5 cm (1 po) d'eau. Posez la casserole sur un feu moyen-vif et amenez à ébullition. Faites bouillir pendant 2 minutes, couvrez et retirez du feu. Laissez reposer pendant 10 minutes. Égouttez et mettez les œufs à refroidir dans de l'eau froide.

Variante

Spirales de tortilla garnies aux œufs

Pour la boîte-repas des enfants, préparez des sandwiches faciles à déguster en taillant les roulés en bouchées de 2,5 cm (1 po) de longueur.

1. Dans un bol, mélangez le fromage à la crème, le yogourt, la moutarde et le poivre. Ajoutez en remuant les œufs hachés et l'oignon vert.

2. Tartinez la garniture aux œufs sur les tortillas en prévoyant une bordure de 2,5 cm (1 po). Disposez dessus la laitue et les tomates. Repliez la tortilla sur la garniture, scellez la bordure et roulez en serrant bien.

ANALYSE DES ÉLÉMENTS NUTRITIFS PAR PORTION	
Calories	330
Glucides	31 g
Fibres	3 g
Protéines	17 g
Total des matières grasses	14 g
Gras saturés	5 g
Sodium	470 mg
Cholestérol	289 mg

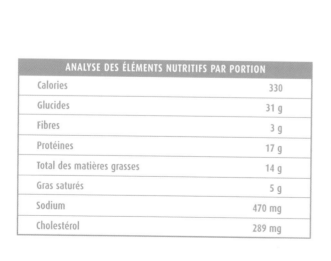

GARNITURE AU SAUMON À L'ANETH
et aux œufs sur pain aux 12 grains

POUR 4 SANDWICHES
(1 sandwich par portion)

3 œufs durs hachés fin (reportez-vous au conseil à la page 58)

1 boîte (213 g ou 7 ½ oz) de saumon sockeye égoutté, émietté

3 c. à soupe (45 ml) de mayonnaise allégée

1 gros oignon vert haché fin

2 c. à soupe (30 ml) d'aneth ou de persil frais hachés

1 c. à thé (5 ml) de zeste de citron

¼ c. à thé (1 ml) de poivre noir frais moulu

8 tranches de pain aux 12 grains (environ 30 g ou 1 oz chacune)

½ concombre épépiné, taillé en tranches fines

J'ajoute des œufs, qui sont peu coûteux, afin d'allonger le saumon ou le thon en conserve lorsque je prépare des sandwiches.

Conseils

Les pains complets ajoutent à la saveur des sandwiches et leur indice glycémique est inférieur à celui des pains plus raffinés. Une tranche de pain de 30 g (1 oz) contient d'ordinaire environ 150 mg de sodium, mais certains pains en contiennent davantage.

Pour empêcher le concombre de ramollir, assemblez les sandwiches le jour où vous les servez.

Vous pouvez préparer la garniture au saumon et aux œufs deux jours à l'avance. Couvrez-la et conservez-la au réfrigérateur.

1. Mélangez dans un bol les œufs, le saumon, la mayonnaise, l'oignon vert, l'aneth, le zeste de citron et le poivre.
2. Répartissez la garniture entre les 8 tranches de pain et tartinez-les uniformément. Déposez dessus les tranches de concombre. Servez-les en canapés ou en sandwiches. Taillez-les en deux.

ANALYSE DES ÉLÉMENTS NUTRITIFS PAR PORTION	
Calories	310
Glucides	30 g
Fibres	5 g
Protéines	20 g
Total des matières grasses	13 g
Gras saturés	3 g
Sodium	605 mg
Cholestérol	162 mg

ENCHILADAS
au poulet

POUR 6 ENCHILADAS

(1 enchilada par portion)

4 oz (125 g) de fromage à la crème allégé

½ tasse (125 ml) de yogourt nature allégé
ou de crème sure allégée

2 tasses (250 ml) de poulet cuit taillé en fines lanières

3 oignons verts hachés fin

2 tomates épépinées et taillées en dés

¼ tasse (50 ml) de coriandre ou de persil frais haché

6 tortillas de 23 cm (9 po)

1 tasse (250 ml) de salsa douce ou moyenne pimentée

¾ tasse (175 ml) de cheddar allégé râpé

Plutôt que de transformer les restes de poulet en une provision de sandwiches froids pour la semaine, préparez ce plat rapide qui saura plaire à toute la famille.

Conseils

Vous pouvez préparer ce plat la veille de sa cuisson; vous n'aurez qu'à le garnir de salsa et de fromage au moment de l'enfourner.

Vous pouvez en outre remplacer le poulet par une quantité égale de dinde.

Variante

Enchiladas aux crevettes

Remplacez le poulet par 375 ml (1½ tasse) de petites crevettes cuites.

Faites d'abord chauffer le four à 180 °C (350 °F).
Plat de cuisson de 3 l (13 x 9 po) enduit d'un aérosol de cuisson végétal

1. Déposez le fromage à la crème dans un grand bol et passez-le au micro-ondes à puissance moyenne (50 %) pendant 1 minute afin de l'amollir. Remuez-le. Ajoutez en remuant le yogourt, le poulet, les oignons verts, les tomates et la coriandre.

2. Tartinez environ 125 ml (½ tasse) de préparation au poulet au centre de chaque tortilla et enroulez-les sur elles-mêmes. Déposez les tortillas roulées sur leurs joints dans le plat de cuisson apprêté. Garnissez chaque tortilla de salsa et de fromage râpé. Faites cuire au four pendant 30 à 35 minutes ou jusqu'à ce qu'elles soient bien chaudes. Garnissez-les de coriandre, si vous en avez envie.

Préparation au micro-ondes

1. Ne garnissez pas les tortillas de fromage râpé. Couvrez le plat d'une feuille de papier ciré et passez-le au micro-ondes à puissance moyenne-élevée (70 %) pendant 7 à 9 minutes ou jusqu'à ce que les tortillas soient bien chaudes. Garnissez-les de fromage et repassez-les au micro-ondes à puissance maximale pendant 1 minute ou jusqu'à ce que le fromage soit fondu.

ANALYSE DES ÉLÉMENTS NUTRITIFS PAR PORTION	
Calories	374
Glucides	33 g
Fibres	4 g
Protéines	26 g
Total des matières grasses	14 g
Gras saturés	6 g
Sodium	700 mg
Cholestérol	64 mg

TACOS
sur pitas

POUR 8 POCHETTES PITA

(1 pochette pita par portion)

8 oz (250 g) de bœuf haché maigre
1 petit oignon haché fin
1 grosse gousse d'ail hachée
2 c. à thé (10 ml) de poudre de chili
2 c. à thé (10 ml) de farine tout usage
½ c. à thé (2 ml) d'origan séché
½ c. à thé (2 ml) de cumin moulu
1 pincée de poivre de Cayenne
½ tasse (125 ml) de bouillon de bœuf à teneur réduite en sodium
1 boîte (540 ml ou 19 oz) de haricots pintos, noirs ou rouges, égouttés et rincés
4 pitas de blé entier de 18 cm (7 po), taillés en 2 pour former des pochettes, chauds
salsa, laitue râpée, quartiers de tomate, lanières de poivron, mozzarella écrémée ou cheddar allégé râpés

En plus de compter moins de calories, j'estime que les pitas font de meilleurs contenants que les tacos qui s'émiettent lorsqu'on y prend une bouchée et qui laissent s'échapper la garniture.

Conseil

Afin de faire chauffer les pitas, enveloppez-les de papier aluminium et passez-les dans un four à 180 °C (350 °F) pendant 15 à 20 minutes. Sinon, enveloppez-les en lots de quatre dans des essuie-tout et passez-les au micro-ondes à puissance maximale pendant 1 minute ou 1 minute 30 secondes.

Variante

Pitas à la Sloppy Joe

Augmentez la quantité de bœuf à 500 g (1 lb). Laissez tomber les haricots et ajoutez une boîte (214 ml ou 7 ½ oz) de sauce tomate; faites cuire pendant 3 minutes ou jusqu'à ce que la sauce ait un peu épaissi.

1. Faites cuire le bœuf haché dans une grande poêle anti-adhésive à feu moyen-vif, en le défaisant à l'aide d'une cuillère de bois, pendant 4 minutes ou jusqu'à ce qu'il ne soit plus rosé. Versez le bœuf dans une passoire afin d'en égoutter le gras.

2. Remettez-le dans la poêle et ramenez le feu à la puissance moyenne. Ajoutez l'oignon, l'ail, la poudre de chili, la farine, l'origan, le cumin et le poivre de Cayenne. Faites cuire en remuant souvent pendant 5 minutes ou jusqu'à ce que l'oignon ait fondu.

3. Versez le bouillon et faites cuire en remuant jusqu'à ce qu'il ait quelque peu épaissi. Ajoutez les haricots en remuant, faites cuire pendant 2 minutes ou jusqu'à ce que les haricots soient bien chauds.

4. Répartissez la garniture en quantités égales dans les pochettes de pita et garnissez-les de salsa, de laitue, de tomate, de poivron et de fromage.

ANALYSE DES ÉLÉMENTS NUTRITIFS PAR PORTION	
Calories	217
Glucides	33 g
Fibres	7 g
Protéines	13 g
Total des matières grasses	4 g
Gras saturés	1 g
Sodium	425 mg
Cholestérol	14 mg

PIZZA
végétarienne

POUR 4 PERSONNES

2 c. à thé (10 ml) d'huile végétale ou d'huile d'olive
1 petit oignon tranché fin
1 grosse gousse d'ail hachée fin
1 ½ tasse (375 ml) de champignons tranchés
1 poivron rouge ou vert, en fines lanières
½ c. à thé (2 ml) de basilic séché
½ c. à thé (2 ml) d'origan séché
1 pâte à pizza (30 cm ou 12 po) précuite ou une focaccia de 23 x 30 cm (9 x 12 po)
½ tasse (125 ml) de sauce à pizza (environ)
1 ½ tasse (375 ml) de fromage allégé, râpé, p. ex. de la mozzarella, de la fontina ou du provolone

«Commandons une pizza!» La prochaine fois que vos enfants vous feront cette demande, réunissez les ingrédients énumérés ici et demandez-leur de jouer les pizzaioli. Pourquoi se faire livrer une pizza alors que la faire à la maison est l'affaire d'un instant? Et cela est beaucoup plus économique, par surcroît.

Conseils

Cette recette est tout indiquée pour utiliser les restes de légumes et de fromages qui traînent au réfrigérateur le week-end venu. Variez les garnitures en fonction des ingrédients dont vous disposez, qu'il s'agisse de tranches de tomate ou de brocoli haché.

Vous pouvez en outre employer 4 pitas de 18 cm (7 po) ou 6 muffins anglais divisés en deux. S'il le faut, disposez-les sur deux plaques à cuisson et changez-les de place en milieu de cuisson afin que les pains dorent de façon uniforme. Ramenez le temps de cuisson à 10 minutes.

Faites d'abord chauffer le four à 200 °C (400 °F)
Plaque à cuisson

1. Faites chauffer l'huile à feu moyen-vif dans une grande poêle antiadhésive. Ajoutez l'oignon, l'ail, les champignons, le poivron, le basilic et l'origan; faites cuire en remuant pendant 4 minutes ou jusqu'à ce que les légumes aient fondu.
2. Disposez la pâte à pizza sur la plaque à cuisson et garnissez-la de sauce. Ajoutez la préparation aux légumes et le fromage râpé.
3. Faites cuire dans un four préchauffé pendant 20 à 25 minutes ou jusqu'à ce que le fromage ait fondu.

ANALYSE DES ÉLÉMENTS NUTRITIFS PAR PORTION	
Calories	391
Glucides	46 g
Fibres	4 g
Protéines	20 g
Total des matières grasses	14 g
Gras saturés	5 g
Sodium	700 mg
Cholestérol	15 mg

SANDWICHES DE POULET
parfumés au curry

POUR 4 SANDWICHES

(1 sandwich par portion)

⅓ tasse (75 ml) de mayonnaise allégée

2 c. à soupe (30 ml) de yogourt nature allégé

2 c. à soupe (30 ml) de chutney à la mangue

1 c. à thé (5 ml) de pâte ou de poudre de curry doux

1 ½ tasse (375 ml) de dés de poulet cuit

(reportez-vous au conseil ci-contre)

½ tasse (125 ml) de dés de pomme non pelée

1 tige de céleri hachée fin

1 gros oignon vert haché fin

8 tranches de pain complet

laitue aux feuilles rouges ou Boston

Les sandwiches au poulet que je sers aux miens n'ont plus leur pareil depuis que je les garnis de pommes et d'une pincée de curry.

Conseil

Faites cuire en mijotant 2 poitrines de poulet désossées (250 g ou 8 oz) dans de l'eau légèrement salée ou dans du bouillon de poulet pendant 10 minutes; retirez-les du feu. Laissez-les refroidir dans le bouillon pendant 15 minutes.

1. Mélangez dans un bol la mayonnaise, le yogourt, le chutney et la pâte de curry. Ajoutez en remuant le poulet, les dés de pomme, le céleri et l'oignon vert.

2. Tartinez 4 tranches de pain avec la garniture au poulet, déposez dessus des feuilles de laitue et les 4 autres tranches de pain. Taillez en deux et servez.

ANALYSE DES ÉLÉMENTS NUTRITIFS PAR PORTION	
Calories	353
Glucides	39 g
Fibres	5 g
Protéines	22 g
Total des matières grasses	12 g
Gras saturés	2 g
Sodium	650 mg
Cholestérol	53 mg

FONDANTS AU THON
et au cheddar

POUR 4 FONDANTS

(1 fondant par portion)

1 boîte (170 g ou 6 oz) de thon égoutté et émietté	
¼ tasse (50 ml) de mayonnaise allégée	
¼ tasse (50 ml) de céleri haché fin	
1 oignon vert haché fin	
1 c. à thé (5 ml) de jus de citron frais	
4 tranches de pain complet	
8 tranches de tomate minces	
poivre noir frais moulu	
4 oz (125 g) de cheddar allégé, tranché fin ou râpé	

Lorsque je n'ai pas le temps de préparer le repas, je me tourne souvent vers ce sandwich tout simple plutôt que de commander chez le traiteur.

Conseils

Le cheddar allégé est l'un des nombreux fromages à teneur réduite en matières grasses que l'on trouve de plus en plus dans les épiceries. Un fromage allégé contient 25 % moins de matières grasses que sa version habituelle.

Vous pouvez préparer la garniture au thon 24 heures à l'avance et la conserver au réfrigérateur dans un récipient couvert.

Activez le gril du four.
Plaque à cuisson

1. Mélangez dans un bol le thon, la mayonnaise, le céleri, l'oignon vert et le jus de citron.

2. Tartinez la garniture au thon sur les tranches de pain. Posez dessus les tranches de tomate et poivrez. Garnissez de fromage.

3. Disposez les tartines sur une plaque à cuisson et passez-les sous le gril pendant 3 minutes environ ou jusqu'à ce que le fromage ait fondu. Servez sans tarder.

ANALYSE DES ÉLÉMENTS NUTRITIFS PAR PORTION	
Calories	255
Glucides	18 g
Fibres	2 g
Protéines	18 g
Total des matières grasses	12 g
Gras saturés	5 g
Sodium	605 mg
Cholestérol	34 mg

'BURRITOS'
aux haricots noirs

POUR 8 BURRITOS

(1 burrito par portion)

1 c. à soupe (15 ml) d'huile végétale
3 oignons verts hachés
1 grosse gousse d'ail hachée fin
1 tasse (250 ml) de dés de courgette
1 poivron rouge ou vert, haché
1 c. à thé (5 ml) d'origan séché
1 c. à thé (5 ml) de cumin moulu
1 boîte (540 ml ou 19 oz) de haricots noirs ou communs, égouttés et rincés
8 tortillas de blé entier de 23 cm (9 po)
1 tasse (250 ml) de mozzarella écrémée ou de cheddar allégé, râpés
1 tasse (250 ml) de salsa douce ou moyennement pimentée
½ tasse (125 ml) de crème sure allégée

1. Faites chauffer l'huile à feu moyen dans une grande poêle antiadhésive. Ajoutez les oignons verts, l'ail, la courgette, le poivron, l'origan et le cumin; faites cuire en remuant pendant 5 minutes et veillez à ce que les légumes soient cuits mais encore un peu craquants. Ajoutez les haricots en remuant, faites cuire pendant 1 à 2 minutes ou jusqu'à ce qu'ils soient bien chauds.

2. À l'aide d'une cuillère, déposez 50 ml (¼ tasse) de préparation au milieu de chaque tortilla. Garnissez de 30 ml (2 c. à soupe) de fromage râpé, de 30 ml (2 c. à soupe) de salsa et de 15 ml (1 c. à soupe) de crème sure. Enroulez les tortillas de sorte qu'elles puissent retenir la garniture. Enveloppez chaque burrito d'un essuie-tout. Déposez-les quatre à la fois dans un plat de pyrex et passez-les au micro-ondes à la puissance moyenne-élevée (70 %) pendant 3 ou 4 minutes ou jusqu'à ce qu'ils soient bien chauds. Afin de cuire un seul burrito, passez-le au micro-ondes à la puissance moyenne-élevée (70 %) pendant 1 minute.

Les mets mexicains ont la faveur des adolescents… et de leurs parents. Ils font un gueuleton ou un repas nourrissants. Si vous voulez les préparer à la viande, ajoutez des lanières de jambon, ou encore de dinde ou de poulet cuits.

Conseil

Préparez un lot de burritos, entourez chacun d'un essuie-tout, puis de pellicule plastique. Conservez-les au réfrigérateur et réchauffez-les au retour de l'école, que ce soit pour le repas du midi ou en guise de collation. Enlevez la pellicule plastique avant de les passer au micro-ondes.

ANALYSE DES ÉLÉMENTS NUTRITIFS PAR PORTION	
Calories	310
Glucides	42 g
Fibres	7 g
Protéines	14 g
Total des matières grasses	9 g
Gras saturés	3 g
Sodium	565 mg
Cholestérol	10 mg

FRITTATA AU JAMBON
et à la pomme de terre

POUR 6 PERSONNES

2 c. à thé (10 ml) d'huile végétale

1 petit oignon haché fin

2 tasses (500 ml) de pommes de terre pelées, cuites, taillées en cubes de 1 cm (½ po)

1 petit poivron rouge haché fin (facultatif)

¾ tasse (175 ml) de dés de jambon fumé maigre (environ 125 g ou 4 oz)

poivre noir frais moulu

8 œufs

2 c. à soupe (30 ml) de lait faible en gras

2 c. à soupe (30 ml) de persil frais haché fin

1 tasse (250 ml) de cheddar ou de havarti allégé, râpés

Rien ne surpasse un plat aux œufs comme cette frittata lors d'un déjeuner de fête ou d'un brunch, ou encore pour faire un souper rapide. La frittata est la version italienne de l'omelette. Contrairement à sa capricieuse cousine, qu'il faut savoir tourner et plier, une frittata ne fait appel à aucun talent culinaire particulier, car il suffit de remuer. Il est pratiquement impossible de ne pas réussir ce plat.

Conseil

La veille, faites cuire au four ou au micro-ondes 2 grosses pommes de terre et conservez-les au réfrigérateur afin que les cubes conservent leur forme pendant la cuisson.

Faites d'abord chauffer le four à 190 °C (375 °F).

1. Faites chauffer l'huile à feu moyen-vif dans une grande poêle à frire antiadhésive. Ajoutez l'oignon, les dés de pomme de terre, le poivron rouge et le jambon; faites cuire en remuant souvent pendant 5 minutes ou jusqu'à ce que les légumes soient tendres. Ramenez le feu à moyen-doux.
2. Entre-temps, mélangez les œufs, le lait et le persil dans un grand bol; assaisonnez de poivre noir. Versez la préparation aux œufs sur les pommes de terre et faites cuire en remuant doucement pendant environ 1 minute ou jusqu'à ce que les œufs commencent à figer (les œufs sembleront semi-brouillés). Ajoutez le fromage en remuant.
3. Si la queue de la poêle ne supporte pas la chaleur du four, entourez-la de deux feuilles de papier aluminium pour la protéger. Déposez la poêle à frire dans le four préchauffé et faites cuire pendant 15 à 20 minutes ou jusqu'à ce que les œufs aient figé au centre de la poêle. Laissez refroidir pendant 5 minutes. Renversez sur une assiette de service et taillez en parts égales.

ANALYSE DES ÉLÉMENTS NUTRITIFS PAR PORTION	
Calories	244
Glucides	13 g
Fibres	1 g
Protéines	17 g
Total des matières grasses	13 g
Gras saturés	5 g
Sodium	440 mg
Cholestérol	271 mg

SANDWICHES ITALIENS
grillés

POUR 2 SANDWICHES
(1 sandwich par portion)

4 tranches de pain complet croûté ou de pain
à base de grains

3 c. à soupe (45 ml) de pesto commercial ou maison
(reportez-vous à la recette à la page 152)

4 tranches (environ 85 g ou 3 oz) de mozzarella écrémée
ou de provolone allégé

6 tranches de tomate minces

poivre noir frais moulu

4 c. à thé (20 ml) d'huile d'olive

1. Tartinez les tranches de pain d'un peu de pesto. Posez
1 tranche de fromage sur 2 tranches de pain. Posez dessus
les tranches de tomate et poivrez au goût. Garnissez du reste
de fromage et des autres tranches de pain. Badigeonnez le
dessus des tranches de pain d'un peu d'huile d'olive.

2. Déposez les sandwiches dans une poêle antiadhésive
sur leur face badigeonnée d'huile et faites-les griller à feu
moyen. Badigeonnez d'huile la face supérieure des sandwiches. Faites-les griller pendant 2 ou 3 minutes par côté
ou jusqu'à ce que le pain soit bien doré et que le fromage
ait fondu. Taillez en quatre et servez.

J'ai remanié la version classique du sandwich au fromage
grillé en lui apportant une touche méditerranéenne avec
l'ajout de pesto et de fromage italien.

ANALYSE DES ÉLÉMENTS NUTRITIFS PAR PORTION	
Calories	396
Glucides	32 g
Fibres	5 g
Protéines	20 g
Total des matières grasses	21 g
Gras saturés	6 g
Sodium	550 mg
Cholestérol	15 mg

SANDWICHES
au rôti de bœuf chaud

POUR 4 SANDWICHES

(1 sandwich par portion)

4 petits pains de grains croûtés (60 g ou 2 oz chacun)

¼ tasse (50 ml) de fromage à la crème allégé, amolli
(reportez-vous au conseil à la page 10)

2 c. à soupe (30 ml) de yogourt nature allégé
ou de crème sure allégée

2 c. à soupe (30 ml) de moutarde de Dijon

2 tomates tranchées fin

2 c. à thé (10 ml) d'huile d'olive

½ poivron vert taillé en fines lanières

1 petit oignon tranché fin

1 grosse gousse d'ail hachée

1 tasse (250 ml) de champignons tranchés

½ c. à thé (2 ml) d'origan séché

4 oz (125 ml) de rôti de bœuf tranché fin

poivre noir frais moulu

Ces énormes sandwiches regorgent de bonnes choses. Faites griller davantage de bifteck de flanc ou de ronde ou achetez du rôti de bœuf tranché à l'épicerie pour préparer ce sandwich qui compte parmi les préférés de ma famille.

Conseil

On trouve du rôti de bœuf tranché fin au comptoir des charcuteries.

Activez le gril du four.
Plaque à cuisson

1. Incisez les petits pains dans le sens de la longueur et ouvrez-les à la manière d'un livre. (Ne les incisez pas dans toute leur profondeur.) Déposez-les sur une plaque à cuisson et faites griller leur mie.

2. Mélangez le fromage à la crème, le yogourt et la moutarde dans un bol; tartinez de cette garniture la mie des petits pains. Posez les tranches de tomate sur la moitié inférieure des pains.

3. Faites chauffer l'huile à feu vif dans une grande poêle antiadhésive; faites cuire le poivron vert, l'oignon, l'ail, les champignons et l'origan en remuant à l'occasion pendant 5 minutes. Ajoutez le bœuf et faites-le cuire en remuant pendant 1 minute ou jusqu'à ce qu'il soit chaud. Poivrez au goût. À l'aide d'une cuillère, farcissez les pains de cette garniture et servez sans tarder.

ANALYSE DES ÉLÉMENTS NUTRITIFS PAR PORTION	
Calories	290
Glucides	32 g
Fibres	5 g
Protéines	17 g
Total des matières grasses	11 g
Gras saturés	4 g
Sodium	610 mg
Cholestérol	25 mg

QUESADILLAS AU FROMAGE
et à la salsa

POUR 4 QUESADILLAS
(1 quesadilla par portion)

½ tasse (125 ml) de salsa, plus une quantité supplémentaire pour les garnitures

4 tortillas de 23 cm (9 po)

1 tasse (250 ml) de haricots noirs ou pintos, égouttés et rincés

1 tasse (250 ml) de mozzarella écrémée ou de cheddar allégé, râpés

Voici ma version revisitée du sandwich au fromage fondant : de minces tortillas remplacent le pain; la mozzarella remplace le fromage fondu et la salsa, le ketchup. Et les haricots ? Ils sont facultatifs, mais ils font un excellent ajout.

Conseils

Je sers souvent ces cornets au fromage chauds avec une soupe pour faire un repas rapide à préparer. Ils font également un bon goûter apprécié autant des petits que des grands. Employez une salsa douce pour apaiser ceux dont les papilles gustatives sont timides, mais ajoutez un soupçon de sauce au poivre de Cayenne à la garniture pour ceux qui apprécient le feu du piment.

1. Tartinez 30 ml (2 c. à soupe) de salsa sur la moitié de chaque tortilla. Garnissez de 50 ml (¼ tasse) de haricots et d'autant de fromage. Repliez les tortillas et appuyez dessus légèrement.

2. Faites cuire les tortillas deux à la fois dans une grande poêle antiadhésive à feu moyen, en appuyant légèrement dessus à l'aide d'une spatule de métal, pendant environ 2 minutes par côté ou jusqu'à ce qu'elles aient quelque peu doré et que le fromage ait fondu. Sinon, posez-les sur la grille d'un barbecue à feu moyen jusqu'à ce qu'elles soient légèrement grillées de chaque côté.

3. Taillez-les en quartiers et servez-les chaudes avec davantage de salsa, si vous le voulez.

ANALYSE DES ÉLÉMENTS NUTRITIFS PAR PORTION	
Calories	305
Glucides	37 g
Fibres	6 g
Protéines	16 g
Total des matières grasses	9 g
Gras saturés	4 g
Sodium	625 mg
Cholestérol	20 mg

BRUSCHETTA CLASSIQUE
à la tomate et au parmesan

POUR 4 TRANCHES

(1 tranche par portion)

2 grosses tomates mûres épépinées et taillées en dés

2 c. à soupe (30 ml) de basilic frais grossièrement haché

1 gousse d'ail hachée fin

2 c. à thé (10 ml) de vinaigre balsamique

poivre frais moulu

4 tranches de pain italien croûté

1 c. à soupe (15 ml) d'huile d'olive

parmesan râpé

La bruschetta est un canapé italien. On peut la servir nature, avec de l'ail et de l'huile d'olive ou avec une myriade de garnitures populaires telles que des tomates bien mûres, du basilic frais et du parmesan. Lorsque vient la saison des tomates d'été et du basilic, les bruschettas font un repas du midi léger, mais on peut également les servir en hors-d'œuvre avant les grillades.

Activez le gril du four.

1. Mélangez les tomates, le basilic et le vinaigre balsamique dans un petit bol; poivrez au goût. Touillez délicatement et laissez reposer pendant 1 heure.

2. Faites griller les tranches de pain dans une poêle à feu moyen ou sous le gril pendant environ 2 minutes par côté ou jusqu'à ce qu'elles soient bien dorées. Badigeonnez le dessus des tranches d'un peu d'huile d'olive. Disposez-les dans une assiette de service.

3. Déposez à l'aide d'une cuillère la préparation à base de tomates sur les croûtons chauds et garnissez-les de parmesan râpé. Servez sans tarder.

ANALYSE DES ÉLÉMENTS NUTRITIFS PAR PORTION	
Calories	267
Glucides	40 g
Fibres	4 g
Protéines	7 g
Total des matières grasses	9 g
Gras saturés	2 g
Sodium	370 mg
Cholestérol	0 mg

PIZZA BRIOCHÉE
aux légumes

POUR 4 SANDWICHES

(1 sandwich par portion)

2 c. à thé (10 ml) d'huile d'olive

2 tasses (500 ml) de champignons tranchés

1 gros poivron vert taillé en fines lanières

1 oignon moyen taillé en petits quartiers

1 grosse gousse d'ail hachée

1 c. à thé (5 ml) de basilic ou d'origan séchés

¼ c. à thé (1 ml) de flocons de piment de Cayenne

¾ tasse (175 ml) de sauce à pizza ou de sauce tomate

poivre noir frais moulu

4 panini complets (60 g ou 2 oz chacun)

4 oz (125 g) de provolone allégé ou de mozzarella écrémée, tranchés fin

Activez le gril du four.

Plaque à cuisson

1. Faites chauffer l'huile à feu moyen-vif dans une grande poêle antiadhésive. Ajoutez les champignons, le poivron vert, l'oignon, l'ail, le basilic et les flocons de piment de Cayenne. Faites cuire en remuant pendant 5 minutes ou jusqu'à ce que les légumes aient fondu. Ajoutez en remuant la sauce à pizza et faites cuire jusqu'à ce que tout soit bien chaud. Retirez du feu et poivrez au goût.

2. Tranchez les petits pains d'un côté et ouvrez-les à la manière d'un livre. Garnissez-les de tranches de fromage. Posez-les sur une plaque à cuisson et passez-les sous le gril pendant 1 minute ou jusqu'à ce que le fromage ait fondu. Surveillez attentivement l'opération. Déposez la garniture de légumes à l'aide d'une cuillère et servez sans tarder.

Pourquoi commander chez un traiteur alors qu'il est si facile de préparer soi-même ces sandwiches inspirés par la pizza ?

Conseil

Préparez d'avance cette garniture à sandwiches et conservez-la au réfrigérateur dans un contenant hermétique. Tartinez les petits pains de fromage et ajoutez à l'aide d'une cuillère la garniture aux légumes. Enveloppez-les d'essuie-tout et passez-les au micro-ondes à la puissance moyenne-élevée (70 %) pendant 2 minutes 30 secondes ou 3 minutes pour deux pains, ou pendant 1 minute 30 secondes s'il n'y en a qu'un seul.

ANALYSE DES ÉLÉMENTS NUTRITIFS PAR PORTION	
Calories	289
Glucides	38 g
Fibres	6 g
Protéines	16 g
Total des matières grasses	9 g
Gras saturés	3 g
Sodium	635 mg
Cholestérol	10 mg

'BURRITOS AUX ŒUFS BROUILLÉS
et au jambon

POUR 4 BURRITOS

(1 burrito par portion)

4 tortillas de 18 cm (7 po)	
½ tasse (125 ml) de cheddar allégé, râpé	
4 œufs	
2 c. à thé (10 ml) de lait faible en gras	
1 pincée de poivre noir frais moulu	
1 c. à thé (5 ml) de beurre	
⅓ tasse (75 ml) de jambon fumé taillé en dés	
1 oignon vert tranché	
¼ tasse (50 ml) de salsa douce ou moyennement pimentée	

Oubliez les fourchettes et les couteaux lorsque vous servez ce délicieux sandwich qui rappelle le déjeuner tradi-tion-nel composé d'œufs brouillés et de jambon.

Faites d'abord chauffer le four à 180 °C (350 °F).
Plaque à cuisson

1. Déposez les tortillas sur une plaque à cuisson et garnissez-les de fromage. Passez-les au four pendant 5 minutes ou jusqu'à ce que le fromage ait fondu.

2. Entre-temps, mélangez dans un bol les œufs, le lait et le poivre. Faites fondre le beurre dans une grande poêle anti-adhésive à feu moyen; faites cuire le jambon et l'oignon vert en remuant pendant 1 minute ou jusqu'à ce que l'oignon ait fondu. Ajoutez les œufs et faites-les cuire en remuant souvent pendant 2 minutes environ ou jusqu'à ce que les œufs aient figé.

3. À l'aide d'une cuillère, déposez la garniture sur le tiers inférieur de chaque tortilla et garnissez-la de salsa. Repliez chaque côté des tortillas (sur 2,5 cm ou 1 po) sur la garni-ture et, en partant de la face inférieure, enroulez chaque tortilla sur sa garniture. Servez sans tarder.

ANALYSE DES ÉLÉMENTS NUTRITIFS PAR PORTION	
Calories	251
Glucides	19 g
Fibres	2 g
Protéines	15 g
Total des matières grasses	12 g
Gras saturés	5 g
Sodium	520 mg
Cholestérol	205 mg

QUICHE SANS CROUTE
aux courgettes

POUR 6 PERSONNES

2 c. à thé (10 ml) d'huile végétale
3 tasses (750 ml) de courgettes râpées (avec la pelure), dont le jus a été exprimé
4 oignons verts hachés
1 poivron rouge taillé en dés
6 œufs
¾ tasse (175 ml) de cheddar allégé, râpé
½ tasse (125 ml) de chapelure
¼ c. à thé (1 ml) de sel
¼ c. à thé (1 ml) de poivre noir frais moulu

On peut toujours compter sur les œufs pour un repas économique. Cette quiche sans croûte cuite au four est idéale pour le brunch ou pour un souper rapide avec des tranches de tomate et un bon pain en accompagnement.

Conseil

Enveloppez les courgettes râpées d'un torchon de cuisine propre afin d'en exprimer l'excédent d'eau.

Faites d'abord chauffer le four à 160 °C (325 °F).
Moule à tarte ou à quiche de 25 cm (10 po)
enduit de beurre

1. Faites chauffer l'huile à feu moyen-vif dans une grande poêle à frire antiadhésive. Ajoutez les courgettes, les oignons verts et le poivron rouge; faites cuire en remuant souvent pendant 5 minutes ou jusqu'à ce que les légumes aient fondu. Laissez refroidir quelque peu.
2. Fouettez les œufs dans un grand bol; ajoutez en remuant la préparation aux courgettes, le fromage, la chapelure, le sel et le poivre. Versez dans le moule à tarte et faites cuire au four pendant 35 à 40 minutes ou jusqu'à ce que les œufs aient figé au centre du moule.

ANALYSE DES ÉLÉMENTS NUTRITIFS PAR PORTION	
Calories	157
Glucides	7 g
Fibres	2 g
Protéines	11 g
Total des matières grasses	10 g
Gras saturés	4 g
Sodium	300 mg
Cholestérol	196 mg

SANDWICHES ROULÉS
à la dinde fumée

POUR 4 SANDWICHES ROULÉS

(1 sandwich roulé par portion)

¼ tasse (50 ml) de mayonnaise légère

2 c. à soupe (30 ml) de basilic frais haché
(ou 2 ml / ½ c. à thé de basilic séché)

4 tortillas de 23 cm (9 po)

2 grosses tomates

6 oz (175 g) de dinde fumée en tranches fines

4 tasses (1 l) de laitue romaine râpée

Le basilic frais que l'on ajoute à la mayonnaise apporte une note résolument moderne à ce sandwich.

Conseil

La dinde fumée contient environ 25 % moins de sel que le jambon, mais son contenu sodique reste élevé. Ces roulés peuvent être préparés avec un reste de dinde ou de poulet dont on aura enlevé la peau.

1. Mélangez dans un bol la mayonnaise et le basilic. Tartinez-en les tortillas en conservant une bordure de 2,5 cm (1 po). Taillez les tomates en deux dans le sens de la largeur et pressez-les délicatement pour en exprimer les pépins et l'eau de végétation. Taillez-les en tranches fines. Posez les tranches de tomate, la dinde et la laitue sur les tortillas. Pliez chaque côté d'une tortilla sur une largeur de 2,5 cm (1 po) pour les ramener sur la garniture. Partant de la face inférieure, enroulez les tortillas sur elles-mêmes. Servez sans tarder ou couvrez de pellicule plastique et conservez au réfrigérateur pendant au maximum une journée.

ANALYSE DES ÉLÉMENTS NUTRITIFS PAR PORTION	
Calories	302
Glucides	31 g
Fibres	4 g
Protéines	19 g
Total des matières grasses	10 g
Gras saturés	2 g
Sodium	740 mg
Cholestérol	37 mg

FAJITAS
à la dinde

POUR 6 FAJITAS

(1 fajita par portion)

1 lb (500 g) de poitrine de dinde ou de poulet désossée, sans la peau, en tranches fines

1 c. à soupe (15 ml) de jus de limette fraîche

1 gousse d'ail hachée fin

½ c. à thé (2 ml) d'origan séché

½ c. à thé (2 ml) de cumin moulu

½ c. à thé (2 ml) de coriandre moulue

½ c. à thé (2 ml) de sel

1 pincée de poivre de Cayenne

1 c. à soupe (15 ml) d'huile d'olive

1 oignon rouge moyen, en tranches fines

1 petit poivron rouge taillé en lanières de 5 cm (2 po)

1 petit poivron vert taillé en lanières de 5 cm (2 po)

6 tortillas de 23 cm (9 po), chaudes

Salsa, crème sure allégée, laitue râpée et cheddar allégé râpé en guise de garnitures

J'adore cette recette car elle fait un plat principal simple et rapide à préparer qui ne fait appel qu'à quelques ingrédients. Elle est idéale pour les repas improvisés à la dernière minute. Je dispose sur la table des ramequins de fromage, de crème sure et de salsa, et chacun se sert.

1. Dans un bol, mélangez la dinde et le jus de limette, l'ail, l'origan, le cumin, la coriandre, le sel et le poivre de Cayenne. Laissez mariner pendant 15 minutes à température ambiante ou plus longtemps au réfrigérateur.

2. Faites chauffer dans une grande poêle antiadhésive 15 ml (1 c. à soupe) d'huile d'olive à feu vif. Faites cuire la dinde pendant 2 ou 3 minutes de chaque côté ou jusqu'à ce qu'elle ait légèrement doré et que son centre ne soit plus rosé. Déposez-la dans un plat de service et conservez-la au chaud.

3. Déposez l'oignon et le poivron dans la poêle et faites-les cuire en remuant pendant 3 minutes et veillez à ce qu'ils soient cuits mais encore un peu craquants. Retirez-les du feu. Taillez la dinde en fines bandes diagonales et mélangez-les à la préparation à base d'oignon et de poivron. Déposez la garniture au centre de chaque tortilla à l'aide d'une cuillère; ajoutez une petite cuillerée de salsa et de crème sure, si vous le voulez, et garnissez de laitue et de fromage râpés. Enroulez les tortillas.

ANALYSE DES ÉLÉMENTS NUTRITIFS PAR PORTION	
Calories	307
Glucides	30 g
Fibres	3 g
Protéines	23 g
Total des matières grasses	9 g
Gras saturés	2 g
Sodium	445 mg
Cholestérol	45 mg

PLATS PRINCIPAUX

STEAK MINUTE
façon bistro

POUR 4 PERSONNES

2 surlonges désossés de 250 g (8 oz) chacun, sans gras

½ c. à thé (2 ml) de poivre noir grossièrement moulu

2 c. à thé (10 ml) d'huile d'olive

2 c. à thé (10 ml) de beurre

¼ tasse (50 ml) d'échalote hachée fin

1 grosse gousse d'ail hachée fin

¼ c. à thé (1 ml) d'herbes de Provence
(reportez-vous au conseil ci-contre)

⅓ tasse (75 ml) de vin rouge ou de bouillon de bœuf

½ tasse (125 ml) de bouillon de bœuf à teneur réduite
en sodium

1 c. à soupe (15 ml) de moutarde de Dijon

2 c. à soupe (30 ml) de persil frais haché

1. Sortez les steaks du réfrigérateur 30 minutes avant la cuisson. Poivrez-les.

2. Faites chauffer une grande poêle à frire antiadhésive à feu moyen jusqu'à ce qu'elle soit bien chaude; ajoutez l'huile et le beurre. Augmentez l'intensité du feu et faites cuire les steaks pendant environ 1 minute de chaque côté. Ramenez le feu à la puissance moyenne et poursuivez la cuisson pour qu'ils soient à votre goût. Déposez-les dans une assiette de service chaude et conservez-les au chaud.

3. Déposez l'échalote, l'ail et les herbes dans la poêle; faites-les cuire en remuant pendant 1 minute. Ajoutez le vin en remuant, faites cuire et déglacez la poêle jusqu'à ce que le liquide se soit presque tout évaporé.

4. Ajoutez le bouillon, la moutarde et le persil en remuant; salez et poivrez au goût. Faites cuire en remuant pour obtenir une légère réduction. À l'aide d'une cuillère, nappez les steaks de cette sauce. Servez sans tarder.

ANALYSE DES ÉLÉMENTS NUTRITIFS PAR PORTION	
Calories	207
Glucides	5 g
Fibres	1 g
Protéines	21 g
Total des matières grasses	11 g
Gras saturés	4 g
Sodium	255 mg
Cholestérol	46 mg

Apprêté avec du vin, de l'ail et des fines herbes, ce steak devient un plat à partager avec des amis.

Conseils

Servez ce steak avec des pommes de terre à l'ail grillé (reportez-vous à la page 178 pour la recette).

Les herbes de Provence sont d'ordinaire composées de thym, de romarin, de basilic et de sauge. Si vous ne trouvez pas d'herbes de Provence, remplacez-les par une généreuse pincée de chacune des herbes que je viens d'énumérer.

VEAU
au paprika

POUR 4 PERSONNES

4 c. à thé (20 ml) d'huile végétale

1 lb (500 g) d'escalopes de veau de grain ou de surlonge de bœuf désossé, sans le gras, taillé en fines lanières

4 tasses (1 l) de champignons taillés en croix (environ 375 g ou 12 oz)

1 gros oignon taillé en 2 dans le sens de la longueur et tranché fin

2 gousses d'ail hachées fin

4 c. à thé (20 ml) de paprika

½ c. à thé (2 ml) de marjolaine séchée

½ c. à thé (2 ml) de sel

¼ c. à thé (1 ml) de poivre noir frais moulu

1 c. à soupe (15 ml) de farine tout usage

¾ tasse (175 ml) de bouillon de poulet à teneur réduite en sodium

½ tasse (125 ml) de crème sure allégée

poivre noir frais moulu

1. Faites chauffer 15 ml (1 c. à soupe) d'huile à feu vif dans une grande poêle antiadhésive; faites sauter le veau en deux lots pendant 3 minutes chacun ou jusqu'à ce que la chair soit dorée à l'extérieur et rosée à l'intérieur. Déposez le veau et son jus de cuisson dans un plat et conservez-le au chaud.

2. Ramenez le feu à la puissance moyenne. Ajoutez le reste de l'huile. Faites cuire les champignons, l'oignon, l'ail, le paprika, la marjolaine, le sel et le poivre en remuant souvent pendant 7 minutes ou jusqu'à ce que les légumes commencent à blondir.

3. Saupoudrez la farine sur la préparation aux champignons et versez le bouillon. Faites cuire en remuant pendant 2 minutes ou jusqu'à épaississement de la sauce. Ajoutez la crème sure en remuant. Remettez le veau et le jus de cuisson dans la poêle et faites cuire pendant 1 minute ou plus, jusqu'à ce qu'il soit bien fumant. Rectifiez l'assaisonnement à l'aide du poivre et servez sans tarder.

Cette délicieuse recette est quelque peu tombée dans l'oubli et nous devrions faire en sorte de la retrouver sur nos tables. Le mariage du paprika rouge et de la crème sure révèle la tendreté du veau et la consistance des champignons bien en chair.

Conseil

Des fettucinis ou des nouilles aux œufs font un délicieux accompagnement à ce plat de veau crémeux en sauce aux champignons.

ANALYSE DES ÉLÉMENTS NUTRITIFS PAR PORTION	
Calories	207
Glucides	14 g
Fibres	3 g
Protéines	29 g
Total des matières grasses	4 g
Gras saturés	1 g
Sodium	545 mg
Cholestérol	89 mg

'BIFTECK DE FLANC
à l'asiatique

POUR 6 PERSONNES

¼ tasse (50 ml) de sauce hoisin

2 c. à soupe (30 ml) de sauce soja à teneur réduite en sodium

2 c. à soupe (30 ml) de jus de limette fraîche

1 c. à soupe (15 ml) d'huile végétale

4 gousses d'ail hachées fin

2 c. à thé (10 ml) de pâte de chili à l'orientale ou 5 ml (1 c. à thé) de flocons de piment de Cayenne

1 ¼ lb (750 g) de bifteck de flanc

Voici ma façon préférée de cuisiner le bœuf sur le barbecue. Je fais mariner le bifteck de flanc à l'avance et les restes font de délicieux sandwiches.

Conseil

Plus le bifteck de flanc trempe longtemps dans la marinade, plus il devient tendre. On peut également apprêter de la même manière un steak de ronde bien épais.

Faites chauffer le barbecue au moment de la cuisson ou allumez le gril.

1. Dans un plat en pyrex peu profond, mélangez la sauce hoisin, la sauce soja, le jus de limette, l'huile, l'ail et la pâte de chili; ajoutez le bifteck et enduisez-le de marinade. Réfrigérez-le à couvert pendant au moins 8 heures ou jusqu'à 24 heures. Sortez la viande du réfrigérateur une demi-heure avant la cuisson.

2. Déposez le bifteck sur une grille enduite d'aérosol de cuisson végétal et faites-le cuire à feu moyen-vif en le badigeonnant de marinade. Faites-le cuire pendant 7 ou 8 minutes de chaque côté ou jusqu'à ce qu'il soit à point. (Autrement, posez le bifteck sur une plaque à cuisson chemisée de papier d'aluminium et passez-le au four, à 10 cm (4 po) sous le gril, pendant 7 ou 8 minutes de chaque côté.) Déposez-le sur une planche à découper, couvrez-le de papier d'aluminium et laissez-le reposer pendant 5 minutes. Taillez-le à angle droit en tranches fines dans le sens contraire du grain de la viande.

ANALYSE DES ÉLÉMENTS NUTRITIFS PAR PORTION	
Calories	214
Glucides	3 g
Fibres	0 g
Protéines	26 g
Total des matières grasses	10 g
Gras saturés	4 g
Sodium	230 mg
Cholestérol	46 mg

RÔTI DE CÔTE

en sauce au vin rouge

POUR 6 PERSONNES

(125 g ou 4 oz de viande maigre par portion et
50 ml ou ¼ tasse de sauce)

3 lb (1,5 kg) de rôti de côte de bœuf
1 grosse gousse d'ail effilée
2 c. à soupe (30 ml) de moutarde de Dijon
1 c. à thé (5 ml) de thym séché
¼ c. à thé (2 ml) de sel
1 c. à thé (5 ml) de poivre noir grossièrement moulu

SAUCE AU VIN

½ tasse (125 ml) de vin rouge
1 ½ tasse (375 ml) de bouillon de bœuf à teneur réduite en sodium
1 c. à soupe (15 ml) de fécule de maïs
2 c. à soupe (30 ml) d'eau
1 c. à soupe (15 ml) de sauce Worcestershire
poivre noir frais moulu

Faites d'abord chauffer le four à 230 °C (450 °F).
Rôtissoire

1. Pratiquez de petites incisions dans le rôti afin d'y introduire les morceaux d'ail. Laissez le rôti reposer pendant 1 heure. Dans un bol, mélangez la moutarde, le thym, le sel et le poivre. Tartinez ce mélange sur le rôti.

2. Déposez le rôti sur les côtes dans une rôtissoire peu profonde. Faites rôtir dans un four préchauffé pendant 15 minutes; ramenez la chaleur à 180 °C (350 °F) et continuez la cuisson pendant 75 à 90 minutes ou jusqu'à ce que le thermomètre à viande indique 60 °C (140 °F) pour une viande à point. Déposez le rôti sur une planche à découper, couvrez-le d'une feuille d'aluminium et laissez-le reposer pendant 15 minutes.

3. Pour la sauce au vin : Enlevez le gras du jus de cuisson qui se trouve dans la rôtissoire. Posez cette dernière sur la cuisinière à feu moyen et ajoutez le vin. Faites cuire en raclant le fond de la rôtissoire jusqu'à ce que le vin ait réduit de moitié. Ajoutez en remuant le bouillon de bœuf; passez la sauce dans une passoire fine et versez-la dans une casserole. Amenez-la à ébullition et faites-la cuire pendant 5 minutes ou jusqu'à ce qu'elle ait légèrement réduit.

4. Dans un petit bol, délayez la fécule de maïs, l'eau et la sauce Worcestershire. Versez dans la casserole en remuant sans cesse jusqu'à ébullition et épaississement de la sauce. Poivrez au goût. Découpez le rôti en fines tranches et nappez-les de sauce.

ANALYSE DES ÉLÉMENTS NUTRITIFS PAR PORTION	
Calories	257
Glucides	2 g
Fibres	0 g
Protéines	32 g
Total des matières grasses	12 g
Gras saturés	5 g
Sodium	585 mg
Cholestérol	73 mg

SAUTÉ DE BŒUF
et de brocoli

POUR 4 PERSONNES

1 lb (500 g) de surlonge désossé, sans gras, taillé en fines lanières
2 c. à soupe (30 ml) de sauce hoisin
2 gousses d'ail hachées fin
1 c. à soupe (15 ml) de gingembre haché
1 c. à thé (5 ml) de zeste d'orange
½ tasse (125 ml) de jus d'orange
2 c. à soupe (30 ml) de sauce soja à teneur réduite en sodium
2 c. à thé (10 ml) de fécule de maïs
¼ c. à thé (1 ml) de flocons de poivre de Cayenne
1 c. à soupe (15 ml) d'huile végétale
6 tasses (1,5 l) de petits bouquets de brocoli et de tiges pelées et hachées (environ 1 gros plant)
4 oignons verts hachés fin

1. Dans un bol, touillez les lanières de bœuf, la sauce hoisin, l'ail et le gingembre. Laissez mariner à température ambiante pendant 15 minutes. (Couvrez et réfrigérez si vous préparez ce plat à l'avance.)

2. Dans une tasse à mesurer, mélangez le zeste et le jus d'orange, la sauce soja, la fécule de maïs et les flocons de poivre de Cayenne.

3. Faites chauffer l'huile à feu vif dans une grande poêle à frire antiadhésive; faites cuire le bœuf en remuant pendant 2 minutes ou jusqu'à ce qu'il ne soit plus rosé. Déposez-le dans une assiette de service.

4. Ajoutez le brocoli et le mélange de sauce soja dans la poêle à frire; ramenez le feu à la puissance moyenne, couvrez et laissez cuire pendant 2 à 3 minutes ou jusqu'à ce que le brocoli soit cuit mais encore craquant. Ajoutez le bœuf et son jus et les oignons verts; faites cuire en remuant pendant 1 minute ou jusqu'à ce que tout soit bien chaud.

Voici un sauté pour lequel on passe peu de temps à hacher les ingrédients. Servez-le avec du riz cuit à la vapeur, du riz bouilli, du vermicelle ou des pâtes fines telles que des linguinis.

Variante

Remplacez le bœuf par du porc ou une poitrine de poulet désossée et sans peau.

ANALYSE DES ÉLÉMENTS NUTRITIFS PAR PORTION	
Calories	288
Glucides	17 g
Fibres	4 g
Protéines	23 g
Total des matières grasses	8 g
Gras saturés	2 g
Sodium	440 mg
Cholestérol	45 mg

POULET RÔTI DANS L'HEURE
parfumé à la sauge et à l'ail

POUR 4 PERSONNES

(125 g ou 4 oz sans la peau par portion)

1 poulet (environ 1,75 kg ou 3 ½ lb)	
1 c. à soupe (15 ml) de beurre amolli	
2 gousses d'ail hachées fin	
1 c. à soupe (15 ml) de sauge fraîche hachée fin ou 5 ml (1 c. à thé) de sauge séchée	
1 ½ c. à thé (7 ml) de zeste de citron	
½ c. à thé (2 ml) de sel	
½ c. à thé (2 ml) de poivre noir frais moulu	
2 c. à thé (10 ml) d'huile d'olive	
¼ c. à thé (1 ml) de paprika	

Faites d'abord chauffer le four à 200 °C (400 °F). Lèchefrite dotée d'une clayette enduite d'un aérosol de cuisson végétal

1. Enlevez les abattis et le cou du poulet. Rincez-le et épongez-le à l'aide d'essuie-tout à l'intérieur comme à l'extérieur. À l'aide de ciseaux de cuisine résistants, découpez le poulet le long de sa colonne vertébrale; appuyez sur les os de la cage thoracique afin de l'aplatir quelque peu et déposez-le sur les os sur la clayette de la lèchefrite.

2. Dans un bol, mélangez le beurre, l'ail, le zeste de citron, le sel et le poivre. Soulevez délicatement la peau du poulet; à l'aide d'un couteau ou d'une spatule, tartinez le beurre épicé sur la chair des poitrines et des cuisses. Appuyez sur la peau afin de répartir le beurre sur toute la chair.

3. Dans un petit bol, mélangez l'huile d'olive et le paprika; badigeonnez-en le poulet.

4. Faites cuire le poulet pendant 1 heure ou jusqu'à ce que les jus s'en échappe et qu'un thermomètre introduit dans la chair des cuisses indique 85 °C (185 °F). Déposez le poulet dans une assiette de service. Couvrez-le de papier d'aluminium et laissez-le reposer pendant 5 minutes avant de le découper.

Qui a le temps d'attendre qu'un poulet rôtisse lorsqu'il est pressé ? Je m'épargne une heure de cuisson en faisant deux choses : je découpe la volaille en deux le long de sa colonne vertébrale, je la pose à plat dans la lèchefrite et j'augmente à plein régime la chaleur du four. J'obtiens ainsi un succulent poulet grillé en moitié moins de temps.

Conseil

Dans cette recette, le poulet est grillé en crapaudine. Le temps de cuisson est réduit lorsque la volaille est taillée en deux le long de la colonne vertébrale et aplatie.

ANALYSE DES ÉLÉMENTS NUTRITIFS PAR PORTION	
Calories	256
Glucides	1 g
Fibres	0 g
Protéines	36 g
Total des matières grasses	11 g
Gras saturés	3 g
Sodium	415 mg
Cholestérol	116 mg

DOIGTS DE POULET
au parmesan

POUR 8 PERSONNES

(2 doigts par personne)

½ tasse (125 ml) de chapelure fine faite à partir de craquelins (environ 16)

⅓ tasse (75 ml) de parmesan frais râpé

½ c. à thé (2 ml) de basilic séché

½ c. à thé (2 ml) de marjolaine séchée

½ c. à thé (2 ml) de paprika

½ c. à thé (2 ml) de sel

¼ c. à thé (1 ml) de poivre noir frais moulu

4 poitrines de poulet désossées, sans la peau

1 œuf

1 gousse d'ail hachée fin

Faites d'abord chauffer le four à 200 °C (400 °F).

Plaque à cuisson dotée d'une clayette enduite d'un aérosol de cuisson végétal

1. Mélangez à l'aide d'un robot culinaire les craquelins, le parmesan, le basilic, la marjolaine, le paprika, le sel et le poivre. Pulsez jusqu'à l'obtention d'une chapelure fine que vous verserez dans un bol peu profond.

2. Taillez chaque poitrine de poulet en 4 lanières. Fouettez l'œuf et l'ail dans un bol et ajoutez-y les lanières de poulet. À l'aide d'une fourchette, trempez les lanières de poulet dans la chapelure afin de les en enduire. Disposez-les sur la clayette posée sur la plaque à cuisson.

3. Faites cuire dans un four préchauffé pendant 14 à 18 minutes ou jusqu'à ce que le poulet ne soit plus rosé en son centre. (Si les doigts sont congelés, la cuisson peut se prolonger jusqu'à 25 minutes.)

ANALYSE DES ÉLÉMENTS NUTRITIFS PAR PORTION	
Calories	115
Glucides	3 g
Fibres	0 g
Protéines	18 g
Total des matières grasses	3 g
Gras saturés	1 g
Sodium	245 mg
Cholestérol	59 mg

Quel soulagement lorsqu'on rentre vanné du travail de savoir que l'on peut compter sur ces savoureux doigts de poulet que l'on conserve cachés au fond du congélateur. Complétez le repas avec du riz et un légume cuit à la vapeur, par exemple du brocoli, pour un souper prêt en 30 minutes.

Conseils

Achetez du poulet désossé lorsqu'il est en solde et préparez un lot de doigts de poulet que vous conserverez au congélateur. Cuisinez des poitrines de poulet fraîches (pas décongelées); suivez les indications de la recette et déposez les doigts non cuits sur une clayette posée sur une plaque à cuisson. Mettez-les à congeler jusqu'à ce qu'ils soient fermes et transférez-les par la suite dans un contenant hermétique. Vous pouvez les conserver au congélateur pendant près de deux mois. Inutile de les décongeler avant de les faire cuire.

Vous pouvez en outre préparer davantage de chapelure et la conserver au congélateur.

CÔTES LEVÉES
grillées

POUR 6 PERSONNES

3 lb (1,5 kg) de côtes de dos de porc

poivre noir frais moulu

1 tasse (250 ml) de ketchup ou de sauce chili

⅓ tasse (75 ml) de miel liquide

1 petit oignon haché fin

2 gousses d'ail hachées fin

2 c. à soupe (30 ml) de sauce Worcestershire

2 c. à soupe (30 ml) de jus de citron frais

1 c. à soupe (15 ml) de moutarde de Dijon

1 c. à thé (5 ml) de sauce de poivre de Cayenne ou au goût

1 citron tranché en quartiers

« Il faut que ta recette de côtes levées soit dans ton livre », m'a conseillé mon fils dont il s'agit du plat préféré. Alors, la voici ! Et, puisque la seule manière de manger des côtes levées est d'utiliser ses doigts, prévoyez plein de serviettes de table.

Conseils

S'il est vrai que le porc (et même les côtes levées) que l'on trouve à présent sur le marché est beaucoup plus maigre qu'auparavant, il faut consommer les côtes levées avec modération car, pour une bonne proportion, leur gras est saturé.

Les côtes levées sont excellentes lorsqu'on les grille sur le barbecue. Faites-les cuire en partie au four pendant 30 minutes, ainsi que l'indique la recette, et achevez la cuisson sur le gril à feu moyen-doux en les badigeonnant souvent de sauce.

1. Posez les côtes sur la clayette de la rôtissoire et poivrez-les. Couvrez-les de papier d'aluminium. Faites-les cuire dans un four préchauffé pendant 30 minutes.

2. Dans une petite casserole, mélangez la sauce chili, le miel, l'oignon, l'ail, la sauce Worcestershire, le jus de citron, la moutarde et la sauce de poivre de Cayenne. Amenez à ébullition; réduisez le feu et laissez mijoter en remuant à l'occasion pendant 10 à 15 minutes ou jusqu'à ce que la sauce ait quelque peu épaissi.

3. Enlevez le papier d'aluminium; badigeonnez les côtes de chaque côté avec une généreuse quantité de sauce. Faites-les griller à découvert pendant 25 à 30 minutes en les badigeonnant généreusement aux 10 minutes, jusqu'à ce que les côtes soient tendres et glacées.

4. Taillez en bouchées et servez avec le reste de sauce et les quartiers de citron.

ANALYSE DES ÉLÉMENTS NUTRITIFS PAR PORTION	
Calories	325
Glucides	20 g
Fibres	1 g
Protéines	29 g
Total des matières grasses	15 g
Gras saturés	5 g
Sodium	410 mg
Cholestérol	66 mg

RÔTI DE VEAU AU ROMARIN
et au vin blanc à la mode toscane

POUR 8 PERSONNES

(130 g ou 4 ½ oz par portion avec sauce)

2 oz (60 g) de pancetta ou de lard en petits dés
(reportez-vous au conseil ci-contre)

¼ tasse (50 ml) de persil frais haché fin

2 gousses d'ail hachées fin

1 c. à thé (5 ml) de zeste de citron

poivre noir frais moulu

3 lb (1,5 kg) de gigot de veau désossé, sans gras, ficelé

2 c. à soupe (30 ml) d'huile d'olive

1 c. à soupe (15 ml) de romarin frais haché ou 7 ml
(1 ½ c. à thé) de romarin séché émietté

1 tasse (250 ml) de vin blanc sec

1 tasse (250 ml) de bouillon de poulet ou de veau

Vous serez titillé par les délicieux arômes du romarin et de l'ail qui embaumeront votre cuisine lorsque vous préparerez ce rôti pour le repas du dimanche ou pour une occasion spéciale.

Conseil

La pancetta est ce bacon italien qui n'a pas été fumé; on le trouve au rayon des charcuteries de nos supermarchés.

Faites d'abord chauffer le four à 180 °C (350 °F). Rôtissoire

1. Dans un bol, mélangez la pancetta, le persil, l'ail et le zeste; poivrez. Farcissez de cette préparation le centre du rôti en la répartissant le mieux possible. (Procédez à cette opération plus tôt au cours de la journée et réfrigérez le rôti afin qu'il s'imprègne des saveurs de la farce.)

2. Déposez le veau dans une rôtissoire. Badigeonnez-le d'huile et assaisonnez-le de romarin et de poivre. Faites-le cuire au four à découvert pendant 30 minutes. Versez dans la rôtissoire 125 ml (½ tasse) de vin et autant de bouillon. Couvrez le veau de papier d'aluminium et continuez la cuisson pendant 90 minutes de plus en ajoutant vin et bouillon, le cas échéant, jusqu'à ce qu'un thermomètre à viande indi-que 80 °C (170 °F).

3. Déposez la viande dans un plat de service. Versez ce qui reste de vin et de bouillon dans la rôtissoire et posez-la sur la cuisinière à feu vif. Amenez à ébullition en raclant le fond de la rôtissoire. Passez la sauce au tamis en la versant dans une casserole et amenez-la à ébullition pour la faire réduire quelque peu. Tranchez le veau et nappez-le de sauce. Passez le reste de la sauce en saucière.

ANALYSE DES ÉLÉMENTS NUTRITIFS PAR PORTION	
Calories	255
Glucides	1 g
Fibres	0 g
Protéines	37 g
Total des matières grasses	10 g
Gras saturés	3 g
Sodium	270 mg
Cholestérol	135 mg

AGNEAU RÔTI AU ROMARIN
et pommes de terre nouvelles

POUR 8 PERSONNES

(125 g ou 4 oz de viande maigre par portion avec 45 ml ou 3 c. à soupe de sauce et 250 ml ou 1 tasse de pommes de terre)

1 gigot d'agneau (environ 2,5 à 3 kg ou 5 à 6 lb)	
8 gousses d'ail	
le zeste et le jus d'un citron	
2 c. à soupe (30 ml) d'huile d'olive	
2 c. à soupe (30 ml) de romarin frais haché ou 15 ml (1 c. à soupe) de romarin séché en miettes	
½ c. à thé (2 ml) de sel	
½ c. à thé (2 ml) de poivre noir frais moulu	
12 pommes de terre nouvelles, entières, brossées (environ 1,5 kg ou 3 lb)	
1 c. à soupe (15 ml) de farine tout usage	
½ tasse (125 ml) de vin blanc	
1 tasse (250 ml) de bouillon de poulet à teneur réduite en sodium	

Faites d'abord chauffer le four à 180 °C (350 °F).
Rôtissoire peu profonde dotée d'une clayette
enduite d'un aérosol de cuisson végétal

1. Taillez 6 gousses d'ail en 8 ou 10 pointes chacune. À l'aide de l'extrémité d'un couteau, pratiquez des incisions peu profondes dans la chair du gigot et introduisez 1 pointe d'ail dans chacune.
2. Hachez fin les 2 gousses d'ail qui restent. Dans un bol, mélangez l'ail, le zeste et le jus de citron, l'huile, le romarin, le sel et le poivre. Déposez le gigot dans la rôtissoire apprêtée, entourez-le de pommes de terre. Badigeonnez le gigot et les pommes de terre d'une généreuse quantité de préparation au citron et à l'ail. Introduisez le thermomètre à viande dans la partie la plus épaisse du gigot.
3. Faites cuire dans un four préchauffé pendant 90 minutes en retournant les pommes de terre en milieu de cuisson, et ce, jusqu'à ce que le thermomètre à viande indique 57 °C (135 °F) pour une viande mi-rosée. (Si vous préférez que la viande soit à point, enlevez les pommes de terre et continuez la cuisson du gigot pendant 15 à 20 minutes, selon vos préférences.)
4. Déposez le gigot sur une assiette de service, couvrez-le de papier d'aluminium et laissez-le reposer pendant 10 minutes avant de le trancher. Déposez les pommes de terre dans un bol et conservez-les au chaud.
5. Enlevez la graisse de la rôtissoire et posez cette dernière sur un feu moyen. Ajoutez la farine en remuant et faites cuire en remuant jusqu'à ce qu'elle ait quelque peu bruni. Versez le vin,

Je sers souvent de l'agneau lors des grandes occasions, car tous les convives l'apprécient. J'adore cette recette : l'arôme divin de l'ail et du romarin emplit ma maison et accueille mes invités au moment où ils franchissent le seuil.

Conseils

Sortez l'agneau du réfrigérateur 30 minutes avant de le mettre à cuire.

Choisissez des pommes de terre de même grosseur afin que leur cuisson soit uniforme.

Si vous ne voulez pas déboucher une bouteille de vin blanc, remplacez-le par du vermouth blanc sec. Conservez-en une bouteille au garde-manger en prévision des recettes qui font appel à du vin blanc.

ANALYSE DES ÉLÉMENTS NUTRITIFS PAR PORTION	
Calories	374
Glucides	31 g
Fibres	3 g
Protéines	35 g
Total des matières grasses	12 g
Gras saturés	4 g
Sodium	325 mg
Cholestérol	113 mg

faites cuire en raclant le fond de la rôtissoire jusqu'à ce que le vin ait réduit de moitié. Ajoutez le bouillon en remuant, amenez à ébullition en remuant jusqu'à ce que la sauce épaississe. Tamisez la sauce avant de la passer dans une saucière chaude.
6. Tranchez le gigot. Disposez les tranches sur une assiette de service et nappez-les d'un peu de sauce; entourez-les de pommes de terre rôties. Servez la sauce qui reste en accompagnement.

CURRY MINUTE
à la dinde

POUR 4 PERSONNES

2 c. à thé (10 ml) d'huile végétale
1 petit oignon haché
1 grosse gousse d'ail hachée fin
2 c. à thé (10 ml) de gingembre frais haché
1 pomme pelée et hachée
½ tasse (125 ml) de céleri en dés fins
2 c. à thé (10 ml) de pâte ou de poudre de curry doux
1 c. à soupe (15 ml) de farine tout usage
1 ⅓ tasse (325 ml) de bouillon de poulet à teneur réduite en sodium
3 c. à soupe (45 ml) de chutney à la mangue
2 tasses (500 ml) de dinde en dés ou de poulet cuits
¼ tasse (50 ml) de raisins
poivre noir frais moulu

Vous aurez envie de faire cuire une dinde simplement pour avoir des restes et cuisiner ce plat. Mais, si vous n'en avez pas le temps, procurez-vous un poulet rôti au super-marché et taillez-le en dés afin de préparer ce curry en moins de deux.

Conseil

Du chutney à la mangue entre dans la composition de ce plat. Vous pouvez employer le chutney de votre choix, qu'il soit maison ou acheté à l'épicerie, et la quantité dépend du goût de chacun. Servez-le sur du riz basmati que vous garnirez de coriandre hachée, si vous en avez envie.

1. Faites chauffer l'huile à feu moyen dans une grande poêle antiadhésive. Ajoutez l'oignon, l'ail, le gingembre, la pomme, le céleri et la pâte de curry; faites cuire en remuant pendant 5 minutes ou jusqu'à ce que l'oignon et les pommes aient fondu.

2. Ajoutez la farine en remuant, puis le bouillon de poulet et le chutney. Faites cuire en remuant jusqu'à ce que la sauce commence à bouillir et à épaissir. Ajoutez en remuant les dés de dinde et les raisins et poivrez au goût. Faites cuire pendant 3 minutes ou jusqu'à ce que le plat soit fumant.

ANALYSE DES ÉLÉMENTS NUTRITIFS PAR PORTION	
Calories	266
Glucides	28 g
Fibres	2 g
Protéines	23 g
Total des matières grasses	7 g
Gras saturés	1 g
Sodium	510 mg
Cholestérol	53 mg

CÔTELETTES DE PORC AU FOUR
avec du rutabaga et des pommes

POUR 6 PERSONNES

(1 côtelette par portion)

1 rutabaga (750 g ou 1 ¼ lb)

¼ tasse (50 ml) de farine tout usage

1 lb (500 g) de côtelettes de porc maigre désossées (environ 6)

2 c. à soupe (30 ml) d'huile végétale

2 grosses pommes pelées, épépinées et tranchées

1 oignon taillé en 2 dans le sens de la longueur, puis en fins quartiers

2 c. à soupe (30 ml) de gingembre frais haché fin

1 c. à thé (5 ml) de cumin moulu

1 c. à thé (5 ml) de coriandre moulue

½ c. à thé (2 ml) de sel

¼ c. à thé (1 ml) de poivre noir frais moulu

¼ c. à thé (1 ml) de cannelle moulue

¼ c. à thé (1 ml) de muscade fraîche râpée

1 tasse (250 ml) de jus de pomme

1 c. à soupe (15 ml) de cassonade bien tassée

Faites d'abord chauffer le four à 180 °C (350 °F)
Plat de cuisson de 3 l (13 x 9 po)

1. Pelez et taillez le rutabaga en quartiers, puis taillez-le en tranches de 0,5 cm (¼ po) et disposez-les au fond du plat de cuisson.

2. Mettez la farine dans un sac de plastique robuste, puis les morceaux de porc par lots afin de les fariner; secouez-les pour enlever l'excédent de farine et mettez de côté la farine qui reste.

3. Faites chauffer 15 ml (1 c. à soupe) d'huile à feu moyen-vif dans une grande poêle antiadhésive; faites dorer le porc légèrement des deux côtés. Déposez les côtelettes sur les tranches de rutabaga et garnissez-les de pommes.

4. Versez l'huile qui reste dans la poêle à frire et ramenez le feu à la puissance moyenne. Ajoutez l'oignon, le gingembre, le cumin, la coriandre, le sel, le poivre, la cannelle et la muscade; faites cuire en remuant pendant 3 minutes ou jusqu'à ce que l'oignon ait fondu. Versez le jus de pomme dans le plat de cuisson.

5. Couvrez et faites cuire au four pendant 1 heure ou jusqu'à ce que le rutabaga soit tendre.

La patate douce ou la courge d'hiver peut remplacer le rutabaga dans ce plat délicatement parfumé de gingembre et d'épices.

Conseil

Le goût de la muscade frais moulue vaut tellement mieux que celui de la muscade moulue achetée à l'épicerie. Vous trouverez les noix de muscade dans la section réservée aux épices du supermarché ou chez les marchands d'aliments en vrac. Vous trouverez une râpe à muscade à bon marché dans les boutiques d'ustensiles de cuisine.

ANALYSE DES ÉLÉMENTS NUTRITIFS PAR PORTION	
Calories	284
Glucides	30 g
Fibres	4 g
Protéines	18 g
Total des matières grasses	11 g
Gras saturés	2 g
Sodium	245 mg
Cholestérol	45 mg

POULET RÔTI AU THYM
en sauce à l'ail

POUR 4 PERSONNES
(125 g ou 4 oz de poulet sans la peau par portion
et 50 ml ou ¼ tasse de sauce)

1 poulet (environ 1,75 kg ou 3 ½ lb)
10 gousses d'ail pelées
1 c. à thé (5 ml) de thym séché
¼ c. à thé (1 ml) de sel
¼ c. à thé (1 ml) de poivre noir frais moulu
1 ⅓ tasse (325 ml) de bouillon de poulet à teneur réduite en sodium (environ)
½ tasse (125 ml) de vin blanc ou de bouillon de poulet supplémentaire
1 c. à soupe (15 ml) de farine tout usage

J'ai le sentiment que c'est un jour de fête lorsque je fais rôtir un poulet. Surtout qu'il embaume la maison d'une bonne odeur. À mon avis, voici l'un des plats les plus réconfortants qui soient. J'introduis les fines herbes et l'assaisonnement sous la peau de la volaille afin de parfumer sa chair. Une cuisson lente permet aux nombreuses gousses d'ail de dégager un arôme délicieux qui ne transmet pourtant qu'une saveur nuancée à la sauce.

Faites d'abord chauffer le four à 160 °C (325 °F). Rôtissoire dotée d'une clayette

1. Enlevez les abattis et le cou du poulet. Rincez-le et épongez-le à l'aide d'essuie-tout à l'intérieur comme à l'extérieur. Déposez 2 gousses d'ail à l'intérieur de la cage thoracique. À partir de l'orifice de la cage thoracique, soulevez délicatement la peau et enduisez les poitrines et les cuisses d'un mélange de thym, de sel et de poivre. Ficelez les cuisses et passez les ailes sous le dos.
2. Ajoutez les autres gousses d'ail et versez 150 ml (⅔ tasse) de bouillon de poulet et de vin dans la rôtissoire; déposez le poulet, la poitrine sur le dessus, sur la clayette au fond de la rôtissoire.
3. Faites rôtir la volaille dans un four préchauffé en la badigeonnant aux 30 minutes et en ajoutant du bouillon si le jus s'évapore de la rôtissoire, et ce, pendant 1 heure 45 minutes à 2 heures ou jusqu'à ce que les jus de cuisson s'en échappent ou qu'un thermomètre à viande introduit dans une cuisse indique 85 °C (185 °F).
4. Déposez le poulet dans une assiette de service, couvrez-le de papier d'aluminium et laissez-le reposer pendant 10 minutes avant de le découper. Entre-temps, tamisez les jus de cuisson dans une tasse à mesurer en exprimant bien le jus des gousses d'ail; prélevez l'excédent de gras. Ajoutez le reste de bouillon de manière à obtenir 175 ml (¾ tasse) de liquide.

ANALYSE DES ÉLÉMENTS NUTRITIFS PAR PORTION	
Calories	264
Glucides	4 g
Fibres	1 g
Protéines	38 g
Total des matières grasses	9 g
Gras saturés	3 g
Sodium	420 mg
Cholestérol	112 mg

5. Dans une petite casserole, mélangez 30 ml (2 c. à soupe) des jus de cuisson et la farine; faites-les cuire à feu moyen en remuant pendant 1 minute. Incorporez à l'aide d'un fouet les jus de cuisson qui restent; faites cuire en remuant jusqu'à ébullition et épaississement de la sauce. Servez avec le poulet.

POULET AU MIEL ET AU CITRON
pour les enfants

POUR 4 PERSONNES

(2 morceaux par portion)

8 cuisses de poulet sans la peau

2 c. à soupe (30 ml) de miel liquide

2 c. à thé (10 ml) de zeste de citron râpé

1 c. à thé (5 ml) de jus de citron frais

1 grosse gousse d'ail hachée fin

¼ c. à thé (1 ml) de sel

¼ c. à thé (1 ml) de poivre noir frais moulu

Les enfants raffolent des plats simplissimes comme celui-ci avec ses saveurs franches. Et ce plat au poulet est si facile à réussir que même les cuistots en herbe ne pourront pas le rater.

Conseil

Vous pouvez préparer cette recette avec un poulet entier taillé en morceaux ou avec des poitrines de poulet non désossées. En mariant la saveur aigrelette du citron et la douceur sucrée du miel, ce plat deviendra l'un des préférés de votre famille.

Faites d'abord chauffer le four à 180 °C (350 °F).
Plat de cuisson de 3 l (13 x 9 po)

1. Déposez les morceaux de poulet dans le plat de cuisson. Dans un bol, mélangez le miel, le zeste de citron, le jus de citron, l'ail, le sel et le poivre; nappez-en le poulet.

2. Faites cuire au four, en badigeonnant les morceaux de poulet à une reprise, pendant 45 à 55 minutes ou jusqu'à ce que les jus de cuisson s'échappent du poulet lorsqu'on le transperce.

ANALYSE DES ÉLÉMENTS NUTRITIFS PAR PORTION	
Calories	192
Glucides	6 g
Fibres	0 g
Protéines	25 g
Total des matières grasses	7 g
Gras saturés	2 g
Sodium	182 mg
Cholestérol	95 mg

MORUE AUX CHAMPIGNONS
et à la tomate

POUR 4 PERSONNES

1 paquet (400 g ou 14 oz) de filets de morue, de sole, de turbot ou d'aiglefin surgelés que vous aurez fait décongeler (reportez-vous au conseil à la page 102)
poivre noir frais moulu

1 ½ tasse (375 ml) de champignons tranchés

1 grosse tomate épépinée en dés

2 oignons verts tranchés

2 c. à soupe (30 ml) d'aneth ou de persil frais haché

⅓ tasse (75 ml) de vin blanc sec ou de fond de poisson

1 c. à soupe (15 ml) de fécule de maïs

⅓ tasse (75 ml) de demi-crème (à 10 %)

Faites d'abord chauffer le four à 190 °C (375 °F).
Plat de cuisson de 2 l (8 po²)

1. Disposez les filets de poisson les uns à côté des autres dans le plat de cuisson et poivrez-les. Ajoutez dessus les champignons, la tomate, les oignons verts et l'aneth. Versez le vin blanc. Faites cuire au four pendant 20 à 25 minutes ou jusqu'à ce que la chair du poisson soit opaque et s'émiette à l'aide d'une fourchette.
2. Sortez du four; versez délicatement le jus de cuisson dans une petite casserole. (Posez une grande assiette ou un couvercle sur le plat de cuisson.) Retournez le poisson au four que vous aurez éteint afin qu'il reste chaud.
3. Dans un bol, délayez la fécule de maïs avec 30 ml (2 c. à soupe) d'eau froide; ajoutez la demi-crème en remuant. Versez dans la casserole que vous poserez sur un feu moyen. Faites cuire en remuant à l'aide d'un fouet jusqu'à ce que la sauce atteigne le point d'ébullition et commence à épaissir. Poivrez au goût. (La sauce doit être épaisse.) Versez sur le poisson et servez.

Pas besoin de se rendre chez le poissonnier pour préparer ce plat principal. Les filets de poisson surgelés font ici très bien l'affaire. Et voici une information qui ne vous déplaira pas : même en le nappant d'une petite quantité de demi-crème, ce plat est faible en gras.

ANALYSE DES ÉLÉMENTS NUTRITIFS PAR PORTION	
Calories	135
Glucides	6 g
Fibres	1 g
Protéines	19 g
Total des matières grasses	3 g
Gras saturés	1 g
Sodium	240 mg
Cholestérol	49 mg

SCHNITZEL
aux fines herbes

POUR 4 PERSONNES

(2 escalopes par portion)

1 lb (500 g) d'escalopes de veau ou de dinde
(8 escalopes minces)

½ c. à thé (2 ml) de sel

½ c. à thé (2 ml) de poivre noir frais moulu

1 tasse (250 ml) de chapelure

⅓ tasse (75 ml) de persil frais haché

¾ c. à thé (4 ml) d'herbes de Provence (reportez-vous
au conseil à la page 80) ou de thym séché

⅓ tasse (75 ml) de farine tout usage

2 œufs battus

2 c. à soupe (30 ml) de beurre

2 c. à soupe (30 ml) d'huile végétale (environ)

quartiers de citron

1. Épongez les escalopes à l'aide d'essuie-tout; salez et
poivrez.

2. À l'aide d'un robot culinaire, pulsez la chapelure, le
persil et les herbes de Provence.

3. Versez la farine, les œufs battus et la chapelure dans
trois bols peu profonds. Au moment de la cuisson, farinez
les escalopes et secouez-les pour en enlever l'excédent;
trempez-les dans les œufs et enrobez-les de chapelure.

4. Faites chauffer 7 ml (1 ½ c. à thé) d'huile et autant de
beurre à feu moyen-vif dans une grande poêle antiadhésive.
Faites cuire les escalopes par lots pendant 1 minute 30
secondes de chaque côté ou jusqu'à ce qu'elles soient
dorées. Essuyez la surface de la poêle à frire à l'aide d'essuie-tout avant de faire cuire le deuxième lot. Déposez les
escalopes dorées sur une plaque à cuisson et conservez-les
dans le four chaud pendant que vous faites cuire les
autres. Servez-les avec des quartiers de citron.

Je préfère le veau de lait au veau de grain pour préparer
ce classique de la friture parfumé aux fines herbes. Ce
schnitzel se marie bien à un mesclun ou à une salade de
cresson de fontaine.

Conseil

Vérifiez que les escalopes sont minces; amincissez-les à
l'aide d'un maillet ou d'un rouleau à pâtisserie s'il le faut,
en les disposant au préalable dans un sac de plastique solide.

ANALYSE DES ÉLÉMENTS NUTRITIFS PAR PORTION	
Calories	300
Glucides	19 g
Fibres	1 g
Protéines	29 g
Total des matières grasses	11 g
Gras saturés	3 g
Sodium	570 mg
Cholestérol	158 mg

SAUMON EN SAUCE AU CITRON
et au gingembre

POUR 4 PERSONNES

4 filets de saumon de 150 g (5 oz) chacun

MARINADE

2 oignons verts

1 ½ c. à thé (7 ml) de gingembre frais haché fin

1 gousse d'ail hachée fin

2 c. à soupe (30 ml) de sauce soja à teneur réduite en sodium

1 c. à thé (5 ml) de zeste de citron

1 c. à soupe (15 ml) de jus de citron frais

1 c. à thé (5 ml) de sucre granulé

1 c. à thé (5 ml) d'huile de sésame

Faites d'abord chauffer le four à 220 °C (425 °F).
Plat de cuisson peu profond

1. Déposez les filets de saumon les uns à côté des autres dans le plat de cuisson.

2. Pour la marinade : Hachez les oignons verts et mettez les queues de côté en prévision de la garniture. Dans un bol, mélangez le blanc des oignons, le gingembre, l'ail, la sauce soja, le zeste et le jus de citron, le sucre et l'huile de sésame. Versez la marinade sur le saumon et laissez mariner à température ambiante pendant 15 minutes ou au réfrigérateur pendant près de 1 heure.

3. Faites cuire à découvert dans un four préchauffé pendant 13 à 15 minutes ou jusqu'à ce que la chair du saumon devienne opaque. Déposez les filets dans des assiettes de service, nappez-les de sauce à l'aide d'une cuillère et garnissez-les des queues d'oignons verts hachées.

Le gingembre frais ajoute une saveur pétillante au saumon ou d'ailleurs à n'importe quel autre plat. Le goût du gingembre moulu ne ressemble en rien à celui du gingembre frais que l'on trouve désormais dans la plupart des supermarchés et chez les marchands de fruits et légumes.

Conseils

Afin de conserver du gingembre, pelez-le, déposez-le dans un bocal de verre et couvrez-le de vin ou de sherry blanc. Vous pourrez employer le vin ou le sherry parfumé au gingembre dans vos plats de poisson ou de poulet, ou dans les sautés.

Le four à micro-ondes est génial quand vient le temps de cuire rapidement le poisson. Déposez le poisson et la sauce dans un plat peu profond, couvrez-le de pellicule plastique qui supporte les micro-ondes et descellez un angle du plat pour laisser s'échapper la vapeur. Passez-le au micro-ondes à puissance moyenne (50 %) pendant 4 minutes. Retournez le poisson et couvrez-le de nouveau de pellicule plastique; repassez-le au micro-ondes à puissance moyenne (50 %) pendant 3 à 5 minutes ou jusqu'à ce que la chair soit opaque.

ANALYSE DES ÉLÉMENTS NUTRITIFS PAR PORTION	
Calories	286
Glucides	3 g
Fibres	0 g
Protéines	29 g
Total des matières grasses	17 g
Gras saturés	3 g
Sodium	320 mg
Cholestérol	80 mg

MON PLAT DE POULET PRÉFÉRÉ

POUR 4 PERSONNES

(3 morceaux de poulet par portion)

1 lb (500 g) de poitrines de poulet désossées, sans la peau (environ 3)

2 c. à soupe (30 ml) de farine tout usage

½ c. à thé (2 ml) de sel

½ c. à thé (2 ml) de poivre noir frais moulu

1 c. à soupe (15 ml) de beurre

½ tasse (125 ml) de bouillon de poulet à teneur réduite en sodium

½ tasse (125 ml) de jus d'orange ou de jus d'orange allongé de vin blanc sec

1 grosse gousse d'ail hachée fin

½ c. à thé (2 ml) de fines herbes italiennes ou de basilic séchés

¼ c. à thé (1 ml) de sucre granulé

1 c. à soupe (15 ml) de ciboulette
ou de persil frais hachés

1. Posez les poitrines de poulet sur une planche à découper et, à l'aide d'un couteau à lame tranchante, taillez chacune dans le sens de la longueur en 4 morceaux. Versez la farine dans un bol peu profond, salez et poivrez. Farinez les morceaux de poulet et secouez-les pour enlever l'excédent de farine.

2. Faites chauffer une grande poêle antiadhésive à feu moyen-vif. Ajoutez le beurre; lorsqu'il est mousseux, ajoutez les morceaux de poulet. Faites-les cuire pendant 2 minutes de chaque côté ou jusqu'à ce qu'ils aient légèrement doré. Déposez-les dans une assiette de service.

3. Ramenez le feu à la puissance moyenne; versez le bouillon, le jus d'orange, l'ail, les fines herbes italiennes et le sucre dans la poêle. Amenez à ébullition et faites cuire pendant 1 minute ou jusqu'à ce que le liquide ait quelque peu réduit. Poivrez la sauce au goût. Retournez le poulet dans la poêle, réduisez le feu, couvrez et laissez mijoter pendant 5 minutes ou jusqu'à ce que la chair ne soit plus rosée et que la sauce ait épaissi. Garnissez de persil haché.

Je prends toujours des poitrines de poulet désossées lorsque je fais l'épicerie. Nous avons tous besoin d'un plat au poulet que nous pouvons réaliser en un tournemain. Voici l'un des miens. Il est facile à préparer et fait chaque fois la joie de ma famille. Servez-le accompagné de nouilles ou de riz. Ajoutez une salade et le repas est prêt en 30 minutes.

Conseils

Variez les saveurs en employant différentes fines herbes telles que l'estragon ou des herbes de Provence.

ANALYSE DES ÉLÉMENTS NUTRITIFS PAR PORTION	
Calories	163
Glucides	7 g
Fibres	0 g
Protéines	23 g
Total des matières grasses	4 g
Gras saturés	2 g
Sodium	420 mg
Cholestérol	66 mg

CURRY AU POULET
et aux poivrons rouges

POUR 4 PERSONNES

1 tasse (250 ml) de bouillon de poulet à teneur réduite en sodium

2 c. à thé (10 ml) de fécule de maïs

¼ c. à thé (1 ml) de sel

4 c. à thé (20 ml) d'huile végétale

1 lb (500 g) de poulet désossé, sans la peau, taillé en fines lanières

2 gousses d'ail hachées fin

1 c. à soupe (15 ml) de gingembre frais haché fin

1 c. à soupe (15 ml) de pâte ou de poudre de curry doux

2 gros poivrons rouges taillés en fines lanières

4 oignons verts tranchés

Ce plat simplissime est prêt à servir le temps qu'il faut pour cuire le riz ou les pâtes.

1. Mélangez le bouillon, la fécule de maïs et le sel dans une tasse à mesurer; laissez reposer.

2. Faites chauffer 10 ml (2 c. à thé) d'huile à feu moyen-vif dans une grande poêle à frire antiadhésive. Faites cuire le poulet en remuant souvent pendant 5 minutes ou jusqu'à ce que la chair ne soit plus rosée. Déposez-le dans une assiette.

3. Ramenez le feu à la puissance moyenne et versez le reste d'huile dans la poêle. Faites cuire l'ail, le gingembre et la pâte de curry en remuant pendant 1 minute. Ajoutez les poivrons et faites-les cuire en remuant pendant 2 minutes. Remuez le bouillon et versez-le dans la poêle; amenez à ébullition. Faites cuire en remuant jusqu'à épaississement. Ajoutez le poulet et les oignons verts; faites cuire en remuant pendant 2 minutes ou jusqu'à ce qu'ils soient bien chauds.

ANALYSE DES ÉLÉMENTS NUTRITIFS PAR PORTION	
Calories	234
Glucides	9 g
Fibres	2 g
Protéines	29 g
Total des matières grasses	8 g
Gras saturés	1 g
Sodium	460 mg
Cholestérol	71 mg

POISSON
enrobé d'amandes

POUR 4 PERSONNES

½ tasse (125 ml) de chapelure

⅓ tasse (75 ml) d'amandes blanchies effilées

½ c. à thé (2 ml) d'estragon ou de basilic séchés

½ c. à thé (2 ml) de zeste d'orange ou de citron

1 lb (500 g) de filets de poisson tel que la sole, l'aiglefin ou le turbot

poivre noir frais moulu

quartiers de citron

Voici ma façon préférée de cuire les filets de poisson blanc tel que la sole, l'aiglefin ou le turbot. Contrairement à bon nombre de méthodes de cuisson sur la cuisinière, pour lesquelles on doit cuire le poisson en plusieurs lots, ici tout le poisson est cuit (et prêt) en même temps.

Conseil

Afin de faire décongeler un paquet de filets de poisson surgelés, sortez-les de l'emballage et posez-les dans une assiette. Passez-les au micro-ondes à puissance moyenne (50 %) pendant 3 minutes. Protégez les extrémités avec du papier d'aluminium afin de les empêcher de cuire avant que le reste des filets soient décongelés. Passez-les au micro-ondes au cycle de décongélation pendant 3 minutes ou jusqu'à ce que les filets puissent être séparés. Laissez reposer pendant 10 minutes pour que s'achève la décongélation. Épongez les filets à l'aide d'essuie-tout afin d'absorber l'excédent d'eau.

Faites d'abord chauffer le four à 220 °C (425 °F).
Plaque à cuisson enduite d'un aérosol de cuisson végétal

1. À l'aide d'un robot culinaire, mélangez la chapelure, les amandes, l'estragon et le zeste d'orange. Pulsez par à-coups jusqu'à ce que les amandes soient hachées fin.

2. Enveloppez les filets de poisson dans des essuie-tout afin d'absorber l'excédent d'eau. Disposez les filets sur la plaque à cuisson les uns à côté des autres. Poivrez-les. Saupoudrez la chapelure sur les filets et tapotez-les délicatement pour bien les en enduire.

3. Faites cuire dans un four préchauffé pendant 8 à 10 minutes ou jusqu'à ce que le poisson s'émiette. (Le temps de cuisson est fonction de l'épaisseur des filets; allongez-le en conséquence.) Servez avec des quartiers de citron.

ANALYSE DES ÉLÉMENTS NUTRITIFS PAR PORTION	
Calories	166
Glucides	4 g
Fibres	1 g
Protéines	24 g
Total des matières grasses	6 g
Gras saturés	1 g
Sodium	125 mg
Cholestérol	60 mg

RAGOÛTS, BRAISÉS ET MIJOTÉS

RAGOÛT DE POULET
et de patates douces

POUR 6 PERSONNES

3 c. à soupe (45 ml) de farine tout usage	
1 c. à thé (5 ml) de sel	
½ c. à thé (2 ml) de poivre noir frais moulu	
2 ½ lb (1,25 kg) de cuisses de poulet sans la peau (12 cuisses)	
2 c. à soupe (30 ml) d'huile végétale	
1 gros oignon haché	
2 gousses d'ail hachées fin	
1 ½ c. à thé (7 ml) de pâte ou de poudre de curry doux	
1 c. à thé (5 ml) de thym séché	
½ c. à thé (2 ml) de marjolaine séchée	
1 ½ tasse (375 ml) de bouillon de poulet à teneur réduite en sodium	
3 patates douces (environ 1 kg ou 2 lb)	
¼ tasse (50 ml) de persil frais haché	

1. Mélangez dans un sachet de plastique résistant la farine, le sel et le poivre. Ajoutez les cuisses de poulet par lots et farinez-les.

2. Faites chauffer 15 ml (1 c. à soupe) d'huile à feu moyen-vif dans un faitout ou une grande casserole; faites revenir le pou-let sur toutes ses faces. Déposez-le dans une assiette.

3. Ajoutez l'huile qui reste dans le faitout et ramenez la chaleur à la puissance moyenne. Faites cuire l'oignon, l'ail, la pâte de curry, le thym et la marjolaine en remuant pendant 5 minutes ou jusqu'à ce que l'oignon ait fondu.

4. Ajoutez le bouillon et amenez à ébullition. Remettez le poulet et le jus de cuisson dans le faitout, couvrez et laissez mijoter pendant 20 minutes. Pelez et taillez en quartiers les patates douces, puis taillez-les en morceaux de 5 cm (2 po). Déposez-les dans le faitout et faites-les mijoter à couvert pendant 20 minutes ou jusqu'à ce qu'elles soient tendres. Ajoutez le persil en remuant.

Les cuisses de poulet, économiques à l'achat, font un plat réconfortant un soir de semaine. Elles sont ici en vedette avec des patates douces dans un ragoût comme je les aime. Ce plat est aussi bon préparé avec une courge d'hiver telle que la courge musquée.

Conseils

Remplacez les patates douces par 4 pommes de terre pelées, taillées en dés et par 4 carottes tranchées.

Si vous préparez ce ragoût à l'avance, vous pouvez le conserver jusqu'à trois jours au réfrigérateur et jusqu'à un mois au congélateur.

ANALYSE DES ÉLÉMENTS NUTRITIFS PAR PORTION	
Calories	362
Glucides	33 g
Fibres	3 g
Protéines	28 g
Total des matières grasses	13 g
Gras saturés	2 g
Sodium	660 mg
Cholestérol	95 mg

BŒUF BRAISÉ À LA BIÈRE
et aux oignons caramélisés

POUR 8 PERSONNES

(75 g ou 2 ½ oz de viande maigre par portion avec sauce et légumes)

1 morceau de bœuf à braiser tel que les côtes croisées, la croupe ou la pointe de poitrine (environ 1,5 kg ou 3 lb)
¼ tasse (50 ml) de farine tout usage
2 c. à soupe (30 ml) d'huile végétale (environ)
4 oignons moyens, taillés en 2 sur le sens de la longueur et tranchés fin (environ 625 g ou 1 ¼ lb)
2 c. à soupe (30 ml) de cassonade bien tassée
2 feuilles de laurier
1 c. à thé (5 ml) de sel
½ c. à thé (2 ml) de cannelle moulue
½ c. à thé (2 ml) de gingembre moulu
½ c. à thé (2 ml) de poivre noir frais moulu
3 grosses gousses d'ail hachées fin
2 c. à soupe (30 ml) de vinaigre balsamique
1 bouteille de bière (341 ml ou 12 oz)
1 boîte (213 ml ou 7 ½ oz) de sauce tomate
1 ½ lb (750 g) de carottes (8 environ)
1 petit rutabaga (500 g ou 1 lb environ)

Faites d'abord chauffer le four à 160 °C (325 °F).

1. Versez la farine dans une grande assiette pour y fariner la viande. Secouez pour enlever le surplus de farine et réservez.

2. Faites chauffer 15 ml (1 c. à soupe) d'huile à feu moyen-vif dans un faitout ou une grande casserole. Faites dorer la viande sur toutes ses faces pendant 6 minutes environ. Déposez-la dans une assiette.

3. Ramenez le feu à la puissance moyenne. Versez le reste de l'huile dans le faitout. Ajoutez les oignons, la cassonade, les feuilles de laurier, le sel, la cannelle, le gingembre et le poivre. Faites cuire en remuant souvent pendant 12 à 15 minutes ou jusqu'à ce que les oignons aient fondu et soient d'une belle couleur. (Ajoutez de l'huile s'il le faut pour empêcher les oignons de brûler.)

4. Ajoutez la farine que vous aviez réservée et l'ail; faites cuire en remuant pendant 30 secondes. Versez le vinaigre et faites cuire jusqu'à ce qu'il soit évaporé. Versez la bière et la sauce tomate, amenez à ébullition en remuant jusqu'à ce que la sauce épaississe. Remettez la viande et le jus de cuisson dans le faitout, couvrez et faites cuire dans un four préchauffé pendant 2 heures.

5. Entre-temps, pelez les carottes et le rutabaga; taillez-les en bandes de 5 x 1 cm (2 x ½ po). Déposez-les dans le faitout. Couvrez et faites cuire pendant 60 à 90 minutes de plus ou jusqu'à ce que la viande soit tendre.

6. Sortez le bœuf du faitout et taillez-le en tranches fines. Disposez-les sur une assiette de service entourées des légumes. Dégraissez la sauce, enlevez les feuilles de laurier et, à l'aide d'une cuillère, nappez la viande de sauce et versez le reste dans une saucière chaude que vous présenterez à la table.

Lorsque j'étais enfant, le bœuf braisé était un aliment de base de notre maisonnée. Je me souviens des jours où je rentrais de l'école accueillie par l'odeur terriblement alléchante d'un rôti qui braisait doucement au four. Cette recette vous fera goûter une sauce riche en saveur issue des oignons caramélisés à laquelle se marie subtilement le goût aigre-doux de la bière et de la cassonade. Ce braisé est délicieux accompagné de pommes de terre en purée ou de nouilles aux œufs.

Conseil

Employez une bière blonde ou ambrée pour faire ce plat. Si vous préférez une saveur plus tranchée, employez une bière foncée telle qu'une porter ou une stout.

ANALYSE DES ÉLÉMENTS NUTRITIFS PAR PORTION	
Calories	339
Glucides	27 g
Fibres	4 g
Protéines	30 g
Total des matières grasses	12 g
Gras saturés	3 g
Sodium	570 mg
Cholestérol	63 mg

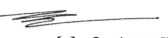

'BOUTS DE CÔTE DE BŒUF
braisés

POUR 6 PERSONNES

(75 g ou 2 ½ oz par portion avec la sauce)

3 lb (1,5 kg) de bouts de côte de bœuf désossés

2 c. à soupe (30 ml) d'huile d'olive

2 oignons hachés

3 gousses d'ail hachées fin

1 c. à thé (5 ml) de romarin ou de thym séchés

1 c. à thé (5 ml) de sel

½ c. à thé (2 ml) de poivre noir frais moulu

1 ½ tasse (375 ml) de bouillon de bœuf à teneur réduite
en sodium

1 tasse (250 ml) de tomates en conserve,
avec leur jus, hachées

2 c. à soupe (30 ml) de sauce Worcestershire

3 lanières d'écorce d'orange (8 cm ou 3 po de longueur)

Au chapitre des recettes préférées, ces bouts de côte braisés lentement dans une sauce aux fines herbes et à l'orange, accompagnés de pommes de terre en purée crémeuses, sont l'essence même d'un plat réconfortant.

Conseil

Pour obtenir un maximum de saveur, faites braiser la viande le jour précédent. Laissez-la refroidir, couvrez-la et conservez-la au réfrigérateur. Dégraissez le plat avant de le réchauffer.

1. Épongez les bouts de côte à l'aide d'essuie-tout. Faites chauffer 15 ml (1 c. à soupe) d'huile dans un faitout ou une grande casserole à feu moyen-vif; faites saisir les bouts de côte par lots, en ajoutant de l'huile s'il le faut, jusqu'à ce qu'ils soient bien dorés sur toutes les faces. Déposez-les dans une assiette.

2. Ramenez le feu à la puissance moyenne. Faites cuire les oignons, l'ail, le romarin, le sel et le poivre en remuant souvent pendant 5 minutes ou jusqu'à ce que les oignons aient fondu.

3. Ajoutez le bouillon, les tomates et leur jus, la sauce Worcestershire et l'écorce d'orange. Remettez le bœuf et son jus de cuisson dans le faitout et amenez à ébullition. Couvrez et réduisez l'intensité du feu. Laissez mijoter pendant 2 heures en ajoutant du bouillon de temps en temps, de sorte que le bœuf soit couvert de sauce pendant qu'il braise. Le bœuf est à point lorsque vous pouvez le défaire à la fourchette. Retirez du feu et dégraissez la sauce avant de servir.

ANALYSE DES ÉLÉMENTS NUTRITIFS PAR PORTION	
Calories	352
Glucides	6 g
Fibres	1 g
Protéines	33 g
Total des matières grasses	21 g
Gras saturés	8 g
Sodium	730 mg
Cholestérol	77 mg

POULET CHASSEUR

POUR 5 PERSONNES

(2 morceaux par portion avec sauce)

3 c. à soupe (45 ml) de farine tout usage
½ c. à thé (2 ml) de sel
½ c. à thé (2 ml) de poivre noir frais moulu
2 lb (1 kg) de cuisses de poulet sans la peau (environ 10)
4 c. à thé (20 ml) d'huile d'olive
1 petit oignon haché
2 gousses d'ail hachées fin
3 tasses (750 ml) de champignons tranchés
½ tasse (125 ml) de vin blanc ou de bouillon de poulet à teneur réduite en sodium
1 boîte (540 ml ou 19 oz) de tomates avec leur jus, hachées
⅓ tasse (75 ml) de tomates confites au soleil, hachées
¼ tasse (50 ml) de basilic ou de persil frais hachés (ou un mélange des 2)

1. Dans un sachet de plastique résistant, mélangez la farine, le sel et le poivre. Farinez les cuisses de poulet par lots en les agitant ensuite pour enlever le surplus de farine.

2. Faites chauffer 15 ml (1 c. à soupe) d'huile à feu moyen-vif dans un faitout ou une grande casserole. Faites revenir le poulet sur toutes ses faces. Déposez-le dans une assiette. Ajoutez l'huile qui reste dans le faitout et faites cuire l'oignon, l'ail et les champignons en remuant pendant 5 minutes ou jusqu'à ce qu'ils aient fondu.

3. Ajoutez le vin, remettez le poulet et le jus de cuisson, de même que les tomates et leur jus et les tomates confites au soleil. Amenez à ébullition; réduisez l'intensité du feu, couvrez et laissez mijoter pendant 35 minutes ou jusqu'à ce que la chair du poulet soit tendre. Ajoutez en remuant le basilic et poivrez au goût.

Afin de survivre à l'heure de pointe les soirs de semaine, faites cuire par lots les ragoûts et les plats en sauce les week-ends et conservez-les au réfrigérateur pendant près de trois jours ou rangez-les au congélateur pour n'avoir qu'à les faire réchauffer. Ainsi, en rentrant du travail, vous n'aurez qu'à décider de servir un ragoût avec des pâtes ou du riz et le souper sera vite sur la table.

Conseils

Les tomates confites au soleil commercialisées en sachets sont beaucoup plus économiques que celles vendues dans de l'huile. Afin de les reconstituer, déposez-les dans un bol et couvrez-les d'eau bouillante ou encore couvrez-les d'eau froide et passez-les au micro-ondes à la puissance maximale pendant 2 minutes ou jusqu'au point d'ébullition. Laissez-les reposer pendant 10 minutes ou jusqu'à ce qu'elles aient amolli; égouttez-les et hachez-les.

ANALYSE DES ÉLÉMENTS NUTRITIFS PAR PORTION	
Calories	274
Glucides	14 g
Fibres	3 g
Protéines	28 g
Total des matières grasses	11 g
Gras saturés	3 g
Sodium	580 mg
Cholestérol	95 mg

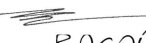

RAGOÛT VITE FAIT
de poulet et légumes

POUR 4 PERSONNES

2 c. à thé (10 ml) d'huile végétale
1 gros oignon haché
2 gousses d'ail hachées fin
1 c. à thé (5 ml) de fines herbes ou d'herbes italiennes
1 lb (500 g) de cuisses de poulet désossées (environ 8), sans la peau, taillées en cubes de 2,5 cm (1 po)
3 c. à soupe (45 ml) de farine tout usage
2 tasses (500 ml) de bouillon de poulet à teneur réduite en sodium
1 sachet de macédoine de légumes surgelés (500 g ou 1 lb)
poivre noir frais moulu

Même si vous avez peu de temps à passer à la cuisine, vous pouvez préparer à la hâte ce savoureux ragoût à partir de cuisses de poulet désossées et de légumes surgelés. Ce plat qui satisfera tous les palais vous évitera de saisir la volaille. Ainsi, vous gagnerez du temps mais ne perdrez rien de la saveur. Servez sur des pâtes.

Conseil

Employez 1,25 l (5 tasses) de légumes frais plutôt que surgelés, si vous le désirez. Taillez-les en bouchées. Si vous utilisez des légumes qui prennent plus de temps à cuire, par exemple des carottes et du céleri, ajoutez-les en même temps que le poulet. Pour ceux qui cuisent rapidement, par exemple le brocoli et la courgette, ajoutez-les dans les 10 dernières minutes de cuisson.

1. Faites chauffer l'huile à feu moyen dans un faitout ou une grande casserole. Ajoutez l'oignon, l'ail et les herbes italiennes; faites cuire en remuant pendant 4 minutes ou jusqu'à ce qu'ils aient quelque peu blondi.
2. Dans un bol, touillez le poulet et la farine jusqu'à ce qu'il soit bien fariné. Déposez le poulet dans le faitout avec le reste de farine; ajoutez le bouillon en remuant. Amenez à ébullition et faites cuire en remuant jusqu'à ce que la sauce épaississe. Réduisez le feu, couvrez et laissez mijoter pendant 20 minutes en remuant de temps en temps.
3. Ajoutez les légumes surgelés et retournez au point d'ébullition. Poivrez au goût. Réduisez l'intensité du feu, couvrez et laissez mijoter pendant 10 minutes ou jusqu'à ce que le poulet et les légumes soient tendres.

ANALYSE DES ÉLÉMENTS NUTRITIFS PAR PORTION	
Calories	275
Glucides	25 g
Fibres	5 g
Protéines	26 g
Total des matières grasses	8 g
Gras saturés	2 g
Sodium	360 mg
Cholestérol	75 mg

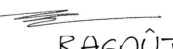

RAGOÛT DE BŒUF
à l'ancienne

POUR 6 PERSONNES

¼ tasse (50 ml) de farine tout usage

1 c. à thé (5 ml) de sel

½ c. à thé (2 ml) de poivre noir frais moulu

1 ½ lb (750 g) de bœuf à ragoût maigre,
taillé en cubes de 4 cm (1 ¼ po)

2 c. à soupe (30 ml) d'huile végétale (environ)

2 oignons moyens hachés fin

3 gousses d'ail hachées fin

1 c. à thé (5 ml) de thym séché

1 c. à thé (5 ml) de marjolaine séchée

1 feuille de laurier

1 tasse (250 ml) de vin rouge ou de bouillon de bœuf

3 c. à soupe (45 ml) de concentré de tomate

3 tasses (750 ml) de bouillon de bœuf à teneur réduite
en sodium

5 carottes

2 tiges de céleri

4 ou 5 pommes de terre (environ 750 g ou 1 ½ lb)

12 oz (375 g) de haricots verts

¼ tasse (50 ml) de persil frais haché
(reportez-vous au conseil ci-contre)

Quoi de plus réconfortant qu'un savoureux ragoût ? Vous vous sentirez mieux dès l'instant où vous vous apprêterez à faire mijoter la marmite sur la cuisinière. Alors que les fines herbes infuseront, de délicieux arômes embaumeront toute la maison. La première bouchée confirmera combien ce ragoût est réconfortant. Qui plus est, il saura vous réconforter le lendemain, car les restes sont faciles à faire réchauffer. Il est délicieux accompagné de pain croûté pour tremper dans la sauce.

Conseil

Un mot au sujet du persil. Employez celui à feuilles frisées ou le persil plat dont le goût est plus prononcé. Rincez-le bien à l'eau fraîche pour en retirer les saletés et faites-le sécher dans une essoreuse à laitue ou enveloppez-le d'essuie-tout. Plus le persil est sec, plus longtemps il se conservera au réfrigérateur. Enveloppez-le d'essuie-tout et glissez-le dans un sachet de plastique avant de le ranger au réfrigérateur.

1. Mélangez la farine, le sel et le poivre dans un sachet de plastique résistant. Ajoutez les cubes de bœuf par lots et remuez-les afin de les fariner. Déposez-les dans une assiette et réservez la farine qui reste.
2. Faites chauffer 15 ml (1 c. à soupe) d'huile dans un faitout ou une grande casserole à feu moyen-vif. Faites cuire le bœuf par lots en ajoutant de l'huile s'il y a lieu, jusqu'à ce que tous les cubes soient dorés. Déposez-les dans une assiette.
3. Ramenez le feu à moyen-doux. Versez dans la casserole les oignons, l'ail, le thym, la marjolaine, la feuille de laurier et le reste de farine. Faites cuire en remuant pendant 4 minutes ou jusqu'à ce que les oignons aient fondu. Ajoutez le vin et le concentré de tomate; faites cuire en remuant de manière à racler le fond de la casserole. Remettez le bœuf et son jus de cuisson dans la casserole; versez le bouillon.
4. Amenez à ébullition en remuant jusqu'à ce que la sauce ait quelque peu épaissi. Réduisez l'intensité du feu, couvrez et laissez mijoter à feu moyen-doux pendant 1 heure en remuant de temps en temps.

5. Entre-temps, pelez les carottes et taillez-les en deux sur le sens de la longueur. Taillez les carottes et le céleri en morceaux de 4 cm (1 ½ po). Pelez les pommes de terre et taillez-les en quartiers. Déposez les légumes dans la casserole, couvrez et laissez mijoter pendant 30 minutes.
6. Coupez les extrémités des haricots et taillez-les en morceaux de 5 cm (2 po). Déposez-les en remuant dans le ragoût et ajoutez du bouillon s'il le faut jusqu'à ce que tous les légumes en soient couverts. Posez le couvercle sur la casserole et laissez mijoter pendant 30 minutes ou plus ou jusqu'à ce que les légumes soient tendres. Enlevez la feuille de laurier et ajoutez le persil en remuant. Rectifiez l'assaisonnement à l'aide du poivre.

Afin de congeler et de faire réchauffer les potages, les ragoûts et les plats en cocotte

Inscrivez la date de préparation sur une étiquette que vous apposerez sur chaque contenant et cocotte avant la congélation.

Les potages, ragoûts et cocottes à base de viande ou de volaille se conservent sans risque pendant un maximum de trois jours au réfrigérateur, alors que les plats végétariens s'y conservent jusqu'à cinq jours.

Afin de les faire réchauffer, versez dans une casserole et faites cuire à feu moyen en remuant à l'occasion jusqu'à ce que la préparation soit fumante; sinon, versez dans une cocotte et faites cuire à couvert au four à 180 °C (350 °F) pendant 30 à 45 minutes ou jusqu'à ce que la préparation soit fumante; pour la cuisson au micro-ondes, couvrez le contenant d'un couvercle ou de pellicule plastique qui supporte les micro-ondes et faites cuire à puissance moyenne-élevée (70 %) pendant 9 à 15 minutes, en remuant à l'occasion, ou jusqu'à ce que la préparation soit chaude jusqu'en son centre. Pour les portions individuelles, passez au micro-ondes à couvert pendant 3 à 5 minutes à puissance moyenne-élevée (70 %).

Il est possible de congeler les ragoûts, les potages et les plats en cocotte pendant près de trois mois. Laissez-les décongeler au réfrigérateur pendant 24 heures et réchauffez-les selon les indications précédentes.

Conseil

Afin de gagner du temps, toutes les deux semaines je hache menu quelques bouquets de persil que je congèle. Bien qu'on ne puisse l'employer dans les salades, le persil surgelé est idéal dans la composition des potages, ragoûts, pains de viande et plats en cocotte.

ANALYSE DES ÉLÉMENTS NUTRITIFS PAR PORTION	
Calories	362
Glucides	35 g
Fibres	5 g
Protéines	27 g
Total des matières grasses	12 g
Gras saturés	3 g
Sodium	815 mg
Cholestérol	47 mg

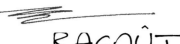

RAGOÛT D'AGNEAU
et de haricots à la grecque

POUR 6 PERSONNES

4 c. à thé (20 ml) d'huile d'olive
1 lb (500 g) d'agneau maigre, désossé, taillé en morceaux de 2,5 cm (1 po)
1 oignon espagnol (500 g ou 1 lb) haché
4 gousses d'ail hachées fin
1 c. à soupe (15 ml) d'origan séché
¼ c. à thé (2 ml) de flocons de piment de Cayenne séchés
1 boîte (540 ml ou 19 oz) de tomates, avec leur jus, hachées
¼ c. à thé (2 ml) de sel
¼ c. à thé (2 ml) de poivre noir frais moulu
3 tasses (750 ml) de haricots de Lima surgelés
1 gros poivron rouge, épépiné, taillé en cubes
1 gros poivron vert, épépiné, taillé en cubes
½ tasse (125 ml) de bouillon de poulet à teneur réduite en sodium
¼ tasse (50 ml) de persil frais haché

Faites d'abord chauffer le four à 180 °C (350 °F).

1. Faites chauffer à feu vif 10 ml (2 c. à thé) d'huile dans un faitout ou une grande casserole; faites dorer l'agneau par lots, s'il le faut. Déposez-le dans une assiette.

2. Ajoutez le reste de l'huile dans le faitout et ramenez le feu à la puissance moyenne. Ajoutez l'oignon, l'ail, l'origan et les flocons de piment; faites cuire en remuant pendant 5 minutes ou jusqu'à ce que l'oignon ait fondu. Remettez la viande et les jus de cuisson dans la casserole. Ajoutez les tomates et leur jus, le sel et le poivre; amenez à ébullition. Réduisez l'intensité du feu, couvrez et laissez mijoter pendant 45 minutes.

3. Ajoutez les haricots, les poivrons rouges et verts et suffisamment de bouillon de poulet pour que le jus ait la consistance d'une sauce. Couvrez et faites cuire dans un four préchauffé pendant 40 minutes ou jusqu'à ce que l'agneau soit tendre. Ajoutez le persil en remuant.

La sauce tomate parfumée à l'origan avec une pointe de flocons de piment de Cayenne met en valeur l'agneau et les haricots de Lima.

Conseils

Les tomates en conserve sont géniales pour gagner du temps, mais contiennent quantité de sodium. Une boîte de 540 ml (19 oz) de tomates contient environ 800 mg de sodium, comparativement à 50 mg pour la même quantité de tomates fraîches. Si vous surveillez votre consommation de sodium, remplacez les tomates en conserve par 3 grosses tomates mûres, pelées et hachées.

Vous pouvez préparer ce ragoût à l'avance et le conserver dans un contenant hermétique au réfrigérateur pendant près de trois jours et pendant près d'un mois au congélateur.

ANALYSE DES ÉLÉMENTS NUTRITIFS PAR PORTION	
Calories	350
Glucides	32 g
Fibres	7 g
Protéines	27 g
Total des matières grasses	12 g
Gras saturés	4 g
Sodium	445 mg
Cholestérol	70 mg

VEAU BRAISÉ
à l'oignon

POUR 6 PERSONNES

2 c. à soupe (30 ml) d'huile d'olive
2 lb (1 kg) de veau à ragoût maigre, taillé en cubes de 2 cm (¾ po)
2 gros oignons hachés
2 gousses d'ail hachées fin
2 c. à soupe (30 ml) de farine tout usage
1 ½ tasse (375 ml) de bouillon de poulet à teneur réduite en sodium
½ tasse (125 ml) de vin blanc sec ou de bouillon supplémentaire
2 c. à soupe (30 ml) de concentré de tomate
½ c. à thé (2 ml) de sel
½ c. à thé (2 ml) de poivre noir frais moulu
¼ tasse (50 ml) de persil frais haché
1 c. à thé (5 ml) de zeste de citron

Les viandes braisées telles que le veau sont toujours appréciées dans le cadre d'un repas en famille. Je les prépare à l'avance, étant donné que leur saveur se bonifie lorsqu'on les conserve au réfrigérateur et qu'on les réchauffe le lendemain.

Conseils

Lorsqu'une recette fait appel à du bouillon ou à un fond, employez toujours des produits à teneur réduite en sodium ou exempts de sel. Ici, le fait de remplacer le bouillon à teneur réduite en sodium par du bouillon ordinaire augmenterait la quantité de sodium de quelque 120 mg par portion. Si vous êtes obligé d'employer du bouillon ordinaire, diminuez la quantité de sel ou évitez tout simplement d'en mettre.

Servez ce plat simple avec des pâtes ou des pommes de terre en purée bien onctueuses.

1. Faites chauffer 15 ml (1 c. à soupe) d'huile à feu vif dans un faitout ou une grande casserole; faites dorer le veau par lots. Déposez-le dans une assiette.

2. Ramenez le feu à la puissance moyenne et versez l'huile qui reste dans le faitout. Faites cuire les oignons et l'ail en remuant pendant 5 minutes ou jusqu'à ce qu'ils aient blondi. Ajoutez la farine en remuant, puis le bouillon, le vin et le concentré de tomate. Ajoutez le veau et ses jus de cuisson; salez et poivrez. Amenez à ébullition.

3. Réduisez l'intensité du feu, couvrez et laissez mijoter pendant 50 minutes en remuant de temps en temps. Ajoutez le persil et le zeste de citron en remuant; faites cuire à couvert pendant 10 minutes ou jusqu'à ce que le veau soit tendre.

ANALYSE DES ÉLÉMENTS NUTRITIFS PAR PORTION	
Calories	250
Glucides	9 g
Fibres	2 g
Protéines	33 g
Total des matières grasses	9 g
Gras saturés	2 g
Sodium	410 mg
Cholestérol	127 mg

RAGOÛT D'AGNEAU ÉPICÉ

POUR 6 PERSONNES

2 c. à soupe (30 ml) d'huile végétale (environ)
1 ½ lb (750 g) d'agneau désossé, taillé en cubes de 2,5 cm (1 po)
1 gros oignon haché
2 gousses d'ail hachées fin
1 c. à soupe (15 ml) de gingembre haché fin
1 c. à thé (5 ml) de cumin moulu
1 c. à thé (5 ml) de coriandre moulue
½ c. à thé (2 ml) de cannelle moulue
½ c. à thé (2 ml) de sel
¼ c. à thé (1 ml) de flocons de piment de Cayenne ou au goût
1 pincée de clou de girofle moulu
1 c. à soupe (15 ml) de farine tout usage
½ tasse (125 ml) de yogourt nature allégé
1 grosse tomate hachée
½ tasse (125 ml) de bouillon de poulet à teneur réduite en sodium ou de fond d'agneau
¼ tasse (50 ml) de coriandre ou de persil frais haché

1. Faites chauffer 15 ml (1 c. à soupe) d'huile à feu moyen-vif dans une grande casserole; faites cuire l'agneau par lots, en ajoutant de l'huile, s'il y a lieu, jusqu'à ce qu'il soit doré sur toutes ses faces. Retirez de la casserole et réservez.

2. Ramenez le feu à la puissance moyenne. Ajoutez l'oignon, l'ail, le gingembre, le cumin, la coriandre, la cannelle, le sel, les flocons de piment et le clou de girofle; faites cuire en remuant pendant 2 minutes ou jusqu'à ce que l'oignon ait fondu.

3. Saupoudrez la farine et ajoutez le yogourt en remuant. Faites cuire pendant 1 minute ou jusqu'à épaississement. Ajoutez l'agneau et son jus de cuisson, la tomate et le bouillon; amenez à ébullition. Réduisez l'intensité du feu et laissez mijoter à couvert pendant 45 minutes ou jusqu'à ce que l'agneau soit tendre. Garnissez de coriandre ou de persil avant de servir.

On a parfois envie d'un plat rehaussé d'épices. Le gingembre et les flocons de piment de Cayenne employés ici satisferont cette envie et apaiseront en outre votre âme. Je sers ce ragoût épicé avec du riz basmati.

Conseil

Procurez-vous un gigot ou une épaule d'agneau de 1,5 kg (3 lb) afin d'obtenir 750 g (1 ½ lb) d'agneau désossé.

Variante

Ragoût de bœuf épicé

Remplacez l'agneau par une égale quantité de bœuf à ragoût maigre; augmentez le temps de cuisson à 90 minutes ou jusqu'à ce que la viande soit tendre.

ANALYSE DES ÉLÉMENTS NUTRITIFS PAR PORTION	
Calories	316
Glucides	7 g
Fibres	1 g
Protéines	30 g
Total des matières grasses	18 g
Gras saturés	6 g
Sodium	340 mg
Cholestérol	107 mg

BRAISÉ DE SAUCISSES ITALIENNES
et de pommes de terre

POUR 4 PERSONNES

1 lb (500 g) de saucisses italiennes à la dinde, douces ou pimentées (reportez-vous au conseil à droite)

2 c. à soupe (30 ml) d'eau (environ)

2 c. à thé (10 ml) d'huile d'olive

1 gros oignon, taillé en deux sur le sens de la longueur, en tranches

1 gros bulbe de fenouil, paré, évidé et taillé en lanières

2 gousses d'ail hachées fin

1 c. à thé (5 ml) d'origan séché

4 pommes de terre moyennes, pelées et taillées en cubes (environ 750 g ou 1 ½ lb)

1 boîte (398 ml ou 14 oz) de tomates hachées et leur jus

½ tasse (125 ml) de bouillon de bœuf à teneur réduite en sodium

½ c. à thé (2 ml) de sel

¼ c. à thé (1 ml) de poivre noir frais moulu

2 c. à soupe (30 ml) de persil frais haché

1. À l'aide d'une fourchette, piquez les saucisses en plusieurs endroits et déposez-les dans une grande casserole à feu moyen-vif. Ajoutez l'eau et faites-les cuire en les tournant souvent et en ajoutant de l'eau, s'il le faut (pour empêcher les saucisses de coller à la casserole), pendant 10 ou 12 minutes ou jusqu'à ce qu'elles soient dorées et que leur centre ne soit plus rose. Laissez-les refroidir quelque peu et taillez-les en tranches.

2. Enlevez le gras de la casserole; ajoutez l'huile, l'oignon, le fenouil, l'ail et l'origan; faites cuire en remuant pendant 3 minutes ou jusqu'à ce que les légumes aient fondu. Ajoutez les pommes de terre, les tomates et leur jus, le bouillon, le sel et le poivre; amenez à ébullition. Réduisez l'intensité du feu, couvrez et faites cuire pendant 15 minutes ou jusqu'à ce que les pommes de terre soient presque tendres. Remettez les saucisses dans la casserole, couvrez et faites cuire pendant 8 minutes ou jusqu'à ce que les pommes de terre soient tendres. Garnissez de persil.

Accompagnez ce plat campagnard d'un verre de vin rouge afin de vous relaxer le vendredi soir. Vous devez goûter le fenouil. Cru, ce légume a la saveur plutôt prononcée de l'anis. Toutefois, lorsqu'on le cuit, elle est beaucoup plus douce et invitante.

Conseil

De nos jours, les consommateurs veulent des saucisses moins grasses. Procurez-vous des saucisses fraîches ou surgelées, faites de dinde ou d'autres viandes, qui ne contiennent pas plus de 10 g de matières grasses par 100 g (3 ½ oz). Les saucisses faibles en gras contiennent toutefois du sodium en quantité; aussi, contentez-vous d'une par portion.

Variante

Remplacez le fenouil par environ 750 ml (3 tasses) de chou râpé.

ANALYSE DES ÉLÉMENTS NUTRITIFS PAR PORTION	
Calories	222
Glucides	25 g
Fibres	4 g
Protéines	16 g
Total des matières grasses	6 g
Gras saturés	2 g
Sodium	725 mg
Cholestérol	81 mg

JAMBALAYA

POUR 8 PERSONNES

4 c. à thé (20 ml) d'huile d'olive

1 ½ lb (750 g) de cuisses de poulet désossées, sans la peau (environ 12)

4 oz (125 g) de saucisses fumées tranchées fines

1 gros oignon haché

3 gousses d'ail hachées fin

2 tiges de céleri taillées en dés

2 poivrons taillés en dés

1 c. à thé (5 ml) de thym séché

1 c. à thé (5 ml) de paprika

½ c. à thé (2 ml) de sel

¼ c. à thé (1 ml) de piment de la Jamaïque moulu

¼ c. à thé (1 ml) de poivre de Cayenne

1 ½ tasse (375 ml) de riz à grains longs

1 boîte (398 ml ou 14 oz) de tomates, avec leur jus, hachées

1 ¾ tasse (425 ml) de bouillon de poulet à teneur réduite en sodium

8 oz (250 g) de crevettes moyennes crues, avec leurs carapaces

⅓ tasse (75 ml) de persil frais haché

3 oignons verts hachés fin

Faites d'abord chauffer le four à 180 °C (350 °F).
Plat de cuisson ou assiette de service allant au four de 3 l (12 tasses)

1. Faites chauffer l'huile à feu moyen-vif dans un faitout. Ajoutez le poulet et faites cuire pendant 5 minutes ou jusqu'à ce qu'il soit doré sur ses deux faces. Déposez dans une assiette.

2. Ajoutez dans le faitout les saucisses, l'oignon, l'ail, le céleri, les poivrons, le thym, le paprika, le sel, le piment de la Jamaïque et le poivre de Cayenne; faites cuire en remuant souvent pendant 5 minutes ou jusqu'à ce que les légumes aient fondu. Retournez le poulet dans le faitout avec ses jus de cuisson. Ajoutez le riz en remuant, puis les tomates et leur jus, ainsi que le bouillon. Amenez à ébullition.

3. Transférez le tout dans le plat de cuisson. Couvrez et faites cuire au four pendant 30 minutes ou jusqu'à ce que le riz et le poulet soient tendres. Ajoutez les crevettes, le persil et les oignons verts en remuant; couvrez et poursuivez la cuisson au four pendant 5 à 8 minutes ou jusqu'à ce que les crevettes soient devenues roses.

Un jambalaya fait un plat idéal pour les soirs de fête. Ce mijoté originaire de la Nouvelle-Orléans est agréable au palais en raison de ses saveurs piquantes et de son mélange de poulet, de saucisses et de crevettes. Posez ce plat sur la table et regardez-le disparaître !

Conseils

Essayez de ne pas trop remuer le jambalaya, à défaut de quoi le riz deviendrait collant.

Si vous employez des cuisses de poulet avec les os, augmentez le temps de cuisson de 5 à 10 minutes.

En guise de saucisses, essayez l'andouille ou le chorizo.

Variante

Remplacez la saucisse par 125 g (4 oz) de cubes de jambon fumé.

ANALYSE DES ÉLÉMENTS NUTRITIFS PAR PORTION	
Calories	371
Glucides	35 g
Fibres	2 g
Protéines	28 g
Total des matières grasses	13 g
Gras saturés	4 g
Sodium	630 mg
Cholestérol	115 mg

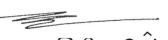

RAGOÛT DE VEAU
aux poivrons doux

POUR 8 PERSONNES

3 lb (1,5 kg) de veau à ragoût maigre, taillé en cubes de 2,5 cm (1 po)
2 c. à soupe (30 ml) de farine tout usage
4 c. à soupe (60 ml) d'huile d'olive (environ)
1 oignon espagnol haché (environ 500 g ou 1 lb)
4 grosses gousses d'ail hachées fin
1 c. à thé (5 ml) de thym séché
1 c. à thé (5 ml) de paprika
1 feuille de laurier
1 c. à thé (5 ml) de sel
½ c. à thé (2 ml) de poivre noir frais moulu
1 tasse (250 ml) de vin rouge ou de bouillon de bœuf à teneur réduite en sodium
4 tomates hachées
4 poivrons (de la couleur de votre choix), taillés en cubes
⅓ tasse (75 ml) de persil frais haché

J'aime bien préparer ce délicieux ragoût à l'avance et le conserver au réfrigérateur en prévision de l'arrivée impromptue d'amis. En ajoutant les poivrons à la toute fin de la cuisson, je leur conserve leur forme et cela leur confère un léger goût fumé qui reste en mémoire longtemps après la dernière bouchée.

Conseils

Employez un assortiment de poivrons verts, rouges et jaunes afin de régaler les yeux de vos invités.

Vous pouvez préparer les trois premières étapes de cette recette jusqu'à 48 heures à l'avance, couvrir le plat et le conserver au réfrigérateur, ou alors le mettre à congeler pendant près de trois mois. Avant de le réchauffer, faites-le décongeler pendant toute une nuit au réfrigérateur. Amenez à ébullition, couvrez et laissez mijoter pendant 20 minutes ou jusqu'à ce que le veau soit bien chaud.

Variante

Remplacez le veau par une quantité égale de bœuf à ragoût maigre.

ANALYSE DES ÉLÉMENTS NUTRITIFS PAR PORTION	
Calories	311
Glucides	14 g
Fibres	3 g
Protéines	37 g
Total des matières grasses	11 g
Gras saturés	2 g
Sodium	395 mg
Cholestérol	143 mg

1. Dans un bol, touillez les cubes de veau et la farine jusqu'à ce qu'ils soient bien farinés. Faites chauffer à feu vif 15 ml (1 c. à soupe) d'huile dans un faitout ou une grande casserole de fonte. Ajoutez les cubes de veau par petits lots et faites-les dorer sur toutes les faces en ajoutant davantage d'huile, s'il le faut. Retirez du feu et réservez.

2. Ramenez le feu à la puissance moyenne. Ajoutez 15 ml (1 c. à soupe) d'huile et faites tomber l'oignon avec l'ail, le thym, le paprika, la feuille de laurier, le sel et le poivre. Faites cuire en remuant souvent pendant 5 minutes ou jusqu'à ce que l'oignon ait fondu.

3. Versez le vin et amenez à ébullition. Ajoutez en remuant le veau et ses jus de cuisson et les tomates. Amenez à ébullition; ramenez le feu à moyen-doux et laissez mijoter à couvert pendant 75 à 90 minutes ou jusqu'à ce que le veau soit tendre.

4. Peu avant de servir, faites chauffer à feu vif 15 ml (1 c. à soupe) d'huile dans une grande poêle à frire antiadhésive. Faites sauter les poivrons en remuant pendant 2 ou 3 minutes ou jusqu'à ce qu'ils aient foncé. Ramenez le feu à moyen-doux, couvrez et laissez mijoter pendant 8 à 10 minutes ou jusqu'à ce qu'ils soient cuits mais encore un peu craquants.

5. Ajoutez les poivrons au veau, ajoutez le persil en remuant et laissez mijoter pendant 5 minutes pour que les saveurs se marient. Rectifiez l'assaisonnement à l'aide du poivre, s'il y a lieu. Enlevez la feuille de laurier.

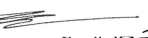

SUPRÊME DE FRUITS DE MER

POUR 6 PERSONNES

1 tasse (250 ml) de fond de poisson ou de bouillon de poulet à teneur réduite en sodium

½ tasse (125 ml) de vin blanc sec ou de vermouth

8 oz (250 g) de sole ou de poisson blanc taillé en cubes de 2,5 cm (1 po)

8 oz (250 g) de petits pétoncles

8 oz (250 g) de petites crevettes cuites et décortiquées

3 c. à soupe (45 ml) de beurre

⅓ tasse (75 ml) d'oignons verts hachés fin

¾ tasse (175 ml) de poivron rouge taillé en dés

¼ tasse (50 ml) de farine tout usage

½ tasse (125 ml) de demi-crème (10 %)

poivre blanc frais moulu

2 c. à soupe (30 ml) d'aneth ou de persil frais haché

Avez-vous la nostalgie de l'époque où les dîners élégants étaient à la mode ? Voici un plat qui vous rappellera ces jours dorés où les dames allaient le midi goûter gantées de blanc. Servez cette riche sauce sur du riz ou touillez-y des pâtes.

Conseils

Remplacez en partie les fruits de mer par du homard en conserve.

Pour faire une version moins onéreuse, laissez tomber les pétoncles et les crevettes, et augmentez à 750 g (1 ½ lb) la quantité de sole, d'aiglefin ou de morue.

La teneur en humidité des poissons et des fruits de mer n'est pas la même, selon qu'ils sont frais ou surgelés, et peut faire que la sauce soit trop courte ou allongée. Pour pallier ce problème, faites d'abord pocher les poissons et les fruits de mer crus dans un fond de poisson et du vin.

1. Amenez le bouillon et le vin à ébullition dans une casserole à feu moyen. Ajoutez les cubes de sole et faites pocher pendant 2 minutes (commencez à compter au moment où vous plongez le poisson dans le bouillon). Ajoutez les pétoncles et faites pocher pendant 1 ou 2 minutes de plus ou jusqu'à ce que le poisson et les mollusques soient opaques. Retirez-les à l'aide d'une cuillère à rainures, déposez-les dans un bol avec les crevettes et laissez-les reposer.

2. Tamisez le jus de cuisson en le versant dans une tasse à mesurer; vous devriez en récupérer 500 ml (2 tasses). Ajoutez de l'eau, s'il le faut, et réservez le jus.

3. Faites fondre le beurre à feu moyen dans une casserole. Ajoutez les oignons verts et les poivrons rouges; faites cuire en remuant pendant 3 minutes ou jusqu'à ce qu'ils aient fondu. Ajoutez la farine en remuant, versez le jus de cuisson. Amenez à ébullition en remuant jusqu'à ce que la sauce soit onctueuse et lisse. Ajoutez la demi-crème en remuant et amenez à ébullition.

4. Au moment de servir, ajoutez le poisson et les fruits de mer et réchauffez le tout. Assaisonnez de poivre blanc au goût et d'aneth. Servez sans tarder.

ANALYSE DES ÉLÉMENTS NUTRITIFS PAR PORTION	
Calories	217
Glucides	8 g
Fibres	1 g
Protéines	23 g
Total des matières grasses	9 g
Gras saturés	5 g
Sodium	330 mg
Cholestérol	112 mg

VIANDES
HACHÉES

PAIN DE VIANDE
à la dinde hachée

POUR 6 PERSONNES

2 c. à thé (15 ml) d'huile d'olive	
1 oignon haché fin	
1 grosse gousse d'ail hachée fin	
½ c. à thé (2 ml) de marjolaine ou de thym, séchés	
1 c. à thé (5 ml) de sel	
¼ c. à thé (1 ml) de poivre noir frais moulu	
1 œuf	
¼ tasse (50 ml) de bouillon de poulet à teneur réduite en sodium	
1 c. à thé (5 ml) de zeste de citron	
½ tasse (125 ml) de chapelure assaisonnée	
2 c. à soupe (30 ml) de persil frais haché fin	
1 ½ lb (750 g) de dinde ou de poulet hachés maigres	

Faites d'abord chauffer le four à 180 °C (350 °F).
Moule à pain de 2 l (9 x 5 po)

1. Faites chauffer l'huile à feu moyen dans une grande poêle à frire antiadhésive; faites cuire l'oignon, l'ail, le thym, le sel et le poivre, en remuant souvent, pendant 3 minutes ou jusqu'à ce que l'oignon ait fondu. Laissez refroidir quelque peu.

2. Dans un bol, fouettez l'œuf, le bouillon et le zeste de citron. Ajoutez en remuant la préparation à l'oignon, la chapelure, le persil et la dinde. À l'aide d'une cuillère de bois, mélangez délicatement tous les ingrédients.

3. Déposez la préparation dans le moule à pain en appuyant légèrement dessus. Faites cuire dans un four préchauffé pendant 1 heure ou jusqu'à ce qu'un thermomètre à viande indique 80 °C (170 °F). Laissez reposer pendant 5 minutes. Recueillez le jus de cuisson, renversez le moule sur une assiette de service et taillez le pain en tranches épaisses.

Je sers ce pain de viande accompagné de pommes de terre en purée et de carottes miniatures glacées au citron (reportez-vous à la recette de la page 195) pour faire un dîner à la fois délicieux et économique.

Variante

Pains de dinde miniatures

Divisez la préparation en 12 boules et déposez chacune dans un moule à muffins. Faites cuire au four à 200 °C (400 °F) pendant 20 minutes ou jusqu'à ce qu'elles ne soient plus rosées en leur centre. Égouttez-les.

ANALYSE DES ÉLÉMENTS NUTRITIFS PAR PORTION	
Calories	219
Glucides	9 g
Fibres	1 g
Protéines	25 g
Total des matières grasses	9 g
Gras saturés	3 g
Sodium	580 mg
Cholestérol	99 mg

TOURTE AU PAIN DE VIANDE
et aux pommes de terre en purée

POUR 6 PERSONNES

GARNITURE DE POMMES DE TERRE EN PURÉE

6 pommes de terre moyennes Russet ou Yukon Gold pelées et taillées en cubes (environ 1 kg ou 2 lb)

½ tasse (125 ml) de crème sure allégée

poivre noir frais moulu

PAIN DE VIANDE

1 œuf

¼ tasse (50 ml) de sauce chili ou de ketchup

¼ tasse (50 ml) d'oignon haché fin

1 gousse d'ail hachée fin

1 c. à thé (5 ml) de sauce Worcestershire

½ c. à thé (2 ml) de sel

¼ c. à thé (1 ml) de poivre noir frais moulu

¼ tasse (50 ml) de chapelure assaisonnée

1 lb (500 g) de bœuf ou de veau hachés maigres

½ tasse (125 ml) de cheddar allégé, râpé

Tout le monde adore le pain de viande et la purée de pommes de terre. Voici une manière inventive de préparer ce savoureux duo.

Conseils

Vous pouvez préparer ce plat un jour à l'avance; il suffit de le couvrir et de le conserver au réfrigérateur. Ajoutez alors 10 minutes au temps de cuisson.

Doublez la recette de pain de viande. Disposez la préparation dans deux moules à tarte; faites cuire selon les indications de la recette jusqu'à ce que la viande ne soit plus rosée en son centre. Garnissez l'un des pains de purée de pommes de terre et laissez refroidir le second avant de l'emballer de pellicule plastique et de le congeler en prévision d'un éventuel repas.

Faites d'abord chauffer le four à 190 °C (375 °F).
Moule à tarte de 23 ou 25 cm (9 ou 10 po)
enduit d'un aérosol de cuisson végétal

1. Pour la garniture de pommes de terre en purée : Faites bouillir les pommes de terre dans de l'eau salée jusqu'à ce qu'elles soient tendres. Égouttez-les comme il se doit et retournez-les dans la casserole; faites-les sécher à feu doux pendant 1 minute. Réduisez-les en une purée homogène. Ajoutez en fouettant la crème sure et poivrez au goût. Gardez au chaud à feu doux.

2. Pour le pain de viande : Fouettez l'œuf dans un bol; ajoutez en remuant la sauce chili, l'oignon, l'ail, la sauce Worcestershire, le sel et le poivre. Ajoutez la chapelure et le bœuf. Répartissez uniformément dans le moule à tarte. Faites cuire au four pendant 25 à 30 minutes ou jusqu'à ce que le centre du bœuf ne soit plus rosé. Égouttez le jus de cuisson.

3. Tartinez les pommes de terre en purée sur la viande et garnissez de cheddar. Faites cuire au four pendant 25 à 30 minutes ou jusqu'à ce que le fromage ait fondu.

ANALYSE DES ÉLÉMENTS NUTRITIFS PAR PORTION	
Calories	309
Glucides	29 g
Fibres	2 g
Protéines	21 g
Total des matières grasses	11 g
Gras saturés	5 g
Sodium	525 mg
Cholestérol	77 mg

LE MEILLEUR PAIN DE VIANDE QUI SOIT

POUR 6 PERSONNES

2 c. à thé (10 ml) d'huile végétale
1 oignon moyen haché
2 gousses d'ail hachées fin
1 c. à thé (5 ml) de basilic séché
1 c. à thé (5 ml) de marjolaine séchée
¾ c. à thé (4 ml) de sel
¼ c. à thé (1 ml) de poivre noir frais moulu
1 œuf
¼ tasse (50 ml) de sauce chili ou de ketchup
1 c. à soupe (15 ml) de sauce Worcestershire
2 c. à soupe (30 ml) de persil frais haché
1 ½ lb (750 g) de bœuf haché maigre
½ tasse (125 ml) de flocons d'avoine à cuisson rapide

Je pourrais servir chaque semaine ce pain de viande juteux et aucun membre de ma famille ne s'en plaindrait.

Conseils

J'aime me servir de la farine d'avoine comme d'un liant étant donné qu'elle donne une texture plus grossière à la viande (la chapelure affine sa texture).

Je prépare toujours le double de la recette et j'emballe le pain de viande cuit supplémentaire dans de la pellicule plastique, puis dans du papier d'aluminium afin de le mettre à congeler. Je le fais décongeler toute une nuit au réfrigérateur. Pour le faire réchauffer, il suffit de le tailler en tranches, de les disposer dans une casserole, de les mouiller de 125 ml (½ tasse) de bouillon de bœuf à teneur réduite en sodium et de faire réchauffer à feu moyen jusqu'à ce que la viande soit fumante. On peut aussi mettre le pain de viande et le bouillon dans un plat de pyrex et les passer au micro-ondes à puissance moyenne (50 %) jusqu'à ce qu'ils soient bien chauds.

Faites d'abord chauffer le four à 180 °C (350 °F).
Moule à pain de 2 l (9 x 5 po)

1. Faites chauffer l'huile à feu moyen dans une grande poêle à frire antiadhésive. Ajoutez l'oignon, l'ail, le basilic, la marjolaine, le sel et le poivre; faites cuire en remuant pendant 3 minutes ou jusqu'à ce que l'oignon ait fondu. (Ou passez-les au micro-ondes, couverts de pellicule plastique, à température maximale pendant 3 minutes.) Laissez refroidir quelque peu.

2. Fouettez l'œuf dans un grand bol; ajoutez en remuant la préparation à l'oignon, la sauce chili, la sauce Worcestershire et le persil. Faites tomber le bœuf sur cette préparation en l'émiettant et saupoudrez-le des flocons d'avoine. À l'aide d'une cuillère de bois, mélangez délicatement jusqu'à ce que les ingrédients soient bien mariés.

3. Déposez la préparation dans le moule à pain en appuyant légèrement dessus. Faites cuire dans un four préchauffé pendant 1 heure ou jusqu'à ce qu'un thermomètre à viande indique 80 °C (170 °F). Laissez reposer pendant 5 minutes. Recueillez le jus de cuisson, renversez le moule sur une assiette de service et taillez le pain en tranches épaisses.

ANALYSE DES ÉLÉMENTS NUTRITIFS PAR PORTION	
Calories	264
Glucides	10 g
Fibres	2 g
Protéines	24 g
Total des matières grasses	14 g
Gras saturés	5 g
Sodium	540 mg
Cholestérol	90 mg

'BOULETTES DE VIANDE
classiques

POUR 48 BOULETTES DE VIANDE
(6 boulettes par portion)

1 gros œuf
2 c. à soupe (30 ml) d'eau
⅓ tasse (75 ml) de chapelure fine
⅓ tasse (75 ml) d'oignons verts hachés fin
1 gousse d'ail hachée fin
¾ c. à thé (4 ml) de sel
½ c. à thé (2 ml) de poivre noir frais moulu
1 ½ lb (750 g) de bœuf haché maigre

Nous associons souvent les boulettes de viande aux spaghettis, mais elles sont tout aussi délicieuses avec d'autres sauces, par exemple l'aigre-douce (reportez-vous à la recette à la page 138).

Conseils

Afin de surgeler les boulettes de viande, déposez-les les unes à côté des autres sur une plaque à cuisson jusqu'à ce qu'elles aient durci et transférez-les ensuite dans un contenant ou un sac à congélation. Afin de les réchauffer rapidement, déposez le sac contenant les boulettes surgelées dans un plat de pyrex et passez-les au micro-ondes à la puissance moyenne (50 %) jusqu'à ce qu'elles aient décongelé.

Pour la recette de spaghettis aux boulettes de viande, reportez-vous à la page 158.

Faites d'abord chauffer le four à 200 °C (400 °F). Plaques à cuisson

1. Mélangez dans un grand bol l'œuf et l'eau; ajoutez en remuant la chapelure, les oignons verts, l'ail, le sel et le poivre. Incorporez le bœuf.

2. Façonnez des boulettes à l'aide d'une cuillère (15 ml ou 1 c. à soupe); déposez-les sur des plaques à cuisson. Faites-les cuire pendant 15 minutes ou jusqu'à ce qu'elles soient dorées et que leur centre ne soit plus rosé. Posez-les sur des essuie-tout pour qu'ils en absorbent le jus de cuisson.

ANALYSE DES ÉLÉMENTS NUTRITIFS PAR PORTION	
Calories	168
Glucides	4 g
Fibres	0 g
Protéines	17 g
Total des matières grasses	9 g
Gras saturés	3 g
Sodium	305 mg
Cholestérol	68 mg

POIVRONS FARCIS
au bœuf et au riz

POUR 8 PERSONNES

4 gros poivrons rouges ou verts
8 oz (250 g) de bœuf haché maigre
8 oz (250 g) de saucisses de dinde maigres, sans les boyaux
2 c. à thé (10 ml) d'huile d'olive
4 oignons verts en tranches
2 gousses d'ail hachées fin
1 c. à thé (5 ml) de basilic séché
2 grosses tomates pelées, épépinées et taillées en dés
1 tasse (250 ml) de grains de maïs surgelés ou frais
½ c. à thé (2 ml) de poivre noir frais moulu
1 ½ tasse (375 ml) de riz cuit
¾ tasse (175 ml) de mozzarella écrémée, râpée
¼ tasse (50 ml) de parmesan râpé
½ tasse (125 ml) de bouillon de poulet

Ce plat maison mise sur les légumes que nous offrent les maraîchers à profusion lorsque vient l'automne.

Conseils

On épargne du temps en évitant d'égoutter le bœuf après qu'il ait cuit, mais on réduit son apport en matières grasses et en calories si on le fait. La quantité de gras varie en fonction de la proportion en gras du bœuf haché que vous achetez. Ainsi, vous pourrez retirer près de 23 g de gras pour 500 g (1 lb) de bœuf haché maigre (environ 85 % de viande maigre et 15 % de matières grasses) et entre 60 et 65 pour la même quantité de bœuf haché ordinaire (près de 75 % de viande maigre et 25 % de matières grasses).

Par exemple, une recette de quatre portions exige 500 g (1 lb) de bœuf haché ordinaire. Si vous faites égoutter la viande, vous aurez 13 g de gras par portion alors que si vous n'en faites rien, la proportion de gras s'élèvera à environ 28 g.

Faites cuire davantage de riz et conservez-le au réfrigérateur ou encore employez du riz instantané que vous ferez cuire selon les indications.

Faites d'abord chauffer le four à 180 °C (350 °F).
Moule à pain de 3 l (13 x 9 po)

1. Taillez les poivrons en deux dans le sens de la longueur. Enlevez les pépins et les membranes. Faites-les blanchir pendant 5 minutes dans une marmite pleine d'eau salée; égouttez-les et déposez-les sur une clayette pour qu'ils refroidissent.

2. Faites cuire le bœuf et la chair de saucisses à feu moyen-vif dans une grande poêle antiadhésive, en les défaisant à l'aide d'une cuillère de bois, pendant 5 à 7 minutes ou jusqu'à ce que la viande ne soit plus rosée. Égouttez à l'aide d'une passoire pour évacuer le gras; laissez reposer.

3. Ajoutez de l'huile dans la poêle; faites cuire les oignons verts, l'ail et le basilic en remuant pendant 2 minutes ou jusqu'à ce que les oignons aient fondu. Ajoutez en remuant les tomates, le maïs et le poivre; faites cuire en remuant pendant 3 à 5 minutes ou jusqu'à ce que les grains de maïs soient tendres. Ajoutez le riz et le bœuf haché; faites cuire en remuant pendant 3 minutes ou jusqu'à ce qu'ils soient bien chauds.

ANALYSE DES ÉLÉMENTS NUTRITIFS PAR PORTION	
Calories	228
Glucides	21 g
Fibres	2 g
Protéines	17 g
Total des matières grasses	9 g
Gras saturés	4 g
Sodium	450 mg
Cholestérol	54 mg

4. Dans un bol, mélangez la mozzarella et le parmesan. Versez la moitié de la préparation dans le riz. Disposez les moitiés de poivrons dans le plat de cuisson avant de les farcir de riz et de les garnir du mélange de fromages qui reste. Versez le bouillon dans le plat de cuisson et faites cuire les poivrons dans un four préchauffé pendant 30 à 35 minutes ou jusqu'à ce que le fromage soit doré et que la farce soit fumante.

PAIN DE VIANDE
à la mode du Sud-Ouest

POUR 6 PERSONNES

2 c. à thé (10 ml) d'huile d'olive
1 petit poivron d'Amérique vert haché fin
2 piments jalapeños hachés fins (facultatif)
1 oignon haché fin
2 gousses d'ail hachées fin
1 c. à thé (5 ml) d'origan séché
1 c. à thé (5 ml) de cumin moulu
1 c. à thé (5 ml) de sel
¼ c. à thé (1 ml) de poivre noir frais moulu
1 œuf
2 c. à thé (10 ml) de moutarde de Dijon
1 tasse (250 ml) de chapelure
1 ½ lb (750 g) de bœuf ou de veau hachés

Faites d'abord chauffer le four à 180 °C (350 °F).
Moule à pain de 2 l (9 x 5 po)

1. Faites chauffer l'huile à feu moyen dans une grande poêle antiadhésive; faites cuire le poivron vert, les piments jalapeños, le cas échéant, l'oignon, l'ail, l'origan, le cumin, le sel et le poivre, en remuant souvent, pendant 5 minutes ou jusqu'à ce que les légumes aient fondu. Laissez refroidir quelque peu.

2. Fouettez l'œuf et la moutarde dans un bol. Ajoutez en remuant les légumes, la chapelure et le bœuf. À l'aide d'une cuillère en bois, mélangez délicatement les ingrédients jusqu'à ce qu'ils soient bien mariés.

3. Déposez la préparation dans le moule à pain et appuyez légèrement dessus pour qu'il n'y ait pas de trou d'air. Faites cuire dans un four préchauffé pendant 1 heure ou jusqu'à ce qu'un thermomètre à viande indique 80 °C (170 °F). Laissez reposer pendant 5 minutes. Égouttez les jus de cuisson, retournez le moule dans une assiette et taillez le pain en tranches épaisses.

Servez de la salsa (reportez-vous au conseil ci-dessous) plutôt que du ketchup avec ce pain de viande aromatisé à l'origan et au cumin.

Conseil

Portées par la popularité de la cuisine Tex-Mex, les ventes de salsa égalent désormais celles du ketchup. D'ordinaire, la salsa contient peu, voire pas de sel et contient beaucoup moins de sodium que le ketchup. Comme toujours, consultez la liste des ingrédients pour connaître la teneur en sodium d'un produit.

Variante

Plutôt que de faire un pain tout bœuf, employez 375 g (¾ lb) de porc haché et autant de bœuf haché, si vous le voulez.

ANALYSE DES ÉLÉMENTS NUTRITIFS PAR PORTION	
Calories	247
Glucides	7 g
Fibres	1 g
Protéines	23 g
Total des matières grasses	13 g
Gras saturés	5 g
Sodium	545 mg
Cholestérol	89 mg

HAM'BOURGEOIS AU FROMAGE
à l'italienne

POUR 4 HAMBOURGEOIS

¼ tasse (50 ml) de sauce italienne à la tomate
¼ tasse (50 ml) d'oignon râpé ou haché fin
1 gousse d'ail hachée fin
¼ c. à thé (1 ml) de basilic ou d'origan séchés
¼ c. à thé (1 ml) de sel
¼ c. à thé (1 ml) de poivre noir frais moulu
½ tasse (125 ml) de mozzarella écrémée, râpée
⅓ tasse (75 ml) de chapelure assaisonnée
1 lb (500 g) de bœuf haché maigre
4 pains à hambourgeois ouverts et quelque peu grillés

Si les hambourgeois vous semblent banals, le moment est venu de leur donner un coup de jeunesse ! Plutôt que de les garnir d'une tranche de fromage, incorporez du fromage râpé à la viande hachée. Vos enfants s'écriront : *Mamma mia !*

Conseil

Pour faire une garniture végétarienne rapide, taillez des poivrons rouges ou verts et un oignon en rondelles que vous badigeonnerez d'un peu d'huile d'olive et ferez griller en même temps que les boulettes de viande.

Faites d'abord chauffer le barbecue et enduisez la grille d'un aérosol de cuisson végétal.

1. Mélangez dans un bol la sauce tomate, l'oignon, l'ail, le basilic, le sel et le poivre. Ajoutez le fromage et la chapelure en remuant; mélangez avec le bœuf. Façonnez 4 boulettes de 2 cm (¾ po) d'épaisseur.

2. Déposez-les sur la grille à feu moyen-vif; faites-les cuire, en les retournant à une reprise, pendant 6 à 7 minutes de chaque côté ou jusqu'à ce que la viande ne soit plus rosée en son centre. Déposez les boulettes sur les pains.

ANALYSE DES ÉLÉMENTS NUTRITIFS PAR PORTION	
Calories	307
Glucides	15 g
Fibres	1 g
Protéines	27 g
Total des matières grasses	15 g
Gras saturés	6 g
Sodium	505 mg
Cholestérol	69 mg

TOURTE AUX SPAGHETTIS
(la préférée des enfants)

POUR 4 PERSONNES

8 oz (250 g) de bœuf ou de poulet hachés maigres
2 tasses (500 ml) de champignons tranchés
1 petit oignon haché
1 grosse gousse d'ail hachée fin
1 ½ c. à thé (7 ml) d'origan séché
2 tasses (500 ml) de sauce tomate (reportez-vous à la recette de la page 154) ou de sauce italienne du commerce
2 tasses (500 ml) de petits bouquets de brocoli
3 tasses (750 ml) de spaghettis ou d'une autre pâte longue cuits (175 g ou 6 oz non cuits)
1 ½ tasse (375 ml) de mozzarella allégée, râpée

Les restes de pâtes qui traînent au réfrigérateur font ici un plat apparenté à une pizza qui a la cote en particulier chez les jeunes.

Conseil

Il est facile de transformer cette recette en un plat végétarien – il suffit de ne pas y mettre de viande. Vous pouvez remplacer le brocoli par des courgettes, des poivrons ou les légumes que vous avez sous la main.

Faites d'abord chauffer le four à 180 °C (350 °F).
Moule à tarte de 23 ou 25 cm (9 ou 10 po) enduit d'un aérosol de cuisson végétal

1. Dans une casserole moyenne, faites cuire le bœuf à feu moyen-vif, en le défaisant à l'aide d'une cuillère de bois, pendant 4 minutes ou jusqu'à ce qu'il ne soit plus rosé. Passez-le au tamis pour en enlever le gras. Retournez-le à la casserole. Ajoutez les champignons, l'oignon, l'ail et l'origan; faites cuire en remuant pendant 3 minutes ou jusqu'à ce que les légumes aient fondu. Ajoutez la sauce tomate, couvrez et laissez mijoter pendant 10 minutes.

2. Rincez le brocoli et déposez-le dans un plat de cuisson couvert. Passez-le au micro-ondes à température maximale pendant 2 minutes à 2 minutes 30 secondes ou jusqu'à ce qu'il soit d'un vert vif et presque tendre. Rincez-le à l'eau froide afin de le refroidir et faites-le égoutter.

3. Disposez les spaghettis dans le moule à tarte. Garnissez-les de sauce à la viande, de brocoli et enfin de fromage râpé. Faites cuire au four pendant 25 à 30 minutes ou jusqu'à ce que le fromage ait fondu. Taillez en pointes et servez.

ANALYSE DES ÉLÉMENTS NUTRITIFS PAR PORTION	
Calories	455
Glucides	47 g
Fibres	6 g
Protéines	32 g
Total des matières grasses	16 g
Gras saturés	8 g
Sodium	760 mg
Cholestérol	59 mg

RIZ FRIT AU BŒUF
et aux légumes

POUR 4 PERSONNES

1 lb (500 g) de bœuf ou de poulet hachés maigres

3 oignons verts en tranches

1 grosse gousse d'ail hachée fin

2 c. à thé (10 ml) de gingembre frais haché fin

2 tasses (500 ml) de riz cuit, du basmati de préférence

4 tasses (1 l) de légumes surgelés à l'orientale
(reportez-vous au conseil à la page 110)

3 c. à soupe (45 ml) de sauce soja à teneur réduite
en sodium

Certains jours, vous n'avez pas le temps de songer à la préparation du souper. Plutôt que de faire un saut chez le traiteur, voici un plat facile à réaliser qui mise sur la commodité des légumes surgelés afin que le repas soit servi en 20 minutes.

Conseils

En déposant le bœuf haché dans une passoire pour en enlever le gras, il est possible de réduire la proportion de gras de cette recette de 5 à 6 g par portion.

Faites cuire à l'avance davantage de riz et conservez-le au réfrigérateur; sinon, employez du riz instantané en observant les indications relatives à sa cuisson.

1. Faites cuire le bœuf dans une grande poêle antiadhésive à feu moyen-vif, en le défaisant à l'aide d'une cuillère de bois, pendant 5 minutes ou jusqu'à ce qu'il ne soit plus rosé. Ajoutez les oignons verts, l'ail et le gingembre; faites cuire en remuant pendant 1 minute. Ajoutez le riz en remuant et faites cuire, toujours en remuant, pendant 2 minutes.

2. Ajoutez les légumes et la sauce soja. Ramenez l'intensité du feu à la puissance moyenne, couvrez et laissez cuire, en remuant de temps en temps, pendant 5 minutes ou jusqu'à ce que les légumes soient tendres. (Vous pouvez ajouter 30 ml ou 2 c. à soupe d'eau, s'il le faut, pour empêcher les aliments de coller au fond de la poêle.)

ANALYSE DES ÉLÉMENTS NUTRITIFS PAR PORTION	
Calories	427
Glucides	40 g
Fibres	4 g
Protéines	28 g
Total des matières grasses	16 g
Gras saturés	6 g
Sodium	455 mg
Cholestérol	68 mg

HACHIS
Parmentier

POUR 6 PERSONNES

GARNITURE DE POMMES DE TERRE EN PURÉE

6 pommes de terre pelées et taillées en cubes
(environ 1 kg ou 2 lb)

¾ tasse (175 ml) de lait écrémé ou de babeurre

poivre noir frais moulu

HACHIS

1 lb (500 g) de bœuf ou de veau hachés maigres

8 oz (250 g) de champignons en tranches ou hachés

1 oignon moyen haché fin

2 gousses d'ail hachées fin

½ c. à thé (2 ml) de thym séché

½ c. à thé (2 ml) de marjolaine

3 c. à soupe (45 ml) de farine tout usage

1 ½ tasse (375 ml) de bouillon de bœuf à teneur réduite
en sodium

2 c. à soupe (30 ml) de concentré de tomate
(reportez-vous au conseil à la page 142)

2 c. à thé (10 ml) de sauce Worcestershire

poivre noir frais moulu

1 boîte (341 ml ou 12 oz) de grains de maïs égouttés

GARNITURE DE CHAPELURE

2 c. à soupe (30 ml) de chapelure

2 c. à soupe (30 ml) de parmesan râpé

¼ c. à thé (1 ml) de paprika

Les champignons ajoutent une saveur boisée à ce plat et contribuent à réduire la quantité de viande employée. Lorsque mes enfants étaient petits et n'aimaient guère apercevoir des champignons dans leur assiette, je les hachais fin à l'aide d'un robot culinaire et ils ne se rendaient pas compte de leur présence.

Conseil

Afin d'accélérer la préparation, je n'égoutte pas le bœuf haché maigre après l'avoir fait cuire. Lorsque le bœuf est égoutté, la quantité de gras par portion est réduite de 3 g. Si vous n'avez pas l'intention de dégraisser le bœuf haché cuit, achetez du bœuf constitué de viande maigre à 85 % (soit maigre ou extra-maigre selon les appellations canadiennes).

ANALYSE DES ÉLÉMENTS NUTRITIFS PAR PORTION	
Calories	320
Glucides	40 g
Fibres	4 g
Protéines	22 g
Total des matières grasses	9 g
Gras saturés	4 g
Sodium	425 mg
Cholestérol	41 mg

Faites d'abord chauffer le four à 190 °C (375 °F).
Plat de cuisson de 2,5 l (12 x 8 po)

1. Pour la garniture de pommes de terre en purée : Faites bouillir les pommes de terre dans de l'eau salée jusqu'à ce qu'elles soient tendres. Égouttez-les et réduisez-les en purée à l'aide d'un presse-purée ou d'un mélangeur électrique. Ajoutez le lait jusqu'à l'obtention d'une consistance homogène. Poivrez au goût.

2. Pour le hachis : Faites cuire le bœuf à feu moyen-vif dans une grande poêle antiadhésive en l'émiettant à l'aide d'une cuillère de bois. La cuisson dure 5 minutes environ ou jusqu'à ce que la viande ne soit plus rosée.

3. Ramenez l'intensité du feu à la puissance moyenne. Ajoutez les champignons, l'oignon, l'ail, le thym et la marjolaine; faites cuire, en remuant souvent, pendant 5 minutes

ou jusqu'à ce que l'oignon ait fondu. Farinez et ajoutez en remuant le bouillon, le concentré de tomate et la sauce Worcestershire. Amenez à ébullition; réduisez l'intensité du feu et laissez mijoter à couvert pendant 8 minutes. Poivrez au goût.

4. Déposez la préparation à la viande dans le plat de cuisson; garnissez de maïs. Déposez des cuillerées de pommes de terre en purée sur le maïs et tartinez-les de façon uniforme.

5. Pour la garniture de chapelure : Mélangez dans un petit bol la chapelure, le parmesan et le paprika; garnissez-en les pommes de terre en purée.

6. Faites cuire dans un four préchauffé pendant 25 ou 30 minutes ou jusqu'à ce que la garniture bouillonne.

BOULETTES DE VIANDE
aigres-douces

POUR 8 PERSONNES

1 boîte (398 ml ou 14 oz) de morceaux d'ananas

¼ tasse (50 ml) de cassonade bien tassée

¼ tasse (50 ml) de vinaigre de riz non assaisonné

¼ tasse (50 ml) de sauce soja à teneur réduite en sodium

4 c. à thé de fécule de maïs

48 boulettes de viande classiques
(reportez-vous à la recette à la page 129)

Profitez des rabais en supermarché pour faire provision de bœuf haché maigre et pour faire cuire des lots de boulettes de viande. Congelez-les (reportez-vous au conseil à la page 129) en vue d'une dégustation ultérieure.

Conseil

Vérifiez que le vinaigre de riz que vous employez n'est pas assaisonné, c.-à-d. qu'il ne contient ni sel ni sucre. Le vinaigre de riz assaisonné, qui entre parfois dans la préparation des sushis, contient près de 300 mg de sodium par cuillerée à soupe (15 ml).

1. Égouttez les morceaux d'ananas et réservez-les. Mesurez le jus d'ananas et ajoutez suffisamment d'eau pour obtenir 250 ml (1 tasse) de liquide.

2. Dans une grande casserole, mélangez le jus d'ananas, la cassonade, le vinaigre de riz, la sauce soja et la fécule de maïs. Faites cuire à feu moyen en remuant, jusqu'à ce que la sauce vienne à ébullition et commence à épaissir.

3. Ajoutez les boulettes de viande et les morceaux d'ananas en remuant; faites cuire pendant 3 à 5 minutes ou jusqu'à ce que les boulettes soient fumantes.

ANALYSE DES ÉLÉMENTS NUTRITIFS PAR PORTION	
Calories	236
Glucides	21 g
Fibres	1 g
Protéines	18 g
Total des matières grasses	9 g
Gras saturés	3 g
Sodium	550 mg
Cholestérol	68 mg

MACARONI AU BŒUF
et aux courgettes

POUR 4 PERSONNES

1 lb (500 g) de dinde ou de bœuf hachés maigres
1 petit oignon haché
2 gousses d'ail hachées fin
1 c. à thé (5 ml) de basilic ou d'origan séchés
1 ½ tasse (375 ml) de sauce tomate (reportez-vous à la recette de la page 154) ou de sauce italienne du commerce
1 ½ tasse (375 ml) de bouillon de poulet ou de bœuf à teneur réduite en sodium
1 tasse (250 ml) de macaronis
2 courgettes moyennes taillées en cubes de 1 cm (½ po)

Inutile d'acheter des préparations vendues à fort prix alors qu'il est si facile de les faire soi-même. Vous n'avez qu'à vous tourner vers les produits essentiels qui garnissent votre garde-manger. Le temps qu'il faut pour préparer une salade d'accompagnement, ce plat se trouvera sur la table.

Conseil

Employez la sauce tomate que vous avez vous-même préparée (reportez-vous à la recette de la page 154) ou, afin d'épargner du temps, servez-vous de l'une des meilleures sauces embouteillées que l'on trouve à présent dans les supermarchés. La quantité de sodium présent dans les sauces du commerce peut égaler 700 mg par 125 ml (½ tasse). Lisez les informations présentes sur les emballages et portez votre choix sur une marque à teneur réduite en sodium.

1. Faites cuire le bœuf dans une grande poêle antiadhésive à feu moyen-vif, en le défaisant à l'aide d'une cuillère de bois, pendant 5 minutes ou jusqu'à ce qu'il ne soit plus rosé. Ajoutez l'oignon, l'ail et le basilic; faites cuire en remuant pendant 2 minutes.

2. Ajoutez la sauce tomate et le bouillon; amenez à ébullition. Ajoutez les pâtes en remuant, réduisez l'intensité du feu, couvrez et faites cuire pendant 2 minutes.

3. Ajoutez les courgettes en remuant; faites cuire à couvert, en remuant de temps en temps et en ajoutant du bouillon s'il le faut, pendant 5 à 7 minutes ou jusqu'à ce que les pâtes et les courgettes soient tendres.

ANALYSE DES ÉLÉMENTS NUTRITIFS PAR PORTION	
Calories	404
Glucides	33 g
Fibres	4 g
Protéines	29 g
Total des matières grasses	17 g
Gras saturés	6 g
Sodium	545 mg
Cholestérol	68 mg

STEAK À LA SALISBURY

POUR 4 PERSONNES

1 œuf
2 c. à soupe (30 ml) de chapelure fine
1 petit oignon haché fin
1 c. à soupe (15 ml) de sauce Worcestershire
½ c. à thé (2 ml) de sel
¼ c. à thé (1 ml) de poivre noir frais moulu
1 lb (500 g) de bœuf haché maigre
2 c. à thé (10 ml) d'huile végétale
1 ½ tasse (375 ml) de champignons hachés
1 gousse d'ail hachée fin
¼ c. à thé (1 ml) de thym ou de marjolaine séchés
1 c. à soupe (15 ml) de farine tout usage
1 tasse (250 ml) de bouillon de bœuf à teneur réduite en sodium
1 c. à soupe (15 ml) de concentré de tomate

Voici un plat cousin du pain de viande, servi nappé d'une sauce savoureuse et de pommes de terre en purée crémeuses. Pelez les pommes de terre et commencez à les faire bouillir sur la cuisinière avant de préparer les boulettes de viande; ainsi, elles seront prêtes en même temps.

Conseil

Sauf si vous employez du concentré de tomate en tube, lequel est plus cher à l'achat, vous pouvez congeler vos restes de concentré de tomate. Déposez des cuillerées de 15 ml (1 c. à soupe) de concentré de tomate en conserve sur une plaque recouverte de papier ciré ou dans des bacs à glaçons et mettez-les au congélateur jusqu'à fermeté. Déposez-les dans un sac de congélation et conservez-les au congélateur.

1. Fouettez l'œuf dans un bol; ajoutez en remuant la chapelure, la moitié de l'oignon, la moitié de la sauce Worcestershire, le sel et le poivre et le bœuf. Formez 4 petites boulettes de 10 cm (4 po) de diamètre.

2. Faites chauffer l'huile à feu moyen-vif dans une grande poêle à frire antiadhésive; faites dorer les boulettes de viande environ 2 minutes de chaque côté. Déposez-les sur une assiette et enlevez le gras de la poêle. Ajoutez dans la poêle le reste de l'oignon, les champignons, l'ail et le thym; faites cuire en remuant pendant 2 minutes ou jusqu'à ce que l'oignon ait fondu.

3. Farinez le tout, ajoutez en remuant le reste de la sauce Worcestershire, le bouillon de bœuf et le concentré de tomate. Faites cuire en remuant pendant 1 minute ou jusqu'à épaississement. Remettez les boulettes de viande dans la poêle; réduisez l'intensité du feu, couvrez et laissez mijoter, en les retournant à une reprise, pendant 10 minutes ou jusqu'à ce que le centre des boulettes ne soit plus rose.

ANALYSE DES ÉLÉMENTS NUTRITIFS PAR PORTION	
Calories	270
Glucides	9 g
Fibres	1 g
Protéines	25 g
Total des matières grasses	15 g
Gras saturés	5 g
Sodium	595 mg
Cholestérol	106 mg

HACHIS DE BŒUF
et de pommes de terre

POUR 6 PERSONNES

1 lb (500 g) de bœuf haché maigre

2 c. à thé (10 ml) de sauce Worcestershire

2 c. à thé (10 ml) d'huile végétale

1 oignon moyen haché

1 poivron vert haché

4 tasses (1 l) de pommes de terre rissolées surgelées que vous aurez fait décongeler

poivre noir frais moulu

1. Faites cuire le bœuf dans une grande poêle antiadhésive à feu moyen-vif, en le défaisant à l'aide d'une cuillère de bois, pendant 5 minutes ou jusqu'à ce qu'il ne soit plus rosé. Déposez-le dans une passoire pour enlever le surplus de gras et mettez-le dans un bol. Ajoutez la sauce Worcestershire en remuant.

2. Versez l'huile dans la poêle et faites cuire l'oignon, le poivron vert et les pommes de terre, en remuant souvent, pendant 8 à 10 minutes ou jusqu'à ce que les pommes de terre soient dorées. Ajoutez le bœuf haché et poivrez au goût. Faites cuire pendant 2 minutes ou jusqu'à ce que le hachis soit fumant.

Vous avez envie d'un repas rapide à préparer ? Les pommes de terre rissolées surgelées viennent à votre rescousse, en compagnie du bœuf haché qui cuit rapidement, pour faire un plat qui saura plaire à tous les membres de votre famille.

Conseils

On emploie de l'huile afin de préparer la plupart des produits surgelés à base de pommes de terre, notamment les pommes de terre rissolées. Évitez les produits faits à partir d'huiles partiellement hydrogénées, car elles contiennent beaucoup de gras trans.

Pour faire décongeler les pommes de terre rissolées, déposez-les sur une plaque couverte d'essuie-tout et passez-les au micro-ondes à température maximale pendant 3 ou 4 minutes en les remuant à une reprise.

ANALYSE DES ÉLÉMENTS NUTRITIFS PAR PORTION	
Calories	244
Glucides	16 g
Fibres	1 g
Protéines	16 g
Total des matières grasses	13 g
Gras saturés	3 g
Sodium	95 mg
Cholestérol	40 mg

PAVÉ À LA MODE
Tex-Mex

POUR 6 PERSONNES

1 lb (500 g) de bœuf haché maigre

1 oignon haché

2 gousses d'ail hachées fin

1 gros poivron vert haché

2 c. à thé (10 ml) de poudre de chili

1 c. à thé (5 ml) d'origan séché

½ c. à thé (2 ml) de cumin moulu

2 c. à soupe (30 ml) de farine tout usage

1 ½ tasse (375 ml) de bouillon de bœuf à teneur réduite en sodium

1 boîte (213 ml ou 7 ½ oz) de sauce tomate

1 ½ tasse (375 ml) de grains de maïs surgelés

CROÛTE AU CHEDDAR ET AU PAIN DE MAÏS

⅔ tasse (150 ml) de farine de blé entier

½ tasse (125 ml) de semoule de maïs

1 ½ c. à thé (7 ml) de sucre granulé

1 ½ c. à thé (7 ml) de levure chimique

½ tasse (125 ml) de cheddar allégé, râpé

1 œuf

⅔ tasse (150 ml) de lait écrémé

Faites d'abord chauffer le four à 200 °C (400 °F).

Plat de cuisson de 2,5 l (10 tasses)

1. Faites cuire le bœuf dans une grande poêle antiadhésive à feu moyen-vif, en le défaisant à l'aide d'une cuillère de bois, pendant 5 minutes ou jusqu'à ce qu'il ne soit plus rosé.

2. Ajoutez en remuant l'oignon, l'ail, le poivron vert, la poudre de chili, l'origan et le cumin; faites cuire en remuant pendant 4 minutes ou jusqu'à ce que les légumes aient fondu.

3. Ajoutez en remuant la farine, puis le bouillon et la sauce tomate. Amenez à ébullition en remuant jusqu'à épaississement. Réduisez l'intensité du feu, couvrez et laissez mijoter pendant 5 minutes. Ajoutez en remuant le maïs et faites cuire pendant 2 minutes ou jusqu'à ce que la préparation soit fumante. À l'aide d'une cuillère, déposez-la dans le plat de cuisson.

4. Pour la croûte au cheddar et au pain de maïs : Mélangez dans un bol la farine, la semoule de maïs, le sucre et la levure chimique, puis ajoutez le cheddar râpé. Dans un

À la recherche d'un plat qui fera la joie de toute la famille ? Cette cocotte au bœuf pimentée au chili et garnie d'une croûte au pain de maïs fera l'affaire. Ici, l'assaisonnement n'est pas trop prononcé afin que les jeunes papilles gustatives ne soient pas offensées, mais les braves peuvent en augmenter la dose.

Conseils

Alors que les légumes en conserve contiennent d'importantes quantités de sodium, nombre de légumes surgelés en contiennent très peu. Dans cette recette, le maïs apporte 2 mg de sodium comparativement à 140 mg s'il s'agissait de la même quantité de maïs en conserve.

Ajoutez 5 ml (1 c. à thé) de poudre de chili et 1 ml (¼ c. à thé) de flocons de piments de Cayenne de plus (ou selon votre goût) à la préparation au bœuf afin de relever la saveur.

ANALYSE DES ÉLÉMENTS NUTRITIFS PAR PORTION	
Calories	379
Glucides	39 g
Fibres	5 g
Protéines	25 g
Total des matières grasses	15 g
Gras saturés	6 g
Sodium	605 mg
Cholestérol	84 mg

autre bol, fouettez l'œuf et le lait. Ajoutez-les aux ingrédients secs pour former une pâte lisse.

5. Déposez la pâte sur la préparation au bœuf à l'aide d'une cuillère de manière à la répartir de façon uniforme. Faites cuire au four pendant 20 à 25 minutes ou jusqu'à ce que la croûte soit dorée et que la garniture bouillonne.

CURRY DE BŒUF
et de pommes de terre

POUR 4 PERSONNES

1 lb (500 g) de bœuf haché maigre
1 oignon haché
2 grosses gousses d'ail hachées fin
2 c. à soupe (30 ml) de concentré de tomate
1 c. à soupe (15 ml) de pâte ou de poudre de curry doux
1 c. à soupe (15 ml) de gingembre frais haché fin
¼ c. à thé (1 ml) de sel
4 pommes de terre pelées et taillées en dés (environ 750 g ou 1 ½ lb)
2 tasses (500 ml) de bouillon de bœuf à teneur réduite en sodium
1 ½ tasse (375 ml) de pois surgelés
¼ tasse (50 ml) de coriandre ou de persil frais (facultatif)

Servez ce plat familial avec un pita chaud et une salade de concombres et de tomates.

1. Faites cuire le bœuf à feu moyen-vif dans un grand faitout ou une casserole, en le défaisant à l'aide d'une cuillère de bois, pendant 5 minutes ou jusqu'à ce qu'il ne soit plus rosé. Enlevez l'excédent de gras. Ajoutez l'oignon, l'ail, le concentré de tomate, la pâte de curry, le gingembre et le sel; faites cuire en remuant pendant 5 minutes ou jusqu'à ce que l'oignon ait fondu.

2. Ajoutez les pommes de terre et le bouillon et amenez à ébullition. Réduisez l'intensité du feu, couvrez et laissez mijoter pendant 15 minutes. Ajoutez les pois en remuant et faites cuire à couvert pendant 5 minutes ou jusqu'à ce que les pommes de terre et les pois soient tendres. Garnissez de coriandre, le cas échéant.

ANALYSE DES ÉLÉMENTS NUTRITIFS PAR PORTION	
Calories	378
Glucides	36 g
Fibres	5 g
Protéines	28 g
Total des matières grasses	13 g
Gras saturés	5 g
Sodium	700 mg
Cholestérol	58 mg

CHOUX FARCIS

POUR 12 CHOUX
(2 choux par portion)

1 chou vert moyen, évidé (environ 1,5 kg ou 3 lb)
4 c. à thé (20 ml) d'huile végétale
1 gros oignon haché fin
2 grosses gousses d'ail hachées fin
1 c. à thé (5 ml) de paprika
1 ½ tasse (375 ml) de riz cuit
1 lb (500 g) de bœuf haché maigre
poivre noir frais moulu
1 boîte (796 ml ou 28 oz) de tomates italiennes et leur jus
2 c. à thé (10 ml) de cassonade bien tassée

Voici le genre de plat satisfaisant qui est toujours apprécié et que l'on peut préparer à l'avance et facilement congeler.

Conseils

Lorsqu'ils sont cuits, on peut congeler les choux farcis pendant près de deux mois.

Afin de hacher sans difficulté les tomates en conserve, introduisez la lame du couteau dans la boîte.

Si les feuilles de chou ne sont pas souples, blanchissez-les de nouveau dans de l'eau bouillante afin de les amollir.

Faites d'abord chauffer le four à 180 °C (350 °F).
Plat de cuisson de 3 l (12 tasses)

1. Faites bouillir le chou pendant 5 ou 6 minutes dans une grande marmite d'eau salée ou jusqu'à ce que les feuilles soient souples. Jetez le chou dans une passoire et rincez-le à l'eau froide en détachant délicatement 12 feuilles. Déveinez chaque feuille à l'aide d'un couteau tranchant.

2. Faites chauffer l'huile à feu moyen dans une grande casserole; faites cuire l'oignon, l'ail et le paprika en remuant pendant 5 minutes ou jusqu'à ce que l'oignon ait fondu. Mélangez dans un bol la moitié de la préparation à l'oignon, le riz, le bœuf, 5 ml (1 c. à thé) de sel et 2 ml (½ c. à thé) de poivre. Remuez pour que tous les ingrédients soient bien mariés.

3. À l'aide d'un robot culinaire, réduisez les tomates et leur jus en purée. Ajoutez la cassonade à la préparation à l'oignon dans la casserole et amenez à ébullition. Couvrez et réduisez l'intensité du feu pour laisser mijoter pendant 15 minutes en remuant de temps en temps. Poivrez au goût.

4. À l'aide d'une cuillère, déposez 50 ml (¼ tasse) de farce sur chaque feuille de chou au-dessus de la tige. Pliez les côtés de la feuille et enroulez-la autour de la farce.

ANALYSE DES ÉLÉMENTS NUTRITIFS PAR PORTION	
Calories	284
Glucides	22 g
Fibres	2 g
Protéines	18 g
Total des matières grasses	14 g
Gras saturés	4 g
Sodium	350 mg
Cholestérol	45 mg

À l'aide d'une cuillère, déposez 250 ml (1 tasse) de sauce tomate au fond du faitout ou du plat de cuisson. Posez dessus 6 choux farcis et versez 250 ml (1 tasse) de sauce tomate sur les choux. Posez les 6 autres choux et versez le reste de la sauce. Couvrez et faites cuire au four pendant 60 à 75 minutes ou jusqu'à ce que les choux farcis soient tendres.

CHILI CON CARNE
sans haricots

POUR 12 PERSONNES

3 lb (1,5 kg) de bœuf haché maigre
1 c. à soupe (15 ml) d'huile d'olive
2 gros oignons hachés
6 gousses d'ail hachées fin
5 ou 6 piments jalapeños hachés fin
3 c. à soupe (45 ml) de poudre de chili
1 c. à soupe (15 ml) d'origan séché
1 c. à soupe (15 ml) de cumin
2 feuilles de laurier
1 c. à thé (5 ml) de sel
2 c. à thé (10 ml) de flocons de piment de Cayenne ou au goût
1 boîte (798 ml ou 28 oz) de tomates hachées et leur jus
2 tasses (500 ml) de bouillon de bœuf à teneur réduite en sodium
1 boîte (156 g ou 5 ½ oz) de concentré de tomate
3 poivrons rouges ou verts, taillés en dés
¼ tasse (50 ml) de semoule de maïs

Ce chili sans haricots est bien relevé; alors avis aux palais délicats : réduisez la quantité de flocons de piment de Cayenne si vous n'aimez pas le feu de cette épice. Servez dans des bols à l'aide d'une louche et prévoyez du cheddar allégé râpé, des tranches d'oignons verts, de la crème sure et de la coriandre hachée pour que chacun puisse garnir son chili à son goût.

Conseil

Si vous voulez ajouter des haricots, laissez tomber la semoule de maïs et remplacez-la par 2 boîtes (540 ml ou 19 oz chacune) de haricots rouges égouttés et rincés.

1. Faites cuire le bœuf haché en deux lots dans un grand faitout ou une marmite à feu moyen-vif, en le défaisant à l'aide d'une cuillère de bois, pendant près de 7 minutes ou jusqu'à ce qu'il ne soit plus rosé. Déposez le bœuf dans une passoire et laissez le gras s'égoutter avant de le mettre dans un bol.

2. Réduisez l'intensité du feu à la puissance moyenne et versez l'huile dans une poêle. Ajoutez les oignons, l'ail, les piments jalapeños, la poudre de chili, l'origan, le cumin, les feuilles de laurier, le sel et les flocons de piment de Cayenne; faites cuire en remuant pendant 5 minutes ou jusqu'à ce que l'oignon ait fondu.

3. Remettez le bœuf dans la marmite; ajoutez les tomates et leur jus, 300 ml (1 ¼ tasse) d'eau, le bouillon et le concentré de tomate. Amenez à ébullition; laissez mijoter à couvert pendant 30 minutes en remuant de temps en temps. Ajoutez les poivrons et continuez la cuisson pendant 30 minutes.

4. Mélangez dans un bol 50 ml (¼ tasse) d'eau et la semoule de maïs; ajoutez à la préparation en remuant. Faites cuire pendant 10 minutes ou jusqu'à ce que la sauce ait épaissi. Retirez les feuilles de laurier avant de servir.

ANALYSE DES ÉLÉMENTS NUTRITIFS PAR PORTION	
Calories	260
Glucides	13 g
Fibres	3 g
Protéines	23 g
Total des matières grasses	13 g
Gras saturés	5 g
Sodium	665 mg
Cholestérol	59 mg

PÂTES

ET LÉGUMINEUSES

PESTO AU BASILIC

POUR 8 PERSONNES

(15 ml ou 1 c. à soupe par portion)

1 ½ tasse (375 ml) de feuilles de basilic frais légèrement tassées

2 gousses d'ail hachées grossièrement

2 c. à soupe (30 ml) de pignons ou de noix légèrement grillées

¼ tasse (50 ml) d'huile d'olive (environ)

¼ tasse (50 ml) de parmesan frais râpé

poivre noir frais moulu

Le pesto se conserve bien au réfrigérateur dans un petit contenant hermétique pendant près d'une semaine ou au congélateur pendant près d'un mois.

1. Mélangez le basilic, l'ail et les pignons à l'aide d'un robot culinaire. Alors que l'appareil fonctionne, versez un filet d'huile et pulsez jusqu'à obtention d'une consistance homogène. Ajoutez un peu plus d'huile si le pesto semble sec.

2. Ajoutez le parmesan en remuant et poivrez au goût. Versez dans un petit contenant, couvrez d'une fine couche d'huile et réfrigérez.

ANALYSE DES ÉLÉMENTS NUTRITIFS PAR PORTION	
Calories	89
Glucides	1 g
Fibres	0 g
Protéines	2 g
Total des matières grasses	9 g
Gras saturés	2 g
Sodium	60 mg
Cholestérol	2 mg

PESTO
de tomates séchées au soleil

POUR 12 PERSONNES

(15 ml ou 1 c. à soupe par portion)

½ tasse (125 ml) de tomates séchées au soleil

½ tasse (125 ml) de feuilles de basilic frais légèrement tassées (reportez-vous au conseil ci-contre)

½ tasse (125 ml) de persil frais légèrement tassé

1 grosse gousse d'ail

⅓ tasse (75 ml) de bouillon de légumes

2 c. à soupe (30 ml) d'huile d'olive

⅓ tasse (75 ml) de parmesan frais râpé

½ c. à thé (2 ml) de poivre noir frais moulu

Pour faire un repas rapide, touillez ce pesto et 250 g (8 oz) de pâtes cuites selon les indications paraissant sur l'emballage, ou encore garnissez-en un potage afin d'en rehausser agréablement la saveur.

Conseils

Assurez-vous que les tomates séchées au soleil que vous achetez ne sont pas conservées dans l'huile.

Si vous ne trouvez pas de basilic frais, augmentez la quantité de persil à 250 ml (1 tasse) et ajoutez 15 ml (1 c. à soupe) de basilic séché.

1. Déposez les tomates séchées au soleil dans un bol et couvrez-les d'eau bouillante; laissez-les reposer pendant 10 minutes ou jusqu'à ce qu'elles se soient gorgées d'eau. Égouttez-les et épongez-les à l'aide d'essuie-tout. Hachez-les grossièrement.

2. À l'aide d'un robot culinaire, mélangez les tomates réhydratées, le basilic, le persil et l'ail. Alors que l'appareil fonctionne, versez le bouillon et un filet d'huile. Ajoutez ensuite le parmesan et le poivre en remuant.

ANALYSE DES ÉLÉMENTS NUTRITIFS PAR PORTION	
Calories	41
Glucides	2 g
Fibres	0 g
Protéines	2 g
Total des matières grasses	3 g
Gras saturés	1 g
Sodium	115 mg
Cholestérol	2 mg

SAUCE TOMATE

POUR 14 PERSONNES

(125 ml ou ½ tasse par portion)

1 c. à soupe (15 ml) d'huile d'olive
1 oignon moyen haché fin
2 carottes moyennes pelées et hachées fin
1 tige de céleri, avec les feuilles, hachée fin
4 gousses d'ail hachées fin
1 c. à soupe (15 ml) de basilic séché
1 ½ c. à thé (7 ml) d'origan séché
1 c. à thé (5 ml) de sucre granulé
½ c. à thé (2 ml) de poivre noir frais moulu
1 feuille de laurier
2 boîtes (796 ml ou 28 oz) de tomates italiennes et leur jus, hachées
1 boîte (156 ml ou 5 ½ oz) de concentré de tomate
¼ tasse (50 ml) de persil frais haché fin

Voici une sauce tout-aller que je tiens toujours en réserve au congélateur, car elle entre dans la préparation de mes plats de pâtes préférés. On la retrouve dans la composition de nombreuses recettes réunies dans ce livre.

Conseils

L'été je remplace les tomates en conserve par 2,5 kg (5 lb) de tomates mûres, de préférence italiennes. Afin de les apprêter, enlevez le cœur des tomates. Incisez un X à l'extrémité inférieure de chacune. Plongez-les dans l'eau bouillante pendant 30 secondes afin que la pelure se détache. Mettez-les à refroidir dans un bac d'eau glacée. Pelez, taillez les tomates en deux dans le sens de la largeur et exprimez l'eau de végétation. Hachez-les finement.

Remplacez le basilic et l'origan séchés par 75 ml (½ tasse) de basilic frais que vous aurez haché et que vous ajouterez en fin de cuisson.

Afin d'épargner du temps, hachez les légumes à l'aide d'un robot culinaire.

1. Faites chauffer l'huile à feu moyen-vif dans un grand faitout ou une casserole. Ajoutez l'oignon, les carottes, le céleri, l'ail, le basilic, l'origan, le sucre, le poivre et la feuille de laurier; faites cuire en remuant souvent pendant 5 minutes ou jusqu'à ce que les légumes aient fondu.
2. Ajoutez en remuant les tomates et le jus, le concentré de tomate et le contenu en eau d'une boîte de concentré de tomate. Amenez à ébullition, réduisez le feu et laissez mijoter pendant 35 à 40 minutes en couvrant partiellement le faitout; remuez de temps en temps jusqu'à épaississement de la sauce. Enlevez la feuille de laurier et ajoutez le persil en remuant. Laissez refroidir, videz dans des contenants et réfrigérez ou congelez.

ANALYSE DES ÉLÉMENTS NUTRITIFS PAR PORTION	
Calories	57
Glucides	11 g
Fibres	2 g
Protéines	2 g
Total des matières grasses	1 g
Gras saturés	0 g
Sodium	210 mg
Cholestérol	0 mg

SPAGHETTIS
aux boulettes de viande

POUR 6 PERSONNES

3 tasses (750 ml) de sauce tomate (reportez-vous à la recette de la page 154)

24 boulettes de viande (la moitié de la recette de la page 129)

12 oz (375 g) de spaghettis ou de pâtes longues

⅓ tasse (75 ml) de parmesan frais râpé

Ce plat est l'essence même de la cuisine italienne : réconfortant, appétissant et qui plaît à tout coup !

1. Mélangez la sauce tomate et les boulettes de viande dans une grande casserole; amenez à ébullition. Réduisez l'intensité du feu, couvrez et faites mijoter pendant 15 minutes. **2.** Faites cuire les pâtes dans une grande marmite d'eau salée jusqu'à ce qu'elles soient cuites mais encore fermes. Égouttez-les et touillez-les dans la sauce. Servez dans des bols et garnissez de parmesan râpé.

Mode de cuisson des pâtes

On peut gâter un plat de pâtes si l'on ne sait pas comment les cuire comme il se doit. L'erreur la plus répandue consiste à ne pas employer suffisamment d'eau pour la cuisson, de sorte qu'elles ne cuisent pas de façon uniforme ou collent ensemble.

Afin de cuire de 250 à 375 g (8 à 12 oz) de pâtes : amenez à grande ébullition 3 l (12 tasses) d'eau dans une grande marmite. Ajoutez 5 ml (1 c. à thé) de sel et toutes les pâtes d'un seul trait (n'ajoutez pas d'huile). Remuez sans tarder pour empêcher les pâtes de coller au fond de la marmite. Couvrez afin que l'eau retrouve rapidement le point d'ébullition. Par la suite, enlevez le couvercle et remuez de temps en temps. Goûtez pour voir si les pâtes sont al dente. Mettez-les à égoutter sans tarder. À moins d'indications contraires, il ne faut jamais rincer les pâtes, ce qui les refroidit et les prive de la fécule qui permet à la sauce d'y adhérer. Remettez-les dans la marmite ou dans un bol chaud, versez la sauce et touillez jusqu'à ce qu'elles en soient bien imprégnées. Servez sans plus tarder.

ANALYSE DES ÉLÉMENTS NUTRITIFS PAR PORTION	
Calories	436
Glucides	60 g
Fibres	5 g
Protéines	25 g
Total des matières grasses	11 g
Gras saturés	4 g
Sodium	575 mg
Cholestérol	52 mg

SPAGHETTIS
en sauce bolognaise

POUR 6 PERSONNES

12 oz (375 g) de bœuf haché maigre

½ tasse (125 ml) de vin rouge ou de bouillon de bœuf à teneur réduite en sodium

3 tasses (750 ml) de sauce tomate (reportez-vous à la recette de la page 154)

poivre noir frais moulu et flocons de piment de Cayenne

12 oz (375 g) de spaghettis

½ tasse (125 ml) de parmesan frais râpé

1. Faites cuire le bœuf dans une grande poêle à frire anti-adhésive à feu moyen-vif, en le défaisant à l'aide d'une cuillère de bois, pendant 5 minutes ou jusqu'à ce qu'il ne soit plus rosé. Ajoutez le vin et laissez cuire jusqu'à ce qu'il réduise en partie.

2. Ajoutez en remuant la sauce tomate et assaisonnez de poivre et de flocons de piment de Cayenne. Réduisez l'intensité du feu, couvrez et laissez mijoter pendant 15 minutes.

3. Faites cuire les pâtes dans une marmite pleine d'eau bouillante jusqu'à ce qu'elles soient cuites mais encore fermes. Égouttez-les. Touillez-les avec la sauce. Servez dans des bols et garnissez de parmesan râpé.

Congélation et réfrigération des pâtes

Voici quelques indications utiles lorsque vous souhaitez préparer d'avance des plats à base de pâtes et les conserver au réfrigérateur ou au congélateur :

• La sauce se conserve jusqu'à deux jours au réfrigérateur et deux mois au congélateur. Si vous montez un plat de pâtes à l'avance : faites cuire les pâtes et refroidissez-les à l'eau froide avant de les égoutter. Touillez les pâtes dans la sauce froide et déposez-les à l'aide d'une cuillère dans le plat de cuisson. Il est préférable de ne pas assembler un plat de pâtes plus de quelques heures à l'avance pour éviter qu'elles n'absorbent trop de sauce.

• **Pour la congélation :** n'ajoutez pas le fromage râpé (il devient caoutchouteux lorsqu'il est congelé). Couvrez le plat de pellicule plastique et de papier d'aluminium. Vous pouvez congeler pendant près de deux mois. Faites décongeler le plat au réfrigérateur pendant la nuit. Augmentez le temps de cuisson d'environ 10 minutes.

Ce plat de pâtes simplissime, dont la saveur est rehaussée par une rasade de vin rouge, convient aux soirs où vous avez envie de bien manger sans y consacrer trop de temps.

Variante

Remplacez le bœuf haché par un mélange moitié veau et moitié porc ou une combinaison des trois viandes.

ANALYSE DES ÉLÉMENTS NUTRITIFS PAR PORTION	
Calories	416
Glucides	58 g
Fibres	5 g
Protéines	24 g
Total des matières grasses	9 g
Gras saturés	3 g
Sodium	400 mg
Cholestérol	32 mg

POULET TETRAZZINI

POUR 6 PERSONNES

1 c. à soupe (15 ml) de beurre
8 oz (250 g) de champignons tranchés
4 oignons verts hachés fin
1 c. à thé (5 ml) de basilic séché
¼ tasse (50 ml) de farine tout usage
2 tasses (500 ml) de bouillon de poulet à teneur réduite en sodium
½ tasse (125 ml) de demi-crème (10 %)
¼ tasse (50 ml) de sherry moyennement sec
2 tasses (500 ml) de dés de dinde ou de poulet cuits
½ tasse (125 ml) de parmesan frais râpé
poivre noir frais moulu
8 oz (250 g) de nouilles aux œufs larges

Vous pouvez préparer ce savoureux plat à base de pâtes avec un reste de dinde ou de poulet cuits. Toute la compagnie appréciera ! Si vous désirez le préparer à l'avance, faites cuire la sauce, couvrez-la et conservez-la au réfrigérateur. Faites cuire les pâtes dans de l'eau bouillante, rincez-les à l'eau froide et laissez-les refroidir. Mélangez la sauce froide et les pâtes au plus quatre heures avant de les enfourner. Ainsi, elles ne boiront pas trop de sauce.

Faites d'abord chauffer le four à 180 °C (350 °F).
Plat de cuisson de 3 l (13 x 9 po) enduit d'un aérosol de cuisson végétal

1. Faites fondre le beurre dans une grande casserole à feu moyen-vif. Ajoutez les champignons, les oignons verts et le basilic ; faites cuire pendant 4 minutes ou jusqu'à ce que les légumes aient fondu. Dans un bol, mélangez la farine et 75 ml (⅓ tasse) de bouillon de manière à faire une pâte lisse ; ajoutez en remuant le reste du bouillon. Versez dans la casserole ; amenez à ébullition en remuant jusqu'à épaississement. Ajoutez la demi-crème, le sherry et le poulet ; faites cuire à feu moyen pendant 2 à 3 minutes ou jusqu'à ce que tout soit fumant. Retirez du feu. Ajoutez en remuant la moitié du parmesan et poivrez au goût.

2. Faites cuire les pâtes dans une marmite d'eau bouillante salée jusqu'à ce qu'elles soient cuites mais encore fermes. Faites-les égoutter et retournez-les dans la marmite ; ajoutez la préparation au poulet et touillez afin de bien les en enduire.

3. À l'aide d'une cuillère, déposez la préparation dans le plat de cuisson. Garnissez avec le reste de parmesan. Faites cuire au four pendant 30 à 35 minutes ou jusqu'à ce que le plat soit bien chaud. (Si le plat a été réfrigéré, allongez de 10 minutes le temps de cuisson.)

ANALYSE DES ÉLÉMENTS NUTRITIFS PAR PORTION	
Calories	376
Glucides	39 g
Fibres	4 g
Protéines	26 g
Total des matières grasses	12 g
Gras saturés	5 g
Sodium	590 mg
Cholestérol	99 mg

FETTUCINIS AUX PÉTONCLES GRILLÉS,
au citron et à l'ail

POUR 6 PERSONNES

1 lb (500 g) de gros pétoncles
¼ c. à thé (1 ml) de sel
poivre noir frais moulu
2 c. à soupe (30 ml) de beurre
3 gousses d'ail hachées fin
½ tasse (125 ml) de vin blanc sec
¼ tasse (50 ml) de fond de poisson ou de bouillon de poulet à teneur réduite en sodium
1 c. à soupe (15 ml) de zeste de citron
1 c. à soupe (15 ml) de jus de citron frais
¾ tasse (175 ml) de crème à fouetter (35 %)
¼ tasse (50 ml) de persil plat haché (reportez-vous au conseil ci-contre)
12 oz (375 g) de fettucinis

Voici ce que je prépare lorsque l'envie me prend d'un plat de pâtes riche et crémeux. Étant donné qu'il faut peu de temps pour réaliser cette recette, réunissez tous les ingrédients avant de commencer à cuisiner.

Conseil

Faut-il employer du persil plat ou frisé? S'ils sont interchangeables dans les recettes, je préfère le goût plus marqué du persil plat, en particulier dans les recettes telles que celle-ci, où il compte parmi les ingrédients d'importance et fait contrepoint aux saveurs du citron et de l'ail.

1. Épongez les pétoncles à l'aide d'essuie-tout pour en enlever l'humidité. Taillez-les en deux à l'horizontale et assaisonnez-les de sel et de poivre.

2. Faites chauffer une grande poêle à frire antiadhésive à feu vif. Ajoutez le beurre; laissez-le chauffer jusqu'à ce qu'il soit mousseux et qu'il commence à brunir. Ajoutez les pétoncles et laissez-les cuire pendant 1 minute ou jusqu'à ce qu'ils soient légèrement dorés. Tournez-les et faites-les cuire de l'autre côté pendant environ 30 secondes. Prenez soin de ne pas trop les faire cuire. Déposez-les dans une assiette.

3. Ramenez l'intensité du feu à la puissance moyenne. Ajoutez l'ail et faites-le cuire en remuant pendant 30 secondes ou jusqu'à ce qu'il dégage son parfum. Ajoutez en remuant le vin, le bouillon, le zeste et le jus de citron; amenez à ébullition. Ajoutez la crème et faites cuire en remuant jusqu'à ce que la sauce bouille et qu'elle ait réduit quelque peu.

4. Ajoutez le persil et assaisonnez de sel et de poivre au goût. Ajoutez les pétoncles et faites-les cuire pendant 1 minute ou jusqu'à ce que la sauce les ait réchauffés. Prenez soin de ne pas trop les faire cuire.

ANALYSE DES ÉLÉMENTS NUTRITIFS PAR PORTION	
Calories	420
Glucides	46 g
Fibres	3 g
Protéines	21 g
Total des matières grasses	16 g
Gras saturés	9 g
Sodium	440 mg
Cholestérol	74 mg

5. Entre-temps, faites cuire les pâtes dans une grande marmite d'eau bouillante salée jusqu'à ce qu'elles soient cuites mais encore fermes. Laissez-les égoutter et remettez-les dans la marmite.

6. Versez la sauce sur les pâtes et touillez jusqu'à ce qu'elles en soient bien enduites. À l'aide d'une cuillère, déposez-les dans des bols chauds et servez sans tarder.

CANNELLONIS AUX ÉPINARDS
et ricotta

POUR 6 PERSONNES

(2 cannellonis par portion)

1 c. à soupe (15 ml) d'huile d'olive
1 sachet (300 g ou 10 oz) d'épinards hachés surgelés, décongelés, sans excédent d'humidité
4 oignons verts tranchés
2 gousses d'ail hachées fin
1 œuf
2 tasses (500 ml) de ricotta
1 ½ tasse (375 ml) de provolone allégé, râpé
½ tasse (125 ml) de parmesan frais râpé
⅓ tasse (75 ml) de persil frais haché
¼ c. à thé (1 ml) de sel
¼ c. à thé (1 ml) de poivre noir frais moulu
¼ c. à thé (1 ml) de muscade fraîche râpée
6 lasagnes fraîches (23 x 15 cm ou 9 x 6 po chacune)
3 tasses (750 ml) de sauce italienne
½ tasse (125 ml) de bouillon de poulet

Faites d'abord chauffer le four à 180 °C (350 °F).
Plat de cuisson de 3 l (13 x 9 po) enduit d'un aérosol
de cuisson végétal

1. Faites chauffer l'huile à feu moyen-vif dans une grande poêle antiadhésive. Faites cuire les épinards, les oignons verts et l'ail en remuant pendant 3 minutes ou jusqu'à ce qu'ils aient fondu. Retirez du feu.

2. Dans un bol, fouettez l'œuf et ajoutez la ricotta, 125 ml (½ tasse) de provolone, 50 ml (¼ tasse) de parmesan, le persil, le sel, le poivre et la muscade. Incorporez en remuant à la préparation aux épinards, jusqu'à ce que les ingrédients soient bien liés.

3. Faites cuire les lasagnes dans une grande marmite d'eau bouillante salée jusqu'à ce qu'elles soient cuites mais encore fermes, soit 3 minutes environ. Jetez les pâtes dans une passoire et rincez-les à l'eau froide afin de les refroidir. Taillez chaque lasagne en deux dans le sens de la largeur. Déposez-les sur un linge humide.

4. Dans un bol, mélangez la sauce italienne et le bouillon. Déposez 250 ml (1 tasse) de cette sauce au fond du plat de cuisson apprêté.

5. À l'aide d'une cuillère, déposez 75 ml (⅓ tasse) de préparation à base de ricotta le long d'une extrémité de chaque lasagne. Enroulez-les et déposez-les dans le plat de

Afin de simplifier la préparation de ce plat à base de pâtes, j'emploie des sauces vendues dans les supermarchés. Lisez bien les données sur la valeur nutritive de chaque marque et choisissez celle qui contient le moins de sodium. Si vous avez le temps de préparer vous-même la sauce tomate, reportez-vous à la recette de la page 154.

Conseil

Afin de décongeler les épinards, sortez-les de leur sachet et déposez-les dans une cocotte de 1 l (4 tasses). Couvrez-les de pellicule plastique et passez-les au micro-ondes à la puissance maximale, en les remuant à une occasion, pendant 6 à 8 minutes ou jusqu'à ce qu'ils soient chauds. Déposez-les dans une passoire et pressez-les pour en exprimer l'eau.

ANALYSE DES ÉLÉMENTS NUTRITIFS PAR PORTION	
Calories	254
Glucides	26 g
Fibres	3 g
Protéines	7 g
Total des matières grasses	9 g
Gras saturés	5 g
Sodium	510 mg
Cholestérol	58 mg

cuisson en les alignant sur deux rangs. Couvrez de la sauce qui reste et garnissez de provolone et de parmesan. Faites cuire dans un four préchauffé pendant 40 à 45 minutes ou jusqu'à ce que la sauce bouillonne.

FUSILLIS AUX CHAMPIGNONS
et aux pois

POUR 4 PERSONNES

2 c. à thé (10 ml) de beurre

2 tasses (500 ml) de champignons tranchés

2 oignons verts tranchés

1 contenant (125 g ou 4 oz) de fromage à la crème allégé, parfumé à l'ail et aux fines herbes

1 tasse (250 ml) de pois surgelés

½ tasse (125 ml) de lait écrémé

⅓ tasse (75 ml) de parmesan fraîchement râpé

8 oz (250 g) de fusillis, pennes ou d'une autre pâte creuse
poivre noir frais moulu

J'aime employer des fusillis pour réaliser cette recette car la sauce adhère facilement à ces pâtes spiralées, mais vous pouvez employer n'importe quelle pâte qui se trouve au garde-manger.

Conseil

Vous pouvez préparer cette sauce en cinq minutes le jour précédent et la conserver au réfrigérateur. Faites-la réchauffer sur la cuisinière ou au micro-ondes avant d'y touiller les pâtes chaudes.

1. Faites fondre le beurre dans une grande casserole à feu moyen. Ajoutez les champignons et les oignons verts; faites-les cuire en remuant pendant 3 minutes ou jusqu'à ce qu'ils aient fondu. Ajoutez le fromage à la crème, les pois, le lait et le parmesan; faites cuire en remuant pendant 2 minutes ou jusqu'à ce que la sauce soit fumante.

2. Faites cuire les pâtes dans une marmite d'eau bouillante salée jusqu'à ce qu'elles soient cuites mais encore fermes. Faites-les égoutter. Ajoutez en remuant la préparation aux champignons et touillez afin d'en enduire les pâtes. Poivrez au goût. Servez sans tarder.

ANALYSE DES ÉLÉMENTS NUTRITIFS PAR PORTION	
Calories	398
Glucides	56 g
Fibres	5 g
Protéines	17 g
Total des matières grasses	12 g
Gras saturés	6 g
Sodium	580 mg
Cholestérol	31 mg

MACARONI AU FROMAGE
rapido presto

POUR 6 PERSONNES

2 c. à soupe (30 ml) de farine tout usage

1 ½ tasse (375 ml) de lait écrémé

1 ½ tasse (375 ml) de cheddar allégé, râpé

¼ tasse (50 ml) de parmesan frais râpé

1 c. à thé (5 ml) de moutarde de Dijon

poivre de Cayenne

2 tasses (500 ml) de macaronis

Cette version abrégée du macaroni au fromage est aussi facile à préparer que son équivalent en boîte.

Conseils

Pour faire un repas complet très rapide, ajoutez de 750 ml à 1 l (3 à 4 tasses) de pointes de brocoli à l'eau dans laquelle bouillent les pâtes au cours des 3 dernières minutes de cuisson. Retirez-les du feu lorsque le brocoli est cuit mais encore craquant.

Au moment de réchauffer les restes sur la cuisinière ou au micro-ondes, ajoutez du lait jusqu'à ce que la sauce soit crémeuse.

1. Dans une grande casserole, fouettez 50 ml (¼ tasse) de lait et la farine de manière à former une pâte lisse; ajoutez en remuant le reste de lait jusqu'à obtention d'une consistance homogène. Posez la casserole sur un feu moyen et faites cuire en remuant jusqu'à ce que la préparation vienne à ébullition et épaississe. À feu doux, ajoutez en remuant les fromages et la moutarde. Faites cuire en remuant jusqu'à ce que les fromages aient fondu. Assaisonnez d'une pincée de poivre de Cayenne; conservez au chaud.

2. Faites cuire les pâtes dans une marmite d'eau bouillante salée jusqu'à ce qu'elles soient cuites mais fermes. Faites-les égoutter et ajoutez en remuant la préparation au fromage. Faites cuire pendant 1 minute ou jusqu'à ce que les pâtes soient imprégnées de sauce. Servez sans tarder.

ANALYSE DES ÉLÉMENTS NUTRITIFS PAR PORTION	
Calories	269
Glucides	32 g
Fibres	2 g
Protéines	15 g
Total des matières grasses	8 g
Gras saturés	5 g
Sodium	460 mg
Cholestérol	24 mg

LASAGNE
simplissime

POUR 8 PERSONNES

2 tasses (500 ml) de ricotta allégée
2 œufs battus
⅓ tasse (75 ml) de parmesan frais râpé
¼ c. à thé (1 ml) de poivre noir frais moulu
¼ c. à thé (1 ml) de muscade fraîche moulue
12 lasagnes prêtes pour le four
1 bocal (700 ml ou 26 oz) de sauce tomate
1 ½ tasse (375 ml) de mozzarella écrémée, râpée

Tous raffolent de la lasagne, mais qui a le temps d'en préparer ? Essayez cette version simplifiée qui donnera au pire cuistot des allures de chef. Il s'agit en outre d'une bonne recette pour les jeunes apprentis puisqu'il n'y a aucun légume à hacher. Dès lors que vous assemblez les ingrédients, il faut environ 15 minutes pour la préparer et la lasagne est parée pour le four.

Conseil

La lasagne se congèle bien; couvrez-la de pellicule plastique, puis de papier d'aluminium et conservez-la au congélateur pendant près de deux mois. Laissez-la décongeler au réfrigérateur pendant la nuit avant de la faire cuire.

Faites d'abord chauffer le four à 180 °C (350 °F).
Plat de cuisson de 3 l (13 x 9 po) enduit d'un aérosol de cuisson végétal

1. Dans un bol, mélangez la ricotta, les œufs et le parmesan. Assaisonnez de poivre et de muscade.
2. En fonction de la consistance de la sauce tomate, ajoutez environ 175 ml (¾ tasse) d'eau afin de l'allonger. (Les nouilles cuites à l'avance absorbent davantage d'eau en cours de cuisson.)
3. À l'aide d'une cuillère, déposez 125 ml (½ tasse) de sauce au fond du plat de cuisson. Posez dessus 3 lasagnes. Versez dessus 175 ml (¾ tasse) de sauce et ensuite le tiers de la préparation à la ricotta. Refaites la même chose pour 2 autres étages de pâtes, de sauce et de ricotta. Posez enfin le dernier étage de pâtes et nappez-les de la sauce qui reste. Garnissez le tout de mozzarella râpée.
4. Faites cuire sans couvrir dans un four préchauffé pendant 45 minutes ou jusqu'à ce que le fromage soit fondu et que la sauce bouillonne.

ANALYSE DES ÉLÉMENTS NUTRITIFS PAR PORTION	
Calories	332
Glucides	31 g
Fibres	2 g
Protéines	21 g
Total des matières grasses	13 g
Gras saturés	7 g
Sodium	670 mg
Cholestérol	82 mg

PENNES AU FOUR
avec saucisses italiennes et poivrons doux

POUR 6 PERSONNES

1 c. à soupe (15 ml) d'huile d'olive

8 oz (250 g) de saucisses italiennes à la dinde douces ou pimentées

3 poivrons (de différentes couleurs)

1 gros oignon taillé dans le sens de la longueur et tranché fin

2 gousses d'ail hachées fin

1 c. à thé (5 ml) de basilic séché

1 c. à thé (5 ml) d'origan séché

½ c. à thé (2 ml) de flocons de piment de Cayenne ou au goût

1 boîte (796 ml ou 28 oz) de tomates italiennes et leur jus, hachées

¼ tasse (50 ml) de persil frais haché

12 oz (375 g) de pennes ou d'une autre pâte courte et creuse

1 tasse (250 ml) de mozzarella écrémée, râpée

¼ tasse (50 ml) de parmesan frais râpé

ANALYSE DES ÉLÉMENTS NUTRITIFS PAR PORTION	
Calories	432
Glucides	60 g
Fibres	5 g
Protéines	24 g
Total des matières grasses	11 g
Gras saturés	4 g
Sodium	675 mg
Cholestérol	57 mg

Ce savoureux plat à base de pâtes, débordant de délicieuses saucisses et de poivrons colorés, fait un joyeux festin quelle que soit l'occasion.

Conseils

Les saucisses à la dinde ne sont pas toutes pareilles. Lisez attentivement les données sur la valeur nutritive et choisissez celles qui ne contiennent pas plus de 10 g de matières grasses par tranche de 100 g (3 ½ oz).

Pour obtenir plus de saveur et consommer moins de sodium, remplacez les tomates en conserve par 4 grosses tomates mûres pelées et hachées.

Faites d'abord chauffer le four à 180 °C (350 °F). Plat de cuisson de 3 l (13 x 9 po) enduit d'un aérosol de cuisson végétal

1. Piquez les saucisses à l'aide d'une fourchette. Faites chauffer l'huile à feu moyen-vif dans un grand faitout ou une casserole; faites cuire les saucisses pendant 5 minutes ou jusqu'à ce qu'elles soient bien dorées. (Elles ne seront pas cuites complètement.) Retirez-les du faitout, tranchez-les et mettez-les de côté.

2. Enlevez le gras du faitout. Ajoutez les poivrons, l'oignon, l'ail, le basilic, l'origan, le sel et les flocons de piment de Cayenne; faites cuire en remuant souvent pendant 7 minutes ou jusqu'à ce que les légumes aient fondu.

3. Remettez les tranches de saucisses dans le faitout avec les tomates en conserve et leur jus. Amenez à ébullition; ramenez le feu à moyen-doux; couvrez et laissez mijoter en remuant de temps en temps pendant 20 minutes. Ajoutez le persil en remuant.

4. Entre-temps, faites cuire les pâtes dans une grande marmite d'eau bouillante salée jusqu'à ce qu'elles soient cuites mais encore fermes. Laissez-les égoutter. Déposez la moitié des pâtes dans le plat de cuisson, puis la moitié de la sauce. Déposez l'autre moitié des pâtes et enfin l'autre moitié de la sauce.

5. Dans un bol, mélangez la mozzarella et le parmesan afin d'en garnir le dessus du plat. Faites cuire sans couvrir dans un four préchauffé pendant 30 à 35 minutes ou jusqu'à ce que le fromage ait fondu et soit doré.

VERMICELLE À LA MODE
de Singapour

POUR 4 PERSONNES

6 oz (175 g) de vermicelle de riz

2 c. à soupe (30 ml) de sauce soja à teneur réduite en sodium

2 c. à thé (10 ml) de pâte ou de poudre de curry doux

4 c. à thé (20 ml) d'huile végétale

1 poivron rouge ou vert, taillé en fines lanières

5 oignons verts tranchés

5 grosses gousses d'ail hachées fin

3 tasses (750 ml) de germes de soja rincés et asséchés

12 oz (375 g) de petites crevettes cuites et pelées

Voici un plat à base de vermicelle fort prisé des connaisseurs, que l'on trouve au menu de bon nombre de restaurants chinois et que vous n'aurez aucun mal à reproduire dans votre cuisine.

Conseil

Vous pouvez remplacer le vermicelle par des cheveux d'ange. Faites cuire les nouilles selon les indications paraissant sur leur emballage avant de les ajouter au reste de la recette.

1. Faites cuire le vermicelle pendant 3 minutes dans une grande marmite d'eau bouillante salée. Jetez-le dans une passoire, rincez-le à l'eau froide afin de le refroidir et laissez-le égoutter. À l'aide de ciseaux, taillez le vermicelle en longueurs de 8 cm (3 po). Mettez-le de côté.

2. Dans un petit bol, mélangez la sauce soja et la pâte de curry; mettez de côté.

3. Faites chauffer un wok ou une grande poêle à frire à feu vif jusqu'à ce qu'il soit très chaud; ajoutez 10 ml (2 c. à thé) d'huile en remuant le wok pour en enduire toute la paroi. Faites sauter les lanières de poivron, les oignons verts et l'ail pendant 1 minute. Ajoutez les germes de soja et les crevettes; faites-les sauter pendant 1 ou 2 minutes ou jusqu'à ce que les légumes soient tendres mais encore craquants. Déposez le tout dans un bol.

4. Versez l'huile qui reste dans le wok; lorsqu'elle est très chaude, ajoutez le vermicelle et la préparation à base de sauce soja. Faites sauter pendant 1 minute ou jusqu'à ce que le vermicelle soit bien chaud. Remettez les légumes et les crevettes dans le wok et faites sauter pendant 1 minute de plus. Servez sans tarder.

ANALYSE DES ÉLÉMENTS NUTRITIFS PAR PORTION	
Calories	351
Glucides	46 g
Fibres	3 g
Protéines	25 g
Total des matières grasses	7 g
Gras saturés	1 g
Sodium	570 mg
Cholestérol	143 mg

RIZ PILAF
parfumé aux fines herbes

POUR 8 PERSONNES

1 c. à soupe (15 ml) d'huile d'olive	
1 petit oignon haché fin	
1 gousse d'ail hachée fin	
½ c. à thé (2 ml) de thym séché	
poivre noir frais moulu	
1 ½ tasse (375 ml) de riz blanc à grain long	
3 tasses (750 ml) de bouillon de poulet ou de légumes à teneur réduite en sodium	
1 petit poivron rouge taillé en dés fins	
¼ tasse (50 ml) de persil frais haché	

Ce riz pilaf parfumé aux fines herbes est l'accompagnement idéal d'une grande variété de mets. Servez-le avec du poisson, du poulet, du bœuf, de l'agneau ou du porc.

Conseil

Afin d'épargner du temps, préparez-le à l'avance et réchauffez-le au micro-ondes avant de servir.

Variante

Riz pilaf au safran
Remplacez le thym par 1 ml (¼ c. à thé) de safran écrasé.

1. Faites chauffer l'huile à feu moyen dans une grande casserole. Ajoutez l'oignon, l'ail, le thym et le poivre; faites cuire en remuant souvent pendant 3 minutes ou jusqu'à ce que l'oignon ait fondu.

2. Ajoutez le riz et le bouillon; amenez à ébullition. Couvrez et laissez mijoter à feu doux pendant 15 minutes ou jusqu'à ce que le bouillon soit presque entièrement absorbé.

3. Ajoutez en remuant le poivron rouge, couvrez et faites cuire pendant 7 à 9 minutes de plus ou jusqu'à ce que le riz soit tendre. Ajoutez le persil en remuant; laissez reposer sans couvrir pendant 5 minutes.

ANALYSE DES ÉLÉMENTS NUTRITIFS PAR PORTION	
Calories	155
Glucides	29 g
Fibres	1 g
Protéines	4 g
Total des matières grasses	2 g
Gras saturés	0 g
Sodium	185 mg
Cholestérol	0 mg

RISOTTO
aux champignons sauvages

POUR 10 PERSONNES

5 tasses (1,25 l) de bouillon de poulet ou de légumes à teneur réduite en sodium (environ)

1 c. à soupe (15 ml) de beurre

1 lb (500 g) de champignons variés, tels que des cremini, shiitakes et pleurotes, hachés grossièrement

2 gousses d'ail hachées fin

1 c. à soupe (15 ml) de thym frais haché

¼ c. à thé (1 ml) de poivre noir frais moulu

1 c. à soupe (15 ml) d'huile d'olive

1 petit oignon haché fin

1 ½ tasse (375 ml) de riz à grain court tel que l'arborio

½ tasse (125 ml) de vin blanc ou de bouillon

⅓ tasse (75 ml) de parmesan frais râpé

2 c. à soupe (30 ml) de persil frais haché

1. Amenez le bouillon à ébullition dans une grande casserole; réduisez l'intensité du feu et conservez-le au chaud.
2. Dans une casserole moyenne à fond épais, faites fondre le beurre à feu moyen. Ajoutez les champignons, l'ail, le thym et le poivre; faites-les cuire en remuant souvent pendant 5 à 7 minutes ou jusqu'à ce qu'ils soient tendres. Retirez-les de la casserole et réservez-les.
3. Ajoutez l'huile à la casserole; faites cuire l'oignon en remuant pendant 2 minutes ou jusqu'à ce qu'il ait fondu. Ajoutez le riz et remuez pendant 1 minute. Versez le vin et remuez jusqu'à ce que le riz l'ait absorbé. Ajoutez 250 ml (1 tasse) de bouillon chaud; réglez l'intensité du feu de sorte que le bouillon mijote et soit absorbé lentement. Lorsque tout le bouillon est absorbé, continuez d'en ajouter à raison de 250 ml (1 tasse) à la fois, en remuant presque sans cesse, pendant 15 minutes. Ajoutez la préparation aux champignons et faites cuire en remuant souvent, en ajoutant du bouillon à mesure que le riz l'absorbe, jusqu'à ce que les grains de riz soient tendres à l'extérieur et quelque peu fermes en leur centre. La préparation doit être crémeuse; ajoutez davantage de bouillon ou d'eau s'il le faut. (Au total, il faut compter entre 20 et 25 minutes de temps de cuisson.)
4. Ajoutez le parmesan; rectifiez l'assaisonnement avec le poivre. À l'aide d'une cuillère, déposez le risotto dans des ramequins chauds. Garnissez de persil et servez sans tarder.

La texture crémeuse du risotto en fait un mets réconfortant. Vous hésiterez peut-être à le préparer vous-même, mais la chose est facile si vous ne vous éloignez pas de la cuisinière. Le risotto ne tolère pas le manque de ponctualité; invitez donc tous les convives à prendre place à table avant d'y déposer la dernière louche de bouillon.

Conseil

Un risotto véritable est fait de riz italien à grain court. À mesure qu'il cuit, il libère un peu de la fécule à sa surface et le remuement constant produit une texture humide et crémeuse semblable à celle du porridge. Le riz arborio est le riz à grain court le plus répandu; vérifiez que l'emballage précise bien *superfino* pour vous assurer de vous procurer du riz de premier choix. Le vialone nano et le carnaroli sont deux types de riz italien à grain court qui font un merveilleux risotto. Ils n'ont pas autant de fécule à leur surface que l'arborio et leur cuisson exige moins de bouillon.

ANALYSE DES ÉLÉMENTS NUTRITIFS PAR PORTION	
Calories	179
Glucides	30 g
Fibres	2 g
Protéines	6 g
Total des matières grasses	4 g
Gras saturés	2 g
Sodium	320 mg
Cholestérol	6 mg

LENTILLES
façon bistro

POUR 6 PERSONNES

3 ½ tasses (875 ml) de bouillon de poulet ou de légumes à teneur réduite en sodium (environ)

1 ½ tasse (375 ml) de lentilles rincées et triées

½ c. à thé (2 ml) de thym séché

1 c. à soupe (15 ml) d'huile d'olive

1 tasse (250 ml) de dés d'oignon rouge

3 gousses d'ail hachées fin

2 carottes pelées et taillées en dés

1 tasse (250 ml) de dés de fenouil ou de céleri

1 poivron rouge taillé en dés

2 c. à soupe (30 ml) de vinaigre balsamique

1 tasse (250 ml) de dés de saucisse kolbassa extra-maigre ou de jambon maigre (environ 150 g ou 5 oz)

poivre noir frais moulu

¼ tasse (50 ml) de persil frais haché

Nous sommes vendredi soir. Vous avez travaillé dur toute la semaine. Ne vous donnez même pas la peine de mettre les couverts. Voici un plat qui tiendra sur vos genoux pendant que vous relaxerez en regardant la télé.

1. Amenez le bouillon à ébullition dans une grande casserole à feu vif. Ajoutez les lentilles et le thym; ramenez le feu à moyen-doux, couvrez et laissez mijoter pendant 25 à 30 minutes ou jusqu'à ce que les lentilles soient tendres tout en conservant leur forme.

2. Entre-temps, faites chauffer l'huile à feu moyen dans une grande poêle antiadhésive. Ajoutez les oignons, l'ail, les carottes et le fenouil; faites cuire en remuant souvent pendant 8 minutes. Ajoutez le poivron rouge; faites cuire en remuant pendant 2 minutes ou jusqu'à ce que les légumes soient tendres. Ajoutez le vinaigre en remuant et retirez du feu.

3. Ajoutez les légumes et la saucisse kolbassa aux lentilles; poivrez au goût. Couvrez et faites cuire pendant 5 à 8 minutes de plus ou jusqu'à ce que la saucisse soit bien chaude. (Ajoutez du bouillon ou de l'eau s'il le faut pour empêcher les lentilles de coller à la casserole.) Ajoutez le persil en remuant. Servez chaud ou à température ambiante.

ANALYSE DES ÉLÉMENTS NUTRITIFS PAR PORTION	
Calories	261
Glucides	37 g
Fibres	8 g
Protéines	19 g
Total des matières grasses	5 g
Gras saturés	0 g
Sodium	530 mg
Cholestérol	0 mg

FÈVES AU LARD
et à la mélasse

POUR 8 PERSONNES

1 lb (500 g) de haricots Great Northern ou de petits haricots ronds blancs séchés, rincés et triés (environ 550 ml ou 2 ¼ tasses)

6 tranches de lard fumé minces, hachées

1 gros oignon haché

3 gousses d'ail hachées fin

1 boîte (213 ml ou 7 ½ oz) de sauce tomate

⅓ tasse (75 ml) de mélasse

¼ tasse (50 ml) de cassonade bien tassée

2 c. à soupe (30 ml) de vinaigre balsamique

2 c. à thé (10 ml) de moutarde sèche

1 c. à thé (5 ml) de sel

¼ c. à thé (1 ml) de poivre noir frais moulu

Faites d'abord chauffer le four à 150 °C (300 °F).
Plat de cuisson ou pot de terre cuite de 3 l (12 tasses)

1. Mélangez les haricots avec 1,5 l (6 tasses) d'eau froide dans un grand faitout ou une casserole. Amenez à ébullition à feu vif et laissez bouillir pendant 2 minutes. Retirez du feu, couvrez et laissez reposer pendant 1 heure.

2. Jetez les haricots dans une passoire pour les faire égoutter. Remettez-les dans la casserole et couvrez-les de 2 l (8 tasses) d'eau froide. Amenez à ébullition; réduisez l'intensité du feu, couvrez et faites mijoter pendant 30 à 40 minutes ou jusqu'à ce que les haricots soient tendres mais conservent leur forme. Jetez-les dans une passoire pour les faire égoutter et réservez 500 ml (2 tasses) de l'eau de cuisson. Déposez les haricots dans le plat de cuisson ou le pot de terre cuite.

3. Entre-temps, faites cuire le lard dans une casserole à feu moyen en remuant souvent pendant 5 minutes ou jusqu'à ce qu'il soit croustillant. Enlevez le gras de la casserole. Ajoutez l'oignon et l'ail et faites cuire en remuant pendant 3 minutes ou jusqu'à ce que l'oignon ait fondu.

4. Ajoutez 500 ml (2 tasses) d'eau de cuisson, la sauce tomate, la mélasse, la cassonade, le vinaigre balsamique, la moutarde, le sel et le poivre. Versez sur les haricots en remuant.

5. Couvrez et faites cuire dans un four préchauffé pendant 2 heures 30 minutes à 3 heures ou jusqu'à ce qu'une grande part du liquide ait été absorbé par les haricots.

Voici un mets apprécié de tous qui nous rappelle la lointaine époque de la colonisation. Il s'agit d'une recette campagnarde qui convient à merveille à la froide saison, notamment si on l'accompagne de pain de ménage.

Variante

Fèves au four végétariennes

Pour en faire une version végétarienne, laissez tomber le lard et faites cuire les oignons et l'ail dans 30 ml (2 c. à soupe) d'huile végétale.

ANALYSE DES ÉLÉMENTS NUTRITIFS PAR PORTION	
Calories	287
Glucides	51 g
Fibres	11 g
Protéines	15 g
Total des matières grasses	3 g
Gras saturés	1 g
Sodium	655 mg
Cholestérol	7 mg

LÉGUMES

POMMES DE TERRE
à l'ail grillé

POUR 4 PERSONNES

4 grosses pommes de terre Russet brossées et taillées
en morceaux de 2,5 cm (1 po) (environ 1 kg ou 2 lb)

4 c. à thé (20 ml) d'huile d'olive

4 gousses d'ail effilées

poivre noir frais moulu

1 c. à soupe (15 ml) de persil frais haché

Si vous êtes comme moi, vous vous tournerez vers ce plat
qui se prépare en moins de deux afin d'accompagner le
rôti du dimanche. Ces pommes de terre complètent à
merveille le steak minute façon bistro (reportez-vous à la
recette à la page 80) et d'autres grillades.

Conseil

Pelez les pommes de terre si vous le souhaitez, mais je
considère qu'elles sont plus goûteuses avec la pelure.

Faites d'abord chauffer le four à 200 °C (400 °F).
Plat de cuisson de 3 l (13 x 9 po) enduit d'un aérosol
de cuisson végétal

1. Faites cuire les morceaux de pommes de terre dans une
grande marmite d'eau bouillante salée pendant 5 minutes et
jetez-les dans une passoire afin de les égoutter. Déposez-les
dans le plat de cuisson. Nappez-les d'un filet d'huile et
parfumez-les d'ail. Poivrez au goût.

2. Faites cuire au four pendant 40 minutes en remuant de
temps en temps, jusqu'à ce que les pommes de terre soient
tendres et dorées. Garnissez de persil.

ANALYSE DES ÉLÉMENTS NUTRITIFS PAR PORTION	
Calories	138
Glucides	26 g
Fibres	2 g
Protéines	3 g
Total des matières grasses	3 g
Gras saturés	0 g
Sodium	300 mg
Cholestérol	0 mg

OIGNONS PERLÉS GRILLÉS
et canneberges

POUR 6 PERSONNES

2 sachets ou paniers d'oignons perlés
(284 g ou 10 oz chacun)

½ tasse (125 ml) de canneberges fraîches

¼ tasse (50 ml) de porto Ruby

1 c. à soupe (15 ml) de cassonade

1 c. à thé (5 ml) de romarin frais haché fin

1 c. à soupe (15 ml) de beurre en petites mottes

poivre noir frais moulu

Oubliez la compote de canneberges la prochaine fois que vous servirez de la dinde. Servez plutôt ces savoureux oignons en accompagnement de la volaille ou du rôti de porc.

Faites d'abord chauffer le four à 190 °C (375 °F).
Grand plat de cuisson peu profond

1. Faites blanchir les oignons pendant 2 minutes dans une marmite d'eau bouillante salée. Jetez-les dans une passoire afin de les faire égoutter; passez-les sous l'eau froide pour arrêter la cuisson. Enlevez leurs tiges et leurs pelures. Déposez-les dans un plat de cuisson suffisamment grand pour que les oignons soient étalés en un seul rang.

2. Ajoutez les canneberges, le porto, la cassonade et le romarin. Déposez çà et là les mottes de beurre et poivrez.

3. Faites-les cuire dans un four préchauffé en remuant de temps en temps pendant environ 35 minutes ou jusqu'à ce que les oignons soient tendres et que la sauce ait suffisamment réduit et quelque peu épaissi. Servez-les chauds ou à température ambiante.

ANALYSE DES ÉLÉMENTS NUTRITIFS PAR PORTION	
Calories	105
Glucides	18 g
Fibres	2 g
Protéines	2 g
Total des matières grasses	3 g
Gras saturés	2 g
Sodium	35 mg
Cholestérol	8 mg

LÉGUMES GRILLÉS
au four

POUR 6 PERSONNES

3 carottes moyennes
2 panais moyens
la moitié d'un petit rutabaga (environ 250 g ou 8 oz)
1 oignon rouge moyen taillé en quartiers
2 gousses d'ail effilées
¼ tasse (50 ml) de xérès sec ou de bouillon de poulet à teneur réduite en sodium
1 c. à soupe (15 ml) de beurre fondu
½ c. à thé (2 ml) de sel
¼ c. à thé (1 ml) de poivre noir frais moulu
2 c. à soupe (30 ml) de persil frais haché

La cuisson au four adoucit le goût de ces légumes-racines. Ce plat est le complément idéal des ragoûts et des pommes de terre en purée.

Conseils

Nous avons l'habitude de faire griller les pommes de terre; faire de même avec d'autres légumes ne déroge pas tellement à nos habitudes culinaires. Faites cuire ainsi d'autres légumes tels que les poivrons, la courge d'hiver, les betteraves, le chou-fleur, voire les asperges. Le résultat vous étonnera. Employez de l'huile à la place du beurre et ajoutez une pincée de fines herbes, si vous le souhaitez. Réduisez le temps de cuisson en fonction de la variété et de la taille des légumes.

Faites d'abord chauffer le four à 200 °C (400 °F).
Plat de cuisson de 3 l (13 x 9 po) enduit d'un aérosol de cuisson végétal

1. Pelez les carottes, les panais et le rutabaga; taillez-les en lanières de 5 x 1 cm (2 x ½ po). Déposez-les dans le plat de cuisson avec l'oignon et l'ail.
2. Mélangez le xérès et le beurre dans un petit bol et nappez-en les légumes. Salez et poivrez.
3. Couvrez le plat de papier d'aluminium et faites cuire au four pendant 30 minutes. Retirez le papier d'aluminium et poursuivez la cuisson pendant 25 à 30 minutes en remuant de temps en temps, et ce, jusqu'à ce que les légumes soient tendres et quelque peu dorés. Garnissez de persil au moment de servir.

ANALYSE DES ÉLÉMENTS NUTRITIFS PAR PORTION	
Calories	101
Glucides	19 g
Fibres	4 g
Protéines	2 g
Total des matières grasses	1 g
Gras saturés	1 g
Sodium	245 mg
Cholestérol	5 mg

POMMES DE TERRE
farcies au bœuf

POUR 4 PERSONNES

4 grosses pommes de terre à cuire au four (250 g ou 8 oz chacune)
8 oz (250 g) de bœuf ou de veau hachés maigres
⅓ tasse (75 ml) d'oignons hachés fins
1 gousse d'ail hachée fin
1 c. à thé (5 ml) de sauce Worcestershire
poivre noir frais moulu
½ tasse (125 ml) de crème sure ou de yogourt nature allégés ou de babeurre (environ)
⅔ tasse (150 ml) de cheddar allégé, râpé
2 c. à soupe (30 ml) de persil frais haché

Faites d'abord chauffer le four à 200 °C (400 °F).
Plat de cuisson de 3 l (13 x 9 po)

1. Brossez vigoureusement les pommes de terre et percez leur pelure à l'aide d'une fourchette en plusieurs endroits afin que la vapeur puisse s'en échapper. Faites-les cuire au micro-ondes (reportez-vous au conseil ci-contre).

2. Faites cuire le bœuf dans une grande poêle antiadhésive, en le défaisant à l'aide d'une cuillère de bois, pendant 4 minutes ou jusqu'à ce qu'il ne soit plus rosé. Réduisez l'intensité du feu à la puissance moyenne. Ajoutez les oignons, l'ail et la sauce Worcestershire; poivrez au goût. Faites cuire en remuant souvent pendant 4 minutes ou jusqu'à ce que les oignons aient fondu.

3. Taillez les pommes de terre en deux sur le sens de la longueur. À l'aide d'une cuillère parisienne, prélevez la chair de chaque pomme de terre en en laissant 0,5 cm (¼ po) sous la pelure. Mettez de côté les pommes de terre évidées.

4. Dans un bol, réduisez la chair des pommes de terre en purée à l'aide d'une fourchette ou d'un pilon; ajoutez en fouettant suffisamment de crème sure pour obtenir une consistance homogène. Ajoutez en remuant la préparation au bœuf, la moitié du fromage et tout le persil; poivrez au goût. À l'aide d'une cuillère, farcissez chaque pomme de terre que vous garnirez de cheddar râpé.

Les pommes de terre farcies de différentes garnitures font un repas apprécié de tous les miens. Je les prépare à l'avance en prévision de ces soirs où nous n'avons pas le même horaire. Il suffit de les réchauffer dans le micro-ondes à mesure que chacun arrive à la maison et le souper est servi.

Conseils

Pour cuire les pommes de terre au four : passez-les dans un four à 200 °C (400 °F) pendant 1 heure ou jusqu'à ce que leur chair ne soit plus ferme.

Pour cuire les pommes de terre au micro-ondes : disposez-les en un cercle à 2,5 cm (1 po) de distance les unes des autres sur un essuie-tout. Faites-les cuire à puissance maximale, en les tournant au mitan de la cuisson, jusqu'à ce que les dents d'une fourchette puissent s'y enfoncer sans difficulté. Temps de cuisson au micro-ondes : 4 à 5 minutes pour une pomme de terre, 6 à 8 minutes pour 2 pommes de terre et 10 à 12 minutes pour 4 pommes de terre.

Pour obtenir des pommes de terre plus humides, enveloppez chacune dans du papier d'aluminium; pour obtenir des pommes de terre plus sèches, enveloppez-les d'un torchon sec. Laissez-les reposer pendant 5 minutes.

ANALYSE DES ÉLÉMENTS NUTRITIFS PAR PORTION	
Calories	411
Glucides	50 g
Fibres	4 g
Protéines	22 g
Total des matières grasses	14 g
Gras saturés	6 g
Sodium	225 mg
Cholestérol	47 mg

5. Disposez les pommes de terre dans le plat de cuisson et faites-les cuire dans un four préchauffé pendant 15 minutes ou jusqu'à ce que le fromage ait fondu. Sinon, déposez-les sur une clayette qui supporte le micro-ondes ou une grande assiette de service et passez-les au micro-ondes à la puissance moyenne-élevée (70 %) pendant 5 à 7 minutes ou jusqu'à ce que le fromage soit fondu.

'BROCOLI VAPEUR
en sauce au cheddar

POUR 6 PERSONNES

(300 ml ou 1 ¼ tasse de sauce)

8 tasses (2 l) de tiges et de bouquets de brocoli (1 gros plant)	
1 c. à soupe (15 ml) de fécule de maïs	
1 tasse (250 ml) de lait faible en gras	
1 tasse (250 ml) de cheddar allégé, râpé	
muscade moulue et piment de Cayenne	

Ce légume d'accompagnement tout simple se retrouve sur la table de tous nos repas de fête, notamment à Noël et à l'Action de grâce. Il fait le plaisir de tous. Servez la sauce au fromage avec d'autres légumes tels que le chou-fleur et les choux de Bruxelles.

Conseil

Afin d'apprêter les tiges de brocoli, taillez les bouts filandreux et pelez les tiges. Faites-les cuire en morceaux de 5 x 1 cm (2 x ½ po).

Cocotte de 2 l (8 tasses)

1. Faites cuire le brocoli à la vapeur pendant 5 minutes ou jusqu'à ce qu'il soit tendre. Jetez-le dans une passoire pour le faire égoutter et déposez-le dans la cocotte.

2. Entre-temps, mélangez, à l'aide d'un fouet, la fécule et le lait dans une petite casserole; remuez jusqu'à obtention d'une consistance homogène. Posez la casserole sur un feu moyen et faites cuire, en remuant sans cesse à l'aide du fouet, pendant 5 à 7 minutes ou jusqu'à ce que la préparation arrive à ébullition et commence à épaissir. Retirez du feu. Ajoutez le fromage, en remuant toujours à l'aide du fouet, jusqu'à ce qu'il ait fondu. Assaisonnez de muscade et de poivre de Cayenne, au goût. Versez sur le brocoli et servez sans tarder.

ANALYSE DES ÉLÉMENTS NUTRITIFS PAR PORTION	
Calories	112
Glucides	9 g
Fibres	3 g
Protéines	9 g
Total des matières grasses	5 g
Gras saturés	3 g
Sodium	210 mg
Cholestérol	15 mg

MAÏS SAUTÉ
à la tomate et au basilic

POUR 6 PERSONNES

2 c. à thé (10 ml) d'huile d'olive ou végétale

3 oignons verts tranchés

1 petit poivron vert taillé en dés

3 tasses (750 ml) de grains de maïs frais (environ 5 épis) ou surgelés, non cuits

2 tomates épépinées et taillées en dés

2 c. à soupe (30 ml) de basilic frais haché ou 5 ml (1 c. à thé) de basilic séché

1 pincée de sucre granulé

poivre noir frais moulu

Le maïs frais est un régal estival. Servez ce savoureux plat d'accompagnement avec des grillades.

Conseil

Il est préférable d'employer du maïs frais, mais vous pouvez préparer cette recette avec du maïs surgelé. Afin de tailler les grains de maïs de l'épi, posez-le à la verticale sur son extrémité plate et utilisez un couteau à lame bien tranchante.

1. Faites chauffer l'huile à feu moyen-vif dans une grande poêle antiadhésive. Ajoutez les oignons verts, le poivron vert, le maïs, les tomates et le basilic (s'il est séché). Faites cuire en remuant souvent pendant 5 à 7 minutes (de 8 à 10 minutes si le maïs est surgelé) ou jusqu'à ce que le maïs soit tendre.

2. Ajoutez le sucre et poivrez au goût. Garnissez de basilic haché (s'il est frais).

ANALYSE DES ÉLÉMENTS NUTRITIFS PAR PORTION	
Calories	99
Glucides	20 g
Fibres	3 g
Protéines	3 g
Total des matières grasses	3 g
Gras saturés	0 g
Sodium	15 mg
Cholestérol	0 mg

FRITES AU FOUR

POUR 4 PERSONNES

4 grosses pommes de terre Russet ou 6 moyennes
(environ 1 kg ou 2 lb)

4 c. à thé (20 ml) d'huile d'olive ou d'huile végétale

J'adore les frites (qui affirmerait le contraire ?), mais quand il faut compter les calories j'opte pour cette façon de faire qui évite la friture.

Conseils

Les plaques à cuisson dont le contour est foncé attirent la chaleur du four et rôtissent les pommes de terre plus rapidement et leur confèrent plus de couleur que celles en aluminium.

Une portion de ces frites contient 30 g de glucides et seulement 5 g de matières grasses. La même quantité de frites servies dans un casse-croûte contient autant de glucides, mais environ 14 g de matières grasses et 80 calories de plus.

Faites d'abord chauffer le four à 230 °C (450 °F).
2 plaques à cuisson enduites d'un aérosol de cuisson végétal

1. Pelez les pommes de terre et taillez-les en longues lanières de 1 cm (½ po) de diamètre. Rincez-les plusieurs fois à l'eau froide jusqu'à ce qu'elles n'aient plus de fécule en surface. Couvrez-les d'eau froide jusqu'au moment de la cuisson. Jetez-les dans une passoire pour les faire égoutter; enveloppez-les d'un torchon sec afin de les assécher complètement.

2. Posez les pommes de terre sur les plaques à cuisson, nappez-les d'huile et remuez-les afin de bien les en enduire. Les pommes de terre doivent être disposées en un seul rang. Faites-les cuire au four pendant 25 à 30 minutes en les remuant de temps en temps jusqu'à ce qu'elles soient tendres et dorées.

ANALYSE DES ÉLÉMENTS NUTRITIFS PAR PORTION	
Calories	171
Glucides	30 g
Fibres	2 g
Protéines	3 g
Total des matières grasses	5 g
Gras saturés	1 g
Sodium	5 mg
Cholestérol	0 mg

CROUSTADE DE CHOU-FLEUR
aux noisettes

POUR 6 PERSONNES

1 c. à soupe (15 ml) de beurre
¼ tasse (50 ml) de noisettes hachées fin
½ tasse (125 ml) de chapelure
1 grosse gousse d'ail hachée fin
½ tasse (125 ml) de gruyère ou de cheddar allégés, râpés fin
2 c. à soupe (30 ml) de persil frais haché
1 chou-fleur moyen, taillé en pointes

Du chou-fleur blanc garni de fromage et de noix. Voilà le compagnon idéal du rôti du dimanche qui devient un plat principal pour les végétariens lorsqu'on le sert avec des légumineuses ou des pâtes.

Conseils

Garnissez d'autres légumes tels que le brocoli, les choux de Bruxelles ou les épinards de préparation à base d'ail et de chapelure. Les amandes non blanchies, les pacanes ou les noix peuvent remplacer les noisettes.

Activez le gril du four.
Plat de cuisson peu profond de 2,5 l (12 x 8 po) enduit d'un aérosol de cuisson végétal

1. Faites fondre le beurre à feu moyen dans une poêle antiadhésive de grosseur moyenne. Ajoutez les noisettes et faites cuire en remuant pendant 1 minute ou jusqu'à ce qu'elles soient légèrement dorées. Ajoutez la chapelure et l'ail; faites cuire en remuant pendant 1 minute de plus ou jusqu'à ce que la chapelure soit quelque peu colorée. Retirez du feu et laissez refroidir.
2. Mélangez dans un bol la préparation à base de chapelure, le fromage et le persil.
3. Faites cuire le chou-fleur dans une casserole d'eau bouillante salée pendant 3 à 5 minutes ou jusqu'à ce qu'il soit tendre mais encore craquant. Jetez-le dans une passoire pour le faire égoutter. Déposez-le dans le plat de cuisson et garnissez-le de préparation à base de chapelure. Passez-le sous le gril pendant 1 à 2 minutes ou jusqu'à ce que la garniture soit légèrement dorée.

ANALYSE DES ÉLÉMENTS NUTRITIFS PAR PORTION	
Calories	133
Glucides	7 g
Fibres	2 g
Protéines	8 g
Total des matières grasses	9 g
Gras saturés	4 g
Sodium	155 mg
Cholestérol	18 mg

'BOUQUET D'ASPERGES
garni de parmesan et d'amandes grillées

POUR 6 PERSONNES

1 ½ lb (750 g) d'asperges

¼ tasse (50 ml) de lamelles d'amandes blanchies

1 c. à soupe (15 ml) de beurre

2 gousses d'ail hachées fin

¼ tasse (50 ml) de parmesan frais râpé

poivre noir frais moulu

Lorsque les asperges cultivées à l'échelle régionale font leur apparition sur les étals des maraîchers, je les apprête avec des amandes craquantes et du parmesan fondant. Cette garniture est tout aussi délicieuse que la sauce hollandaise.

Conseil

Préparez ce plat avec des haricots verts. Apprêtez les haricots et taillez-les en morceaux de 4 cm (1 ½ po) de longueur et faites-les cuire dans de l'eau bouillante pendant 5 minutes environ ou jusqu'à ce qu'ils soient tendres mais encore craquants.

1. Rompez les pointes des asperges et taillez les tiges en diagonale en morceaux de 5 cm (2 po) de longueur. Amenez à ébullition 125 ml (½ tasse) d'eau dans une grande poêle antiadhésive; étalez les asperges et faites-les cuire pendant 2 minutes (commencez à chronométrer lorsque l'eau retourne au point d'ébullition) ou jusqu'à ce qu'elles soient tendres mais encore craquantes. Passez-les à l'eau froide pour les refroidir. Jetez-les dans une passoire afin de les faire égoutter et mettez-les de côté.

2. Nettoyez la poêle et placez-la à feu moyen. Ajoutez les amandes et faites-les griller en les remuant souvent pendant 2 à 3 minutes ou jusqu'à ce qu'elles soient dorées. Retirez-les du feu et mettez-les de côté.

3. À feu moyen-vif, faites fondre le beurre dans la poêle et faites cuire les asperges et l'ail en remuant pendant 4 minutes ou jusqu'à ce que les asperges soient tendres.

4. Garnissez de parmesan et poivrez. Déposez les asperges dans une assiette de service et garnissez-les d'amandes grillées.

ANALYSE DES ÉLÉMENTS NUTRITIFS PAR PORTION	
Calories	75
Glucides	4 g
Fibres	1 g
Protéines	4 g
Total des matières grasses	5 g
Gras saturés	2 g
Sodium	105 mg
Cholestérol	8 mg

SAUTÉ DE LÉGUMES
teriyaki

POUR 4 PERSONNES

2 c. à soupe (30 ml) de sauce teriyaki allégée ou de sauce soja à teneur réduite en sodium	
2 c. à soupe (30 ml) d'eau	
1 c. à soupe (15 ml) de vinaigre de riz non épicé	
2 c. à thé (10 ml) de cassonade bien tassée	
1 c. à thé (5 ml) de fécule de maïs	
1 grosse gousse d'ail hachée fin	
2 c. à thé (10 ml) d'huile végétale	
2 tasses (500 ml) de pointes de chou-fleur ou de brocoli	
1 poivron d'Amérique rouge taillé en lanières de 5 cm (2 po)	
2 petites courgettes taillées en 2 sur le sens de la longueur, en tranches fines	

1. Dans une tasse à mesurer en verre, mélangez la sauce teriyaki, l'eau, le vinaigre, la cassonade, la fécule de maïs et l'ail; laissez reposer.

2. Faites chauffer l'huile à feu vif dans un wok ou une grande poêle antiadhésive. Ajoutez le chou-fleur et faites-le cuire en remuant pendant 1 minute. Ajoutez le poivron rouge et la courgette; faites-les cuire en remuant pendant 2 minutes.

3. Réduisez l'intensité du feu à la puissance moyenne. Remuez la sauce teriyaki et versez-la dans la poêle en remuant. Faites cuire en remuant jusqu'à ce que la sauce épaississe quelque peu. Couvrez et prolongez la cuisson pendant 1 minute ou jusqu'à ce que les légumes soient cuits mais encore un peu craquants.

Reportez-vous aux grandes lignes de cette recette et composez votre propre sauté à partir des légumes dont vous disposez. Il vous en faudra près de 1,25 l (5 tasses).

Conseils

Il faut cuire en premier lieu les légumes dont la cuisson est la plus longue, tels que les carottes, le brocoli et le chou-fleur, avant de déposer dans la poêle ceux qui en exigent moins, par exemple les poivrons et les courgettes.

Vous pouvez en outre touiller les légumes avec 125 g (4 oz) de spaghettinis cuits pour faire un repas vite fait.

ANALYSE DES ÉLÉMENTS NUTRITIFS PAR PORTION	
Calories	66
Glucides	10 g
Fibres	2 g
Protéines	2 g
Total des matières grasses	3 g
Gras saturés	0 g
Sodium	140 mg
Cholestérol	0 mg

CHOU ROUGE
aigre-doux

POUR 8 PERSONNES

1 c. à soupe (15 ml) de beurre	
1 gros oignon haché fin	
2 pommes pelées, évidées, taillées en dés	
1 tasse (250 ml) de bouillon de poulet ou de légumes à teneur réduite en sodium	
½ tasse (125 ml) de vin rouge ou de bouillon additionnel	
⅓ tasse (75 ml) de vinaigre de vin rouge	
⅓ tasse (75 ml) de cassonade bien tassée	
1 feuille de laurier	
½ c. à thé (2 ml) de sel	
¼ c. à thé (1 ml) de cannelle moulue	
¼ c. à thé (1 ml) de poivre noir frais moulu	
1 pincée de clou de girofle moulu	
1 chou rouge moyen, râpé fin (environ 2,5 l ou 10 tasses)	
1 ½ c. à thé (7 ml) de fécule de maïs	
1 c. à soupe (15 ml) d'eau froide	

1. Faites fondre le beurre à feu moyen dans un grand faitout ou une casserole. Ajoutez l'oignon et les pommes et faites cuire en remuant souvent pendant 5 minutes ou jusqu'à ce qu'ils aient fondu.

2. Ajoutez le bouillon, le vin, le vinaigre, la cassonade, la feuille de laurier, le sel, la cannelle, le poivre et le clou de girofle. Amenez à ébullition et ajoutez le chou en remuant.

3. Couvrez et laissez mijoter à feu moyen-doux, en remuant de temps en temps, pendant 45 minutes ou jusqu'à ce que le chou soit tendre.

4. Délayez la fécule de maïs avec de l'eau et ajoutez-la au chou en remuant. Faites cuire 3 minutes de plus ou jusqu'à ce que la sauce ait quelque peu épaissi. Enlevez la feuille de laurier avant de servir.

ANALYSE DES ÉLÉMENTS NUTRITIFS PAR PORTION	
Calories	101
Glucides	20 g
Fibres	2 g
Protéines	1 g
Total des matières grasses	2 g
Gras saturés	1 g
Sodium	235 mg
Cholestérol	4 mg

Je considère ce plat à base de chou comme un mets de dépannage. Je conserve plusieurs contenants de chou rouge aigre-doux au congélateur, que je réchauffe au micro-ondes à la dernière minute pour accompagner des côtelettes ou un rôti de porc.

Conseils

La plupart des recettes à base de chou rouge cuit, dont celle-ci, font appel à du vinaigre ou du vin. Non seulement cela ajoute-t-il à la saveur, mais grâce à l'acidité, conserve au chou sa belle teinte rouge.

Dans des bacs de congélation, ce plat se conserve bien pendant près de trois mois.

COURGE MUSQUÉE
accompagnée de pois mange-tout et de poivrons rouges

POUR 6 PERSONNES

1 c. à soupe (15 ml) d'huile végétale
5 tasses (1,25 l) de courge musquée apprêtée (reportez-vous au conseil ci-contre)
4 oz (125 g) de pois mange-tout apprêtés
1 poivron rouge taillé en fines lanières
1 c. à soupe (15 ml) de cassonade bien tassée
1 ½ c. à thé (7 ml) de gingembre frais râpé
poivre noir frais moulu

Si la texture de la purée de courge vous rebute, essayez plutôt de la faire sauter !

Conseil

Afin d'apprêter une courge, pelez-la à l'aide d'un économe ou d'un couteau à éplucher. Taillez-la en quartiers dans le sens de la longueur et épépinez-la. Taillez-la ensuite en morceaux de 0,5 cm x 4 cm (¼ po x 1 ½ po).

1. Faites chauffer l'huile à feu moyen-vif dans une grande poêle antiadhésive. Faites cuire la courge en remuant pendant 3 ou 4 minutes ou jusqu'à ce qu'elle soit presque tendre.
2. Ajoutez les pois mange-tout, le poivron rouge, la cassonade et le gingembre. Faites cuire en remuant souvent pendant 2 minutes ou jusqu'à ce que les légumes soient tendres mais encore craquants. Poivrez au goût.

ANALYSE DES ÉLÉMENTS NUTRITIFS PAR PORTION	
Calories	95
Glucides	19 g
Fibres	3 g
Protéines	2 g
Total des matières grasses	2 g
Gras saturés	0 g
Sodium	5 mg
Cholestérol	0 mg

ASPERGES
rôties au four

POUR 4 PERSONNES

1 lb (500 g) d'asperges
1 c. à soupe (15 ml) d'huile d'olive
poivre noir frais moulu
1 c. à soupe (15 ml) de vinaigre balsamique

Le rôtissage fait ressortir la saveur de bon nombre de légumes, dont les asperges. La méthode de rôtissage au four est beaucoup plus simple et rehausse davantage la saveur des asperges que la cuisson à la vapeur.

Faites d'abord chauffer le four à 220 °C (425 °F).
Plaque à cuisson enduite d'un aérosol de cuisson végétal

1. Rompez les pointes des asperges. Si elles sont grosses, pelez les tiges. Disposez-les en un seul rang sur la plaque à cuisson. Nappez-les d'huile d'olive et poivrez-les.

2. Faites-les rôtir au four en remuant de temps en temps pendant 12 à 15 minutes ou jusqu'à ce qu'elles soient presque tendres.

3. Nappez les asperges de vinaigre balsamique et remuez-les afin de les en enduire. Faites-les rôtir pendant 3 à 5 minutes de plus ou jusqu'à ce qu'elles soient tendres mais encore craquantes. Servez sans tarder.

ANALYSE DES ÉLÉMENTS NUTRITIFS PAR PORTION	
Calories	46
Glucides	3 g
Fibres	1 g
Protéines	1 g
Total des matières grasses	4 g
Gras saturés	0 g
Sodium	5 mg
Cholestérol	0 mg

CAROTTES MINIATURES
glacées au citron

POUR 4 PERSONNES

1 lb (500 g) de carottes miniatures

¼ tasse (50 ml) de bouillon de poulet ou de légumes
à teneur réduite en sodium

2 c. à thé (10 ml) de beurre

1 c. à soupe (15 ml) de cassonade bien tassée

½ c. à thé (2 ml) de zeste de citron

1 c. à soupe (15 ml) de jus de citron frais

¼ c. à thé (1 ml) de sel

poivre noir frais moulu

1 c. à soupe (15 ml) de ciboulette ou de persil frais hachés

Voici l'un de mes plats préférés pour accompagner un rôti ou la dinde un soir de fête. On trouve désormais dans tous les supermarchés des sachets de carottes miniatures prêtes à l'emploi. Elles facilitent grandement la tâche d'un cuisinier, en particulier lorsqu'on doit préparer une quantité gargantuesque de mets pour un grand nombre de convives.

Conseils

Si vous préparez le double de la recette, glacez les légumes dans une grande poêle antiadhésive afin que le bouillon puisse s'évaporer rapidement.

Essayez cette recette en alliant des carottes, du rutabaga et du panais blanchis.

1. Faites cuire les carottes dans une casserole moyenne pleine d'eau bouillante salée pendant 5 à 7 minutes (commencez à chronométrer lorsque l'eau revient au point d'ébullition) ou jusqu'à ce qu'elles soient tendres mais encore craquantes; jetez-les dans une passoire pour les faire égoutter et retournez-les à la casserole.

2. Ajoutez le bouillon, le beurre, la cassonade, le zeste et le jus de citron, le sel et le poivre au goût. Faites cuire en remuant pendant 2 à 5 minutes ou jusqu'à ce que le liquide se soit évaporé et que les carottes soient bien glacées.

3. Garnissez de persil ou de ciboulette et servez.

ANALYSE DES ÉLÉMENTS NUTRITIFS PAR PORTION	
Calories	75
Glucides	13 g
Fibres	2 g
Protéines	1 g
Total des matières grasses	3 g
Gras saturés	1 g
Sodium	265 mg
Cholestérol	5 mg

SAUTÉ DE TOMATES CERISES
et de courgettes parfumées au basilic

POUR 4 PERSONNES

2 c. à thé (10 ml) d'huile d'olive

3 petites courgettes taillées en 2 sur le sens
de la longueur, en tranches fines

2 tasses (500 ml) de tomates cerises taillées en 2

½ c. à thé (2 ml) de cumin moulu (facultatif)

2 oignons verts tranchés

2 c. à thé (10 ml) de vinaigre balsamique

poivre noir frais moulu

2 c. à soupe (30 ml) de feuilles de basilic
ou de menthe fraîches, ciselées

Cette mosaïque de légumes colorés fait un magnifique plat
d'accompagnement en été.

Variante

Ajoutez en remuant 30 ml (2 c. à soupe) de pignons dans
une poêle à frire posée sur un feu moyen et faites-les
griller pendant 3 à 4 minutes. Ajoutez-les en même temps
que le basilic. Ils ajouteront l'équivalent d'une demi-
matière grasse.

1. Faites chauffer l'huile à feu vif dans une grande poêle
antiadhésive. Ajoutez les courgettes et faites-les cuire en
remuant pendant 1 minute. Ajoutez les tomates cerises,
le cumin, le cas échéant, les oignons verts et le vinaigre
balsamique. Faites cuire en remuant pendant 1 à 2 minutes
ou jusqu'à ce que les courgettes soient tendres mais encore craquantes et les tomates, bien chaudes. Poivrez au
goût.

2. Garnissez de basilic ciselé et servez sans tarder.

ANALYSE DES ÉLÉMENTS NUTRITIFS PAR PORTION	
Calories	52
Glucides	7 g
Fibres	2 g
Protéines	1 g
Total des matières grasses	3 g
Gras saturés	0 g
Sodium	10 mg
Cholestérol	0 mg

SALADES

SALADE DE PÂTES

à l'italienne

POUR 6 PERSONNES

8 oz (250 g) de pâtes telles que des fusillis ou des pennes

4 oz (125 g) de provolone allégé, taillé en petits cubes

1 tasse (250 ml) de tomates cerises taillées en 2
ou en quartiers, si elles sont grosses

⅓ tasse (75 ml) d'oignon rouge taillé en dés

½ gros poivron rouge taillé en lanières de 4 cm (1 ½ po)

½ gros poivron vert taillé en lanières de 4 cm (1 ½ po)

⅓ tasse (75 ml) d'olives Kalamáta (facultatif)

⅓ tasse (75 ml) de persil frais haché fin

VINAIGRETTE

¼ tasse (50 ml) d'huile d'olive

2 c. à soupe (30 ml) de vinaigre de vin rouge

1 c. à soupe (15 ml) de moutarde de Dijon

1 grosse gousse d'ail hachée fin

1 c. à thé (5 ml) de basilic séché

1 c. à thé (5 ml) d'origan séché

½ c. à thé (2 ml) de sel

¼ c. à thé (1 ml) de poivre noir frais moulu

Les salades de pâtes font la joie de tous, qu'elles soient présentées dans un buffet, lors d'un barbecue dans le jardin ou d'un repas plus formel.

Conseil

Vous pouvez remplacer l'origan et le basilic séchés par 15 ml (1 c. à soupe) d'origan ou de basilic frais. (En règle générale, il faut tripler les quantités quand on remplace les fines herbes séchées par des herbes fraîches.)

1. Faites cuire les pâtes dans une grande marmite d'eau bouillante salée jusqu'à ce qu'elles soient tendres mais encore fermes. Jetez-les dans une passoire et rincez-les à l'eau froide avant de les faire égoutter.

2. Dans un grand saladier, mélangez les pâtes, les cubes de fromage, les tomates, l'oignon, les poivrons, les olives et le persil.

3. Pour la vinaigrette : Mélangez dans un bol l'huile, le vinaigre, la moutarde, l'ail, le basilic, l'origan, le sel et le poivre.

4. Versez la vinaigrette sur la préparation aux pâtes et touillez jusqu'à ce qu'elles en soient bien enduites. Laissez reposer à température ambiante pendant près de 30 minutes afin que les saveurs se développent. Réfrigérez si vous préparez cette salade à l'avance.

ANALYSE DES ÉLÉMENTS NUTRITIFS PAR PORTION	
Calories	305
Glucides	36 g
Fibres	3 g
Protéines	12 g
Total des matières grasses	13 g
Gras saturés	3 g
Sodium	375 mg
Cholestérol	6 mg

SALADE NIÇOISE

POUR 4 PERSONNES

¼ tasse (50 ml) d'huile d'olive

2 c. à soupe (30 ml) de vinaigre de vin rouge

1 c. à soupe (15 ml) de vinaigre balsamique

1 c. à soupe (15 ml) de moutarde de Dijon

2 gousses d'ail hachées fin

¼ c. à thé (1 ml) de sel

¼ c. à thé (1 ml) de poivre noir frais moulu

1 lb (500 g) de pommes de terre nouvelles, taillées en deux

8 oz (250 g) de haricots verts parés, taillés en morceaux de 5 cm (2 po)

1 petit oignon rouge en tranches fines

1 boîte (170 g ou 6 ½ oz) de thon blanc égoutté et émietté

2 œufs à la coque taillés en quartiers

2 tomates mûres taillées en quartiers

12 olives niçoises ou noires

2 c. à soupe (30 ml) de câpres rincées

2 c. à soupe (30 ml) de ciboulette ou de persil frais hachés

Ce mets méditerranéen fait davantage un plat principal qu'une salade. Le thon, les pommes de terre, les haricots verts, les tomates, les œufs, les câpres et les olives noires lui confèrent un bel éventail de saveurs. Cette salade est aussi facile à préparer qu'elle est raffinée.

1. Dans un bol, mélangez, à l'aide d'un fouet, l'huile, les vinaigres, la moutarde, l'ail, le sel et le poivre.

2. Faites cuire les pommes de terre dans une grande casserole d'eau bouillante salée pendant 10 minutes ou jusqu'à ce qu'elles soient tendres. Sortez-les de l'eau à l'aide d'une cuillère à rainures et déposez-les dans un bol. Versez dessus 30 ml (2 c. à soupe) de vinaigrette et touillez afin de les en enduire.

3. Déposez les haricots verts dans la même casserole et amenez-les à ébullition; faites-les cuire pendant 3 à 5 minutes ou jusqu'à ce qu'ils soient tendres mais encore un peu craquants. Jetez-les dans une passoire, rincez-les à l'eau froide et épongez-les à l'aide d'essuie-tout. Déposez-les dans un autre bol avec l'oignon. Ajoutez 30 ml (2 c. à soupe) de vinaigrette et touillez-les.

4. Disposez les pommes de terre au centre d'une assiette de service et entourez-les du mélange à base de haricots. Déposez le thon sur les pommes de terre. Entourez-le d'œufs, de quartiers de tomates et d'olives. Garnissez de câpres et de persil et nappez avec le reste de vinaigrette. Servez sans tarder.

ANALYSE DES ÉLÉMENTS NUTRITIFS PAR PORTION	
Calories	338
Glucides	30 g
Fibres	4 g
Protéines	14 g
Total des matières grasses	19 g
Gras saturés	3 g
Sodium	640 mg
Cholestérol	106 mg

SALADE CÉSAR

¼ tasse (50 ml) d'huile d'olive

2 c. à soupe (30 ml) de mayonnaise allégée

2 c. à soupe (30 ml) de jus de citron frais

2 c. à soupe (30 ml) d'eau

1 c. à thé (5 ml) de moutarde de Dijon

2 gousses d'ail hachées fin

3 filets d'anchois hachés ou 15 ml (1 c. à soupe) de pâte d'anchois

¼ c. à thé (1 ml) de poivre noir frais moulu

1 grosse laitue romaine rompue en bouchées (environ 3 l ou 12 tasses)

croûtons à l'ail (reportez-vous à la recette ci-dessous)

⅓ tasse (75 ml) de parmesan frais râpé

1. Au robot culinaire, mélangez l'huile, la mayonnaise, le jus de citron, l'eau, la moutarde, l'ail, les filets d'anchois et le poivre; pulsez jusqu'à l'obtention d'une consistance lisse et crémeuse.

2. Déposez la laitue dans un saladier; versez la sauce et touillez légèrement. Ajoutez les croûtons et garnissez de parmesan. Touillez de nouveau. Goûtez et poivrez, s'il le faut. Servez sans tarder.

Croûtons à l'ail

4 tasses (1 l) de cubes de pain croûté de 1 cm (½ po)

1 c. à soupe (15 ml) d'huile d'olive

1 gousse d'ail hachée fin

2 c. à soupe (30 ml) de parmesan frais râpé

Faites d'abord chauffer le four à 190 °C (375 °F).
Plaque à cuisson

1. Déposez les cubes de pain dans un bol. Mélangez l'huile et l'ail et versez-les sur le pain en touillant. Garnissez de parmesan et touillez de nouveau. Déposez les cubes de pain sur une plaque à cuisson en un seul rang. Faites-les griller dans un four préchauffé, en les remuant à une reprise, pendant 10 minutes environ ou jusqu'à ce qu'ils soient dorés.

L'empereur des salades touillées fut nommé en l'honneur d'un restaurateur de Tijuana qui s'appelait Caesar Cardini. Ici, la mayonnaise apporte à cette salade classique une texture encore plus crémeuse que l'originale.

Conseils

La sauce César traditionnelle contient des œufs légèrement cuits. Ici, j'emploie plutôt de la mayonnaise car il y a un léger risque que les œufs crus soient contaminés par la salmonelle.

Assurez-vous que tous les composants de la salade sont rincés et asséchés rigoureusement, de préférence dans une essoreuse à laitue. Les croûtons maison rehaussent bien le goût, mais 750 ml (3 tasses) de croûtons achetés au supermarché font l'affaire lorsqu'on est pressé par le temps.

ANALYSE DES ÉLÉMENTS NUTRITIFS PAR PORTION	
Calories	177
Glucides	12 g
Fibres	2 g
Protéines	6 g
Total des matières grasses	12 g
Gras saturés	3 g
Sodium	305 mg
Cholestérol	7 mg

SALADE D'ÉPINARDS,
de champignons et de carottes

POUR 8 PERSONNES

1 sachet (300 g ou 10 oz) de jeunes épinards sans leurs tiges et hachés grossièrement (environ 2 l ou 8 oz)

1 ½ tasse (375 ml) de champignons tranchés

2 tasses (500 ml) de carottes pelées et râpées

1 ½ tasse (375 ml) de concombre épépiné, taillé en 2 sur le sens de la longueur, en tranches fines

1 petit oignon rouge, en tranches fines

⅓ tasse (75 ml) de raisins de Corinthe

VINAIGRETTE

¼ tasse (50 ml) d'huile d'olive

2 c. à soupe (30 ml) de jus de limette fraîche

1 c. à soupe (15 ml) de miel liquide

2 c. à thé (10 ml) de moutarde de Dijon

¾ c. à thé (4 ml) de cumin moulu

1 gousse d'ail hachée fin

½ c. à thé (2 ml) de sel

½ c. à thé (1 ml) de poivre noir frais moulu

1. Étagez dans un saladier le tiers des épinards hachés, tous les champignons, un autre tiers des épinards hachés, toutes les carottes râpées et le dernier tiers des épinards. Étagez tour à tour le concombre, l'oignon et les raisins. Couvrez et réfrigérez pendant près de 4 heures.

2. Pour la vinaigrette : Dans un bol, mélangez, à l'aide d'un fouet, l'huile, le jus de limette, le miel, la moutarde, le cumin, l'ail, le sel et le poivre. Au moment de servir, nappez la salade et touillez délicatement.

Cette salade est facile à préparer et économique. Mais elle fait toujours la joie de mes invités en raison de son mariage de saveurs, notamment du jus de limette, de la moutarde et du cumin qui équilibrent le caractère sucré des carottes et des raisins.

Conseil

Vous pouvez préparer cette salade colorée jusqu'à quatre heures à l'avance et la conserver au réfrigérateur. Versez la vinaigrette et touillez au moment de servir.

Variante

Remplacez le cumin par 4 ml (¾ c. à thé) de fines herbes.

ANALYSE DES ÉLÉMENTS NUTRITIFS PAR PORTION	
Calories	122
Glucides	14 g
Fibres	2 g
Protéines	2 g
Total des matières grasses	7 g
Gras saturés	1 g
Sodium	220 mg
Cholestérol	0 mg

SALADE DE CHOU
crémeuse

POUR 6 PERSONNES

8 tasses (2 l) de chou vert râpé fin

5 oignons verts tranchés

2 carottes pelées et râpées

2 c. à soupe (30 ml) de persil frais haché

½ tasse (125 ml) de mayonnaise allégée

2 c. à soupe (30 ml) de miel liquide

2 c. à soupe (30 ml) de vinaigre de cidre

1 c. à soupe (15 ml) de moutarde de Dijon

½ c. à thé (2 ml) de graines de céleri (facultatif)

½ c. à thé (2 ml) de sel

¼ c. à thé (1 ml) de poivre noir frais moulu

Un barbecue ou un pique-nique en famille exige un grand bol de salade de chou à l'ancienne nappée d'une vinaigrette crémeuse qui parfume la mayonnaise d'une pointe de moutarde.

Variante

Salade de chou à la Waldorf

Remplacez les carottes par 2 grandes tiges de céleri hachées et ajoutez 2 pommes taillées en dés et 175 ml (¾ tasse) de noix.

1. Mélangez le chou, les oignons verts, les carottes et le persil dans un saladier.

2. Dans un autre bol, mélangez la mayonnaise, le miel, le vinaigre, la moutarde, les graines de céleri, le cas échéant, le sel et le poivre. Versez sur la préparation au chou et touillez pour bien la napper de vinaigrette. Réfrigérez jusqu'au moment de servir.

ANALYSE DES ÉLÉMENTS NUTRITIFS PAR PORTION	
Calories	123
Glucides	16 g
Fibres	3 g
Protéines	2 g
Total des matières grasses	7 g
Gras saturés	1 g
Sodium	335 mg
Cholestérol	6 mg

SALADE ÉTAGÉE
à la grecque

4 tasses (1 l) de yogourt nature allégé

2 gousses d'ail hachées fin

2 c. à soupe (30 ml) d'huile d'olive

2 c. à soupe (30 ml) de vinaigre de vin rouge

1 c. à thé (5 ml) de sel

1 c. à thé (5 ml) de sucre granulé

1 c. à thé (5 ml) d'origan séché

¼ c. à thé (1 ml) de poivre noir frais moulu

1 petite laitue romaine, râpée (environ 2 l ou 8 oz, bien tassée)

1 petit oignon espagnol taillé en dés

1 poivron rouge taillé en dés

1 poivron vert taillé en dés

½ concombre épépiné, taillé en cubes

¼ tasse (50 ml) de persil frais haché

1 ½ tasse (375 ml) de feta en miettes (environ 175 g ou 6 oz)

2 tomates mûres taillées en quartiers

12 olives Kalamáta

Vous souvenez-vous des salades étagées des années 1950 qui étaient composées d'un étage de laitue iceberg en chiffonnade, de tranches d'œufs durs et de pois surgelés coiffés d'une lourde mayonnaise ? Cette version actualisée propose des légumes colorés qui accentuent les saveurs propres à la Grèce et une sauce au yogourt et à l'ail que ponctue un peu de féta.

Conseils

Afin de servir, plongez la cuillère dans tous les étages afin que chaque portion allie un peu de tout.

Pour faire mûrir les tomates, reportez-vous au conseil à la page 50.

1. Déposez le yogourt dans une passoire chemisée de mousseline posée sur un bol. Couvrez et réfrigérez pendant 4 heures ou jusqu'à ce que le yogourt fasse environ 625 ml (2 ½ tasses). Transférez-le dans un bol et jetez le lactosérum. Ajoutez en remuant l'ail, l'huile, le vinaigre, le sel, le sucre, l'origan et le poivre.

2. Déposez la laitue au fond d'un saladier de verre qui fait 20 ou 23 cm (8 ou 9 po) de diamètre. Par la suite, disposez tour à tour l'oignon, le poivron rouge, le poivron vert et le concombre.

3. Versez la préparation au yogourt sur le concombre. Réfrigérez à couvert, mais en prévoyant une certaine aération, pendant 8 heures, voire toute une nuit. Garnissez de persil et de feta, de quartiers de tomates et d'olives.

ANALYSE DES ÉLÉMENTS NUTRITIFS PAR PORTION	
Calories	172
Glucides	15 g
Fibres	2 g
Protéines	11 g
Total des matières grasses	9 g
Gras saturés	4 g
Sodium	695 mg
Cholestérol	12 mg

CHAUD-FROID AUX CHAMPIGNONS
et au chèvre

POUR 4 PERSONNES

6 tasses (1,5 l) de mesclun ou de différentes laitues

1 grosse pomme évidée, en quartiers

1 bûchette de chèvre (100 g ou 3 ½ oz) taillée en 8 tranches

2 c. à soupe (30 ml) d'huile d'olive

8 oz (250 g) de champignons cremini taillés en lamelles

4 oz (125 g) de champignons variés, tels que les pleurotes, les shiitakes et les porcinis, taillés en tranches épaisses

½ tasse (125 ml) d'oignons verts tranchés

¼ tasse (50 ml) de miel liquide

¼ tasse (50 ml) de vinaigre de cidre

¼ c. à thé (1 ml) de sel

¼ c. à thé (1 ml) de poivre noir frais moulu

⅓ tasse (75 ml) de noix grillées hachées grossièrement

On trouve à présent quantité de variétés de champignons dans les supermarchés. Mariez les champignons de votre choix selon les arrivages lorsque vous préparez cette salade en guise d'entrée ou de goûter léger. Choisissez des pommes telles que la Cortland ou la Granny Smith, qui ne brunissent pas lorsqu'on les tranche.

Conseils

On trouve le mesclun chez la plupart des marchands de fruits et légumes, mais vous pouvez le préparer vous-même à partir de chicorée de Trévise, de roquette et de laitue feuille de chêne.

Faites griller les noix au four à 180 °C (350 °F) pendant 7 à 9 minutes.

Variante

Remplacez le chèvre par du brie ou du camembert allégés.

1. Répartissez le mesclun dans quatre assiettes. Taillez les quartiers de pomme en 8 tranches fines et disposez-les en rond au centre de chaque assiette. Déposez 2 tranches de chèvre au centre de chaque cercle. (Cette préparation peut être faite un peu avant de servir; il suffit de couvrir les assiettes et de les mettre au réfrigérateur.)

2. Faites chauffer l'huile à feu moyen-vif dans une grande poêle antiadhésive. Faites cuire les champignons en remuant pendant 3 à 5 minutes ou jusqu'à ce qu'ils soient tendres.

3. Ajoutez les oignons verts, le miel, le vinaigre, le sel et le poivre; faites cuire en remuant pendant 15 secondes ou jusqu'à ce que le tout soit chaud. Retirez du feu. À l'aide d'une cuillère, déposez la préparation aux champignons sur le mesclun. Garnissez de noix et servez sans tarder.

ANALYSE DES ÉLÉMENTS NUTRITIFS PAR PORTION	
Calories	260
Glucides	35 g
Fibres	5 g
Protéines	9 g
Total des matières grasses	12 g
Gras saturés	4 g
Sodium	280 mg
Cholestérol	12 mg

RIZ À LA MEXICAINE
et salade de haricots noirs

POUR 8 PERSONNES

2 ½ tasses (625 ml) de riz basmati cuit
(reportez-vous au conseil ci-contre)

1 boîte (540 ml ou 19 oz) de haricots noirs égouttés et rincés

1 tasse (250 ml) de grains de maïs cuits

1 poivron rouge taillé en dés

4 oignons verts tranchés

VINAIGRETTE

⅓ tasse (75 ml) de crème sure allégée

2 c. à soupe (30 ml) d'huile d'olive

4 c. à thé (20 ml) de jus de limette ou de citron frais

1 c. à thé (5 ml) d'origan séché

1 c. à thé (5 ml) de cumin moulu

½ c. à thé (2 ml) de sauce au poivre de Cayenne

½ tasse (125 ml) de coriandre ou de persil frais hachés

Vous devez apporter la salade lors de la prochaine fête de quartier ? Voici une recette qui fera la joie de tous et que vous pouvez facilement doubler afin de nourrir autant de personnes qu'il le faut. Qui plus est, vous pouvez la préparer une journée à l'avance.

Conseil

Pour faire cuire le riz, rincez 175 ml (¾ tasse) de riz basmati à l'eau froide et laissez-le égoutter. Amenez 375 ml (1 ½ tasse) d'eau à ébullition dans une casserole moyenne. Ajoutez le riz et 1 ml (¼ c. à thé) de sel; couvrez et faites mijoter pendant 15 minutes ou jusqu'à ce que le riz soit tendre. Étendez le riz cuit sur une plaque à cuisson pour le faire refroidir.

1. Mélangez le riz, les haricots noirs, le maïs, le poivron rouge et les oignons verts dans un saladier.

2. **Pour la vinaigrette :** Mélangez dans un bol la crème sure, l'huile d'olive, le jus de limette, l'origan, le cumin et la sauce au poivre de Cayenne. Versez sur la préparation à base de riz et touillez. Couvrez le saladier et mettez-le au réfrigérateur pendant près de 8 heures. Au moment de servir, ajoutez la coriandre en remuant.

ANALYSE DES ÉLÉMENTS NUTRITIFS PAR PORTION	
Calories	185
Glucides	31 g
Fibres	4 g
Protéines	6 g
Total des matières grasses	5 g
Gras saturés	1 g
Sodium	230 mg
Cholestérol	0 mg

SALADE DE HARICOTS
en vinaigrette à la moutarde et à l'aneth

POUR 6 PERSONNES

1 lb (500 g) de haricots verts

1 boîte (540 ml ou 19 oz) de pois chiches, égouttés et rincés

⅓ tasse (75 ml) d'oignons rouges hachés

VINAIGRETTE

2 c. à soupe (30 ml) d'huile d'olive

2 c. à soupe (30 ml) de vinaigre de vin rouge

1 c. à soupe (15 ml) de moutarde de Dijon

1 c. à soupe (15 ml) de sucre granulé

¼ c. à thé (1 ml) de sel

¼ c. à thé (1 ml) de poivre noir frais moulu

2 c. à soupe (30 ml) d'aneth frais haché fin

La salade de haricots est un autre plat avec lequel nous avons grandi. Au départ, on employait des haricots à parchemin en conserve, mais les conserves comptent beaucoup de sel; aussi est-il préférable d'employer des haricots frais ou surgelés. Ainsi, 125 ml (une demi-tasse) de haricots verts frais cuits sans sel contiennent 2 mg de sodium, alors que la même quantité de haricots en boîte en contient 180 mg.

Variante

Remplacez les pois chiches par un mélange de haricots. Il peut s'agir de pois chiches, de haricots rouges, de haricots communs et de haricots à œil noir. On les trouve tous dans les supermarchés.

1. Coupez les extrémités des haricots; taillez-les en morceaux de 2,5 cm (1 po) de longueur. Faites-les bouillir dans une grande marmite d'eau salée pendant 3 à 5 minutes (commencez à chronométrer lorsque l'eau revient au point d'ébullition) ou jusqu'à ce qu'ils soient tendres mais encore un peu craquants. Jetez-les dans une passoire, passez-les à l'eau froide et faites-les égoutter.

2. Mélangez les haricots verts, les pois chiches et les oignons dans un saladier.

3. Pour la vinaigrette : Dans un petit bol, mélangez, à l'aide d'un fouet, l'huile, le vinaigre, la moutarde, le sucre, le sel et le poivre jusqu'à obtention d'une consistance homogène. Ajoutez l'aneth en remuant. Versez sur les haricots et touillez. Réfrigérez jusqu'au moment de servir.

ANALYSE DES ÉLÉMENTS NUTRITIFS PAR PORTION	
Calories	161
Glucides	23 g
Fibres	4 g
Protéines	6 g
Total des matières grasses	6 g
Gras saturés	1 g
Sodium	325 mg
Cholestérol	0 mg

SALADE PARMENTIER

POUR 8 PERSONNES

6 pommes de terre nouvelles de taille moyenne
(environ 1 kg ou 2 lb)

¾ tasse (175 ml) de pois surgelés

2 c. à soupe (30 ml) de vinaigre de vin rouge

1 c. à soupe (15 ml) de moutarde de Dijon

1 gousse d'ail hachée fin

4 oignons verts tranchés

2 tiges de céleri taillées en dés

¼ tasse (50 ml) de persil ou d'aneth frais hachés

½ tasse (125 ml) de mayonnaise allégée

¼ tasse (50 ml) de crème sure ou de yogourt nature allégés

3 œufs à la coque, hachés

poivre noir frais moulu

Rien ne marque mieux l'arrivée de l'été et des barbecues en plein air qu'une bonne salade Parmentier ! Ma version propose autre chose qu'une combinaison de pommes de terre et de mayo. Ici, les pommes de terre chaudes macèrent dans une marinade goûteuse avant d'être liées avec la mayonnaise. Cela donne l'une de mes salades d'été préférées.

1. Faites bouillir les pommes de terre entières dans une casserole moyenne d'eau bouillante salée pendant 20 à 25 minutes ou jusqu'à ce qu'elles soient tendres. Jetez-les dans une passoire pour les faire égoutter et laissez-les refroidir afin de pouvoir les manipuler. Pelez-les et taillez-les en cubes de 1 cm (½ po). Déposez-les dans une assiette de service.

2. Rincez les pois sous l'eau bouillante et laissez-les égoutter.

3. Dans un petit bol, mélangez le vinaigre, la moutarde et l'ail; versez sur les pommes de terre chaudes et touillez délicatement. Laissez-les refroidir à température ambiante. Ajoutez en remuant les oignons, le céleri et le persil. Ajoutez ensuite les œufs hachés et les pois.

4. Dans un bol, mélangez la mayonnaise, le yogourt, le sel et le poivre au goût. Incorporez aux pommes de terre jusqu'à ce qu'elles en soient toutes enduites. Réfrigérez jusqu'au moment de servir.

ANALYSE DES ÉLÉMENTS NUTRITIFS PAR PORTION	
Calories	162
Glucides	20 g
Fibres	2 g
Protéines	5 g
Total des matières grasses	7 g
Gras saturés	1 g
Sodium	395 mg
Cholestérol	75 mg

SALADE DE PÂTES
à la grecque

POUR 6 PERSONNES

8 oz (250 g) de pennes ou de fusillis
1 petit oignon haché
2 poivrons rouges taillés en dés
¾ tasse (175 ml) de feta allégée, en miettes
½ tasse (125 ml) d'olives Kalamata
¼ tasse (50 ml) de persil frais haché

VINAIGRETTE

¾ tasse (175 ml) de tzatziki
(reportez-vous à la recette ci-dessous)
1 c. à soupe (15 ml) d'huile d'olive
1 c. à soupe (15 ml) de vinaigre de vin rouge
1 c. à thé (5 ml) d'origan séché
¼ c. à thé (1 ml) de poivre noir frais moulu

1. Faites cuire les pâtes dans une grande marmite d'eau bouillante salée jusqu'à ce qu'elles soient tendres mais encore un peu craquantes. Jetez-les dans une passoire et rincez-les à l'eau froide pour les faire refroidir. Laissez-les égoutter. Mélangez dans un bol les pâtes, l'oignon, les poivrons rouges, la feta, les olives et le persil.
2. Pour la vinaigrette : Mélangez tous les ingrédients dans un bol, nappez-en les pâtes et touillez afin de les enduire de vinaigrette. Couvrez et réfrigérez. Sortez-les du réfrigérateur 30 minutes avant de les servir.

Tzatziki

3 tasses (750 ml) de yogourt nature allégé
1 tasse (250 ml) de concombre haché fin
1 c. à thé (5 ml) de sel
2 gousses d'ail hachées fin
2 c. à thé (10 ml) de jus de citron frais

1. Déposez le yogourt dans un filtre à café ou un tamis chemisé de deux essuie-tout posé sur un bol; couvrez et laissez le yogourt s'égoutter au réfrigérateur pendant 4 heures ou jusqu'à ce qu'il en reste l'équivalent de 375 ml (1 ½ tasse).
2. Déposez le concombre râpé dans un bol et saupoudrez-le de sel. Laissez reposer pendant 20 minutes. Jetez-le dans une passoire pour le faire égoutter, exprimez le surplus d'eau et épongez-le à l'aide d'essuie-tout. Dans un bol, mélangez le yogourt, le concombre, l'ail et le jus de citron.

Réduisez de beaucoup le temps de préparation en employant du tzatziki prêt à servir pour faire cette salade. Il s'agit d'une sauce à base de yogourt, d'ail et de concombre qui, en plus de servir d'accompagnement aux souvlakis, fait également une délicieuse vinaigrette en remplacement de la mayonnaise.

Conseils

Afin d'épépiner les tomates, taillez-les en deux sur le sens de la largeur et exercez une pression délicate pour en exprimer l'eau de végétation.

Si vous le souhaitez, vous pouvez remplacer le jus de citron du tzatziki par une quantité égale de vinaigre de vin rouge.

Le tzatziki peut se conserver à couvert au réfrigérateur pendant près de cinq jours. La recette ci-contre donne environ 500 ml (2 tasses) de sauce.

ANALYSE DES ÉLÉMENTS NUTRITIFS PAR PORTION	
Calories	284
Glucides	41 g
Fibres	4 g
Protéines	12 g
Total des matières grasses	9 g
Gras saturés	3 g
Sodium	570 mg
Cholestérol	9 mg

SALADE
de légumes grillés

POUR 4 PERSONNES

1 oignon vidalia
1 poivron rouge
1 poivron jaune
3 petites courgettes

VINAIGRETTE

2 c. à soupe (30 ml) d'huile d'olive
1 c. à soupe (15 ml) de vinaigre balsamique
1 c. à soupe (15 ml) de vinaigre de vin rouge
1 c. à thé (5 ml) de moutarde de Dijon
1 grosse gousse d'ail hachée fin
1 c. à soupe (15 ml) de persil frais haché fin
2 c. à thé (10 ml) de romarin ou de thym frais hachés fin
½ c. à thé (2 ml) de sel
½ c. à thé (2 ml) de poivre noir frais moulu

Vous pouvez préparer cette délicieuse salade avec les légumes que vous avez sous la main. Vous pouvez en outre employer des aubergines miniatures tranchées fin, du fenouil en tranches épaisses ou de grosses pointes d'asperges.

Conseil

Faites tremper les brochettes de bambou dans de l'eau froide pendant 15 minutes afin de les empêcher de brûler lorsque vous ferez griller les légumes.

Faites d'abord chauffer le barbecue et enduisez la grille d'un aérosol de cuisson végétal.
Brochettes de bambou

1. Taillez l'oignon en 4 tranches rondes; introduisez une brochette de bambou à travers les tranches pour les empêcher de se défaire au moment de la cuisson. Taillez les poivrons en quartiers; enlevez les membranes et les pépins. Taillez les courgettes en deux dans le sens de la largeur et taillez chaque morceau en deux. Disposez les légumes sur une plaque à cuisson.

2. Pour la vinaigrette : Mélangez dans un bol l'huile, les vinaigres, la moutarde, l'ail, le persil, le romarin, le sel et le poivre. Badigeonnez les légumes de vinaigrette et laissez-les macérer à température ambiante pendant 30 minutes ou jusqu'à 4 heures.

3. Posez-les sur le gril à feu moyen-vif et faites-les griller pendant 12 à 15 minutes en les tournant de temps en temps; enlevez les légumes lorsqu'ils sont tendres mais encore un peu craquants. Transférez-les dans une assiette de service; servez-les chauds ou à température ambiante.

ANALYSE DES ÉLÉMENTS NUTRITIFS PAR PORTION	
Calories	72
Glucides	10 g
Fibres	2 g
Protéines	1 g
Total des matières grasses	4 g
Gras saturés	0 g
Sodium	165 mg
Cholestérol	0 mg

SALADE DE HARICOTS VERTS
et de tomates italiennes

POUR 6 PERSONNES

1 lb (500 g) de jeunes haricots verts parés

8 petites tomates italiennes (environ 500 g ou 1 lb)

2 oignons verts tranchés

VINAIGRETTE

¼ tasse (50 ml) d'huile d'olive

4 c. à thé (20 ml) de vinaigre de vin rouge

1 c. à soupe (15 ml) de moutarde à l'ancienne

1 gousse d'ail hachée fin

½ c. à thé (2 ml) de sucre granulé

¼ c. à thé (1 ml) de sel

¼ c. à thé (1 ml) de poivre noir frais moulu

¼ tasse (50 ml) de persil frais haché

Lorsque je prépare cette salade à l'avance, je laisse les haricots verts blanchis, les tomates et la vinaigrette dans des bols distincts et je les touille au dernier moment pour éviter que les légumes ne s'amollissent trop en buvant la vinaigrette.

Conseil

Nappez de cette magnifique vinaigrette à la moutarde vos autres salades et légumes verts.

1. Faites cuire les haricots pendant 3 à 5 minutes dans une casserole moyenne d'eau bouillante salée ou jusqu'à ce qu'ils soient tendres mais encore craquants. Jetez-les dans une passoire pour les rincer à l'eau froide et laissez-les égoutter. Épongez-les à l'aide d'essuie-tout ou enveloppez-les d'un torchon propre.

2. Taillez les tomates italiennes en deux sur le sens de la longueur; à l'aide d'une cuillère parisienne, dégagez leurs cœurs. Taillez chaque morceau en deux sur le sens de la longueur et déposez-les dans un bol. Au moment de servir, mélangez les haricots, les tomates et les oignons verts dans un saladier.

3. Pour la vinaigrette : Dans un petit bol, mélangez, à l'aide d'un fouet, l'huile, le vinaigre, la moutarde, l'ail, le sucre, le sel et le poivre. Ajoutez le persil en remuant. Versez sur la salade et touillez.

ANALYSE DES ÉLÉMENTS NUTRITIFS PAR PORTION	
Calories	128
Glucides	10 g
Fibres	3 g
Protéines	2 g
Total des matières grasses	10 g
Gras saturés	1 g
Sodium	150 mg
Cholestérol	0 mg

TABOULÉ

¾ tasse (175 ml) de bulgur fin

2 tasses (500 ml) de persil plat haché fin

4 oignons verts hachés fin

¼ tasse (50 ml) de feuilles de menthe fraîches hachées fines ou 30 ml (2 c. à soupe) de feuilles séchées émiettées (facultatif)

¼ tasse (50 ml) d'huile d'olive

¼ tasse (50 ml) de jus de citron frais

1 c. à thé (5 ml) de sel

½ c. à thé (2 ml) de paprika

¼ c. à thé (1 ml) de poivre noir frais moulu

2 tomates épépinées et taillées en dés

Le taboulé, cette salade libanaise composée de bulgur au goût de noisettes, offre un bel exemple de plat réconfortant provenant de la Méditerranée qui s'est gagné la faveur populaire ces dernières années. Cette salade rafraîchissante est souvent présentée dans la section réservée aux charcuteries des supermarchés, avec la salade Parmentier et la salade de chou. Cette version bon marché est facile à préparer soi-même.

Conseils

Le bulgur est du blé concassé précuit que l'on a fait sécher. Il faut le faire tremper dans l'eau avant de l'employer.

Cette salade se conserve pendant plusieurs jours. Il est préférable d'ajouter les tomates au moment de servir pour éviter qu'elles ne mouillent trop les autres ingrédients.

1. Déposez le bulgur dans un bol et couvrez-le d'eau. Laissez reposer pendant 30 minutes. Jetez-le dans une passoire fine afin de l'égoutter. Exprimez autant d'eau que vous le pouvez à l'aide du dos d'une cuillère ou de vos mains.

2. Mélangez le bulgur, le persil, les oignons verts et la menthe, le cas échéant, dans un saladier.

3. Dans un petit bol, mélangez l'huile, le jus de citron, le sel, le paprika et le poivre. Versez sur la préparation à base de bulgur et touillez. Couvrez et réfrigérez jusqu'au moment de servir. Déposez les dés de tomate au dernier moment.

ANALYSE DES ÉLÉMENTS NUTRITIFS PAR PORTION	
Calories	119
Glucides	13 g
Fibres	3 g
Protéines	2 g
Total des matières grasses	7 g
Gras saturés	1 g
Sodium	0 mg
Cholestérol	305 mg

BISCUITS, MUFFINS ET PAINS

ʼBISCUITS

aux pépites de chocolat

POUR 40 BISCUITS

(1 biscuit par portion)

¾ tasse (175 ml) de beurre amolli

¾ tasse (175 ml) de sucre granulé

½ tasse (125 ml) de cassonade bien tassée

2 œufs

2 c. à thé (10 ml) de vanille

1 ¾ tasse (425 ml) de farine tout usage

½ c. à thé (2 ml) de bicarbonate de soude

½ c. à thé (2 ml) de sel

1 ½ tasse (375 ml) de pépites de chocolat mi-sucré

Faites d'abord chauffer le four à 190 °C (375 °F).
Plaques à cuisson

1. Dans un bol, réduisez le beurre en crème à l'aide d'un mélangeur et incorporez le sucre granulé et la cassonade jusqu'à ce que le tout soit léger comme un nuage. Ajoutez en mixant les œufs et la vanille et fouettez jusqu'à l'obtention d'une consistance homogène.

2. Dans un autre bol, mélangez la farine, le bicarbonate de soude et le sel. Incorporez-les à la préparation au beurre jusqu'à ce qu'ils soient bien mélangés et ajoutez les pépites de chocolat en remuant.

3. Déposez des cuillerées (15 ml ou 1 c. à soupe) de pâte à 5 cm (2 po) de distance les unes des autres sur les plaques à cuisson.

4. Faites cuire une plaque à la fois sur la clayette au centre du four préchauffé pendant 10 à 12 minutes ou jusqu'à ce que les contours des biscuits soient fermes. (Faites-les cuire moins longtemps si vous préférez que le centre des biscuits soit moelleux.) Laissez les biscuits refroidir pendant 2 minutes sur la plaque à cuisson avant de les poser sur une clayette pour les laisser refroidir complètement.

ANALYSE DES ÉLÉMENTS NUTRITIFS PAR PORTION	
Calories	110
Glucides	15 g
Fibres	1 g
Protéines	1 g
Total des matières grasses	6 g
Gras saturés	3 g
Sodium	85 mg
Cholestérol	19 mg

Je ne manque jamais de goûteurs lorsque le premier lot de ces biscuits sort du four. Ma famille les adore truffés de pépites de chocolat et de noix. Servis avec un verre de lait écrémé froid, ils font un délice.

Variante

Biscuits avec double ration de pépites de chocolat

Diminuez à 375 ml (1 ½ tasse) la quantité de farine tout usage et tamisez-la avec 125 ml (½ tasse) de cacao en poudre non sucré et le bicarbonate de soude. Remplacez le chocolat noir par des pépites de chocolat blanc.

'BISCUITS
à la farine d'avoine

POUR 36 BISCUITS

(1 biscuit par portion)

¾ tasse (175 ml) de beurre amolli

1 ¼ tasse (300 ml) de cassonade bien tassée

1 œuf

1 c. à thé (5 ml) de vanille

1 ¼ tasse (300 ml) de farine de blé complet

½ c. à thé (2 ml) de bicarbonate de soude

¼ c. à thé (1 ml) de sel

1 ½ tasse (375 ml) de flocons d'avoine à l'ancienne

¾ tasse (175 ml) d'amandes effilées ou de pacanes hachées

¾ tasse (175 ml) de canneberges, de cerises ou de raisins séchés

Les enfants raffolent des biscuits faits à la maison, en particulier lorsqu'ils sont moelleux comme ceux-ci, préparés avec de l'avoine complète.

Conseils

Tournez-vous vers la combinaison de fruits et de noix qui plaît aux membres de votre famille ou dont vous disposez. Il suffit d'en ajouter 375 ml (1 ½ tasse) à la pâte.

Laissez refroidir complètement les plaques à cuisson avant de les employer pour cuire le prochain lot; cela empêchera la pâte de fondre et de trop s'étaler en cours de cuisson.

Faites d'abord chauffer le four à 180 °C (350 °F).
Plaques à cuisson chemisées de papier sulfurisé

1. Dans un bol, ramenez le beurre en crème et incorporez le sucre jusqu'à ce que le tout soit léger comme un nuage. Incorporez ensuite l'œuf et la vanille.

2. Dans un autre bol, mélangez la farine, le bicarbonate de soude et le sel. Incorporez au mélange à base de beurre. Ajoutez en remuant les flocons d'avoine, les amandes et les canneberges séchées.

3. Déposez des cuillerées (15 ml ou 1 c. à soupe) de pâte à 5 cm (2 po) de distance les unes des autres sur les plaques à cuisson, et nivelez-les à l'aide d'une fourchette.

4. Faites cuire une plaque à la fois sur la clayette au centre du four préchauffé pendant 12 à 14 minutes ou jusqu'à ce que les contours des biscuits soient dorés. Laissez reposer pendant 5 minutes. À l'aide d'une spatule, déposez les biscuits sur une clayette et laissez-les refroidir complètement.

ANALYSE DES ÉLÉMENTS NUTRITIFS PAR PORTION	
Calories	113
Glucides	16 g
Fibres	1 g
Protéines	2 g
Total des matières grasses	5 g
Gras saturés	3 g
Sodium	80 mg
Cholestérol	16 mg

BISCOTTIS AUX NOISETTES
et aux canneberges séchées

POUR 48 BISCOTTIS

(1 biscotti par portion)

½ tasse (125 ml) de beurre amolli

1 tasse (250 ml) de cassonade bien tassée

2 œufs

2 ⅓ tasses (575 ml) de farine tout usage

1 ½ c. à thé (7 ml) de levure chimique

1 ½ c. à thé (7 ml) de cannelle moulue

¼ c. à thé (1 ml) de clou de girofle

¼ c. à thé (1 ml) de piment de la Jamaïque moulu

¼ c. à thé (1 ml) de sel

½ tasse (125 ml) de canneberges séchées

¾ tasse (175 ml) de noisettes grillées, pelées et hachées grossièrement (reportez-vous au conseil ci-contre)

Ces biscuits italiens font de gentils cadeaux à offrir aux amis et aux membres de sa famille. Présentez-les dans de jolies boîtes de métal ou dans des papillotes de papier cristal retenues par des rubans.

Conseils

Afin de faire griller et de peler les noisettes, déposez-les sur une plaque à cuisson à rebord et passez-les dans un four préchauffé à 180 °C (350 °F) pendant 8 à 10 minutes ou jusqu'à ce qu'elles soient légèrement dorées. Déposez-les sur un torchon propre et frottez-les pour en dégager les pelures.

Refaites provision d'épices régulièrement et procurez-vous des fruits séchés et des noix de qualité.

Variante

Les canneberges séchées ajoutent une note douce et acidulée; elles peuvent remplacer les raisins dorés ou les abricots séchés.

Faites d'abord chauffer le four à 160 °C (325 °F).
Plaques à cuisson chemisées de papier sulfurisé

1. Dans un bol, réduisez le beurre en crème à l'aide d'un mélangeur et incorporez la cassonade jusqu'à ce que le tout soit léger comme un nuage; ajoutez les œufs en fouettant.

2. Dans un autre bol, mélangez la farine, la levure chimique, la cannelle, le clou de girofle, le piment de la Jamaïque et le sel. Ajoutez-les à la préparation au beurre pour en faire une pâte lisse. Incorporez les canneberges séchées et les noisettes.

3. Déposez la pâte sur une surface de travail légèrement farinée. Trempez vos mains dans la farine avant de façonner une boule et de la diviser en deux. Façonnez ensuite 2 pains d'environ 5 cm (2 po) de largeur et 30 cm (12 po) de longueur. Déposez-les sur la plaque à cuisson apprêtée à environ 5 cm (2 po) l'un de l'autre.

4. Faites-les cuire sur la clayette au centre d'un four préchauffé pendant 20 à 25 minutes ou jusqu'à ce qu'ils soient fermes au toucher. Laissez-les refroidir pendant 10 minutes. À l'aide d'une longue spatule, transférez-les sur une planche à découper. Taillez des tranches de 1 cm (½po) en diagonale à l'aide d'un couteau à lame crantée.

ANALYSE DES ÉLÉMENTS NUTRITIFS PAR PORTION	
Calories	76
Glucides	11 g
Fibres	0 g
Protéines	1 g
Total des matières grasses	3 g
Gras saturés	1 g
Sodium	45 mg
Cholestérol	13 mg

5. Déposez les biscuits à la verticale sur la plaque à 1 cm (½ po) de distance les uns des autres; employez deux plaques s'il le faut. Retournez-les au four et faites-les cuire pendant 15 à 20 minutes ou jusqu'à ce qu'ils soient secs et légèrement dorés. Faites refroidir les biscuits sur une clayette.

CARRÉS AU CHOCOLAT

(1 carré par portion)

1 tasse (250 ml) de beurre amolli

1 ½ tasse (375 ml) de sucre granulé

4 œufs

2 c. à thé (10 ml) de vanille

1 tasse (250 ml) de farine tout usage

1 tasse (250 ml) de poudre de cacao non sucré

¾ c. à thé (4 ml) de levure chimique

½ c. à thé (2 ml) de sel

1 tasse (250 ml) de noix hachées

GLAÇAGE

1 tasse (250 ml) de sucre glace

⅓ tasse (75 ml) de poudre de cacao non sucré

2 c. à soupe (30 ml) de beurre amolli

2 c. à soupe (30 ml) de lait faible en gras

Ces carrés au chocolat sont si moelleux qu'ils disparaîtront en moins de deux. Heureusement, les ingrédients réunis ici permettent d'en préparer un généreux lot. Ainsi, vous pourrez en mettre la moitié à congeler.

Conseil

Voici le moyen le plus facile de tailler des barres ou des carrés. Chemisez de papier d'aluminium le fond et les côtés du plat de cuisson. Faites cuire selon les indications et laissez refroidir complètement dans le plat. Passez au congélateur pendant près de 30 minutes ou jusqu'à congélation partielle. Soulevez tout le lot et taillez-le en barres ou en carrés à l'aide d'un couteau bien tranchant. Déposez les carrés dans une boîte de métal en intercalant du papier ciré entre chaque rang, et rangez-les au congélateur. La plupart des barres, à l'instar des biscuits, se congèlent facilement.

Faites d'abord chauffer le four à 180 °C (350 °F).
Plat de cuisson de 3,5 l (13 x 9 po) chemisé de papier d'aluminium enduit d'un aérosol de cuisson végétal

1. Dans un bol, réduisez le beurre et le sucre en crème à l'aide d'un mélangeur jusqu'à ce que le tout soit léger comme un nuage. Ajoutez les œufs un à la fois en fouettant jusqu'à ce qu'ils soient incorporés et versez la vanille.
2. Dans un autre bol, tamisez la farine, la poudre de cacao, la levure chimique et le sel. Mélangez-les à la préparation au beurre jusqu'à faire une pâte lisse. Ajoutez les noisettes.
3. Versez la pâte dans le plat de cuisson apprêté. Faites cuire dans un four préchauffé sur la clayette du centre pendant 25 à 30 minutes ou jusqu'à ce qu'un cure-dents introduit au centre du biscuit en ressorte propre. Déposez le plat de cuisson sur une clayette et laisser refroidir complètement.
4. Pour le glaçage : Dans un bol, fouettez à l'aide d'un batteur électrique le sucre glace, la poudre de cacao, le beurre et le lait jusqu'à obtention d'une consistance homogène. Tartinez-en le biscuit légèrement tiède. Taillez-le en barres ou en carrés.

ANALYSE DES ÉLÉMENTS NUTRITIFS PAR PORTION	
Calories	164
Glucides	19 g
Fibres	1 g
Protéines	2 g
Total des matières grasses	10 g
Gras saturés	5 g
Sodium	120 mg
Cholestérol	41 mg

MUFFINS AUX CAROTTES
et aux raisins

POUR 16 MUFFINS

(1 muffin par portion)

2 tasses (500 ml) de farine tout usage

¾ tasse (175 ml) de sucre granulé

1 ½ c. à thé (7 ml) de cannelle moulue

1 c. à thé (5 ml) de levure chimique

1 c. à thé (5 ml) de bicarbonate de soude

½ c. à thé (2 ml) de muscade fraîche moulue

½ c. à thé (2 ml) de sel

1 ½ tasse (375 ml) de carottes pelées
(environ 3 carottes moyennes)

1 tasse (250 ml) de pommes pelées et râpées

½ tasse (125 ml) de raisins secs

½ tasse (125 ml) de noix de coco sucrée, râpée

2 œufs

⅔ tasse (150 ml) de yogourt nature allégé

⅓ tasse (75 ml) d'huile végétale

Ces muffins truffés de fruits frais et de carottes feront le bonheur de tous sur la table du déjeuner. Mais ils sont tout aussi bons en guise de collation en après-midi ou dans la boîte à lunch.

Conseil

Vous ne possédez qu'un seul moule à muffins ? Déposez des caissettes en papier dans des coupes de verre de 175 ml (6 oz) ou dans de petits ramequins et remplissez-les de pâte. Enfournez-les à côté du moule à muffins.

Faites d'abord chauffer le four à 190 °C (375 °F).
2 moules à muffins garnis de caissettes en papier

1. Mélangez dans un grand bol la farine, le sucre, la cannelle, la levure chimique, le bicarbonate de soude, la muscade et le sel. Ajoutez en remuant les carottes, les pommes, les raisins et la noix de coco.

2. Dans un autre bol, fouettez les œufs; ajoutez le yogourt et l'huile. Ajoutez à la préparation à base de farine et remuez jusqu'à ce que les ingrédients soient mélangés. (La pâte sera très épaisse.)

3. À l'aide d'une cuillère, déposez la pâte dans les caissettes en papier en les remplissant presque à ras-bord.

4. Faites cuire dans un four préchauffé pendant 25 à 30 minutes ou jusqu'à ce que le dessus des muffins reprenne sa forme sous une légère pression du doigt. Laissez les muffins refroidir pendant 5 minutes avant de les déposer sur une clayette où ils refroidiront complètement.

ANALYSE DES ÉLÉMENTS NUTRITIFS PAR PORTION	
Calories	189
Glucides	30 g
Fibres	1 g
Protéines	3 g
Total des matières grasses	7 g
Gras saturés	2 g
Sodium	200 mg
Cholestérol	24 mg

PAIN DE MAÏS
au fromage

POUR 12 MORCEAUX

(1 morceau par portion)

1 ¼ tasse (300 ml) de farine tout usage	
1 tasse (250 ml) de semoule de maïs	
2 c. à soupe (30 ml) de sucre granulé	
1 c. à soupe (15 ml) de levure chimique	
½ c. à thé (2 ml) de sel	
¾ tasse (175 ml) de cheddar râpé	
2 œufs	
1 ¼ tasse (300 ml) de lait faible en gras	
¼ tasse (50 ml) d'huile végétale	

Faites d'abord chauffer le four à 190 °C (375 °F).
Plat de cuisson de 3,5 l (13 x 9 po) enduit d'un aérosol de cuisson végétal

1. Mélangez dans un bol la farine, la semoule de maïs, le sucre, la levure chimique et le sel. Incorporez le cheddar.
2. Dans un autre bol, fouettez les œufs avec le lait et l'huile. Versez sur la préparation à base de farine et remuez jusqu'à ce que tous les ingrédients soient bien amalgamés.
3. Versez la pâte dans le plat de cuisson apprêté. Faites cuire dans un four préchauffé pendant 25 à 30 minutes ou jusqu'à ce que le dessus du pain reprenne sa forme sous une légère pression du doigt. Laissez refroidir sur une clayette. Taillez en carrés.

Taillez ce savoureux pain de maïs en petits carrés et servez-les avec une salade. Ou encore, taillez-le en six grands carrés, puis en deux tranches d'égale épaisseur, à l'horizontale, et employez-les à la confection de sandwiches. Tartinez-les de chèvre ou de fromage à la crème aux fines herbes, ou garnissez-les de vos charcuteries préférées, par exemple de la dinde ou du jambon fumés que vous coifferez de tranches de tomate et de laitue.

Variante

Pain de maïs aux jalapeños

Ajoutez un petit poivron rouge taillé en dés et 30 ml (2 c. à soupe) de piments jalapeños épépinés et hachés fin au mélange à base de farine en même temps que le fromage.

ANALYSE DES ÉLÉMENTS NUTRITIFS PAR PORTION	
Calories	184
Glucides	23 g
Fibres	1 g
Protéines	6 g
Total des matières grasses	7 g
Gras saturés	2 g
Sodium	245 mg
Cholestérol	37 mg

'BISCUITS
au beurre d'arachide

POUR 40 BISCUITS

(1 biscuit par portion)

½ tasse (125 ml) de beurre amolli ou de shortening

⅔ tasse (150 ml) de beurre d'arachide allégé crémeux

1 tasse (250 ml) de cassonade bien tassée

1 œuf

1 c. à thé (5 ml) de vanille

1 ¾ tasse (425 ml) de farine tout usage

½ c. à thé (2 ml) de bicarbonate de soude

¼ c. à thé (1 ml) de sel

Ces biscuits croquants combleront votre envie d'un plaisir sucré.

Conseil

Doublez les ingrédients de la recette, faites cuire la moitié de la pâte et congelez l'autre en prévision d'une prochaine fois.

Faites d'abord chauffer le four à 190 °C (375 °F).
Plaques à cuisson chemisées de papier sulfurisé

1. Dans un bol, réduisez en crème le beurre, le beurre d'arachide et la cassonade jusqu'à ce que le mélange soit léger comme un nuage. À l'aide d'un fouet, incorporez l'œuf et la vanille.

2. Dans un autre bol, mélangez la farine, le bicarbonate de soude et le sel. Incorporez-les à la préparation au beurre.

3. Formez des boules de 2,5 cm (1 po) et déposez-les à 5 cm (2 po) de distance les unes des autres sur les plaques à cuisson apprêtées. Avec une fourchette, nivelez chaque boule en dessinant des vagues à sa surface.

4. Faites cuire une plaque à la fois sur la clayette au centre du four préchauffé pendant 11 à 13 minutes ou jusqu'à ce que les biscuits soient dorés. À l'aide d'une spatule, déposez les biscuits sur une clayette et laissez-les refroidir complètement.

ANALYSE DES ÉLÉMENTS NUTRITIFS PAR PORTION	
Calories	85
Glucides	11 g
Fibres	0 g
Protéines	2 g
Total des matières grasses	4 g
Gras saturés	2 g
Sodium	80 mg
Cholestérol	11 mg

CARRÉS AU CITRON

POUR 36 CARRÉS

(1 carré par portion)

| 1 tasse (250 ml) de farine tout usage |
| ¼ tasse (50 ml) de sucre granulé |
| ½ tasse (125 ml) de morceaux de beurre |

GARNITURE

| 2 œufs |
| 1 tasse (250 ml) de sucre granulé |
| 2 c. à soupe (30 ml) de farine tout usage |
| ½ c. à thé (2 ml) de levure chimique |
| 1 pincée de sel |
| 1 c. à soupe (15 ml) de zeste de citron râpé |
| ¼ tasse (50 ml) de jus de citron frais |
| 2 c. à soupe (30 ml) de sucre glace |

Ces gâteries classiques au citron avec croûte sablée font toujours la joie des amis que l'on invite à prendre le thé ou le café.

Faites d'abord chauffer le four à 180 °C (350 °F).

1. Dans un bol, mélangez la farine et le sucre; ajoutez le beurre et mélangez le tout grossièrement à l'aide d'un mélangeur à pâtisserie. Tapissez-en le fond du plat de cuisson. Faites cuire dans un four préchauffé pendant 18 à 20 minutes ou jusqu'à ce que la croûte soit légèrement dorée. Laissez refroidir sur une clayette.

2. Pour la garniture : Dans un bol, fouettez les œufs et le sucre, la farine, la levure chimique, le sel, le zeste et le jus de citron. Versez sur la croûte.

3. Faites cuire au four pendant 25 à 30 minutes ou jusqu'à ce que la garniture ait figé et qu'elle soit quelque peu dorée. Posez le plat sur une clayette et laissez refroidir. Saupoudrez du sucre glace et taillez en petits carrés.

ANALYSE DES ÉLÉMENTS NUTRITIFS PAR PORTION	
Calories	70
Glucides	11 g
Fibres	0 g
Protéines	1 g
Total des matières grasses	3 g
Gras saturés	2 g
Sodium	35 mg
Cholestérol	17 mg

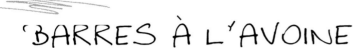

'BARRES À L'AVOINE
et aux raisins

POUR 32 BARRES

(1 barre par portion)

⅔ tasse (150 ml) de cassonade bien tassée

⅓ tasse (75 ml) de beurre

⅓ tasse (75 ml) de sirop de maïs

2 ½ tasses (625 ml) de flocons d'avoine à cuisson rapide

¼ tasse (50 ml) de farine tout usage

½ tasse (125 ml) de raisins secs ou d'abricots séchés hachés

1 œuf

1 c. à thé (5 ml) de vanille

Idéales pour les boîtes à lunch des écoliers, ces barres moelleuses sont faciles à emporter. Je les enveloppe individuellement dans de la pellicule plastique, les place dans un contenant à couvercle et les conserve au congélateur. Je n'ai plus qu'à me servir quand vient le moment de préparer les goûters ou les collations.

Faites d'abord chauffer le four à 180 °C (350 °F).
Plat de cuisson de 3,5 l (13 x 9 po) chemisé de papier d'aluminium enduit d'un aérosol de cuisson végétal

1. Dans un bol de verre, mélangez la cassonade, le beurre et le sirop de maïs. Passez-les au micro-ondes à la puissance maximale pendant 2 minutes; remuez jusqu'à l'obtention d'une consistance homogène. Faites cuire au micro-ondes 1 minute de plus ou jusqu'à ce que le sucre ait fondu et que la préparation atteigne le point d'ébullition.

2. Incorporez les flocons d'avoine, la farine et les raisins. Dans un petit bol, fouettez l'œuf et la vanille. Ajoutez-les en remuant à la préparation de flocons d'avoine.

3. Répartissez uniformément dans le plat de cuisson. Faites cuire dans un four préchauffé pendant 20 à 25 minutes ou jusqu'à ce que le contour soit doré. Laissez refroidir pendant 10 minutes dans le plat. Soulevez le papier d'aluminium et taillez en 32 barres que vous poserez sur une clayette pour les laisser refroidir.

ANALYSE DES ÉLÉMENTS NUTRITIFS PAR PORTION	
Calories	87
Glucides	15 g
Fibres	1 g
Protéines	2 g
Total des matières grasses	3 g
Gras saturés	1 g
Sodium	30 mg
Cholestérol	11 mg

PAIN AUX BANANES
et aux noix

POUR 1 PAIN

(1 tranche par portion sur un total de 14)

1 ¾ tasse (425 ml) de farine tout usage

1 c. à thé (5 ml) de bicarbonate de soude

½ c. à thé (2 ml) de sel

2 œufs

1 tasse (250 ml) de purée de bananes mûres (environ 3)

⅓ tasse (75 ml) d'huile végétale

½ tasse (125 ml) de miel liquide

⅓ tasse (75 ml) de cassonade bien tassée

½ tasse (125 ml) de noix hachées

Tout le monde a une recette de pain aux bananes dans ses fichiers. Voici ma préférée. Il s'agit d'un pain tout simple qui fait place au goût des bananes et des noix. Le miel lui confère davantage de moelleux et le conserve frais pendant plusieurs jours. En général, cette précaution est vaine.

Conseils

Si vous chemisez le fond du moule de papier ciré ou sulfurisé, vous n'aurez aucune difficulté à démouler le pain.

Il y a des bananes mûres sur le comptoir de la cuisine, mais vous n'avez pas le temps de faire du pain ? Congelez-les entières avec la pelure et vous les ferez décongeler à température ambiante. Sinon, pelez-les et réduisez-les en purée; elles se conserveront pendant près de deux mois au congélateur dans un contenant hermétique. Laissez-les décongeler à température ambiante. La purée de bananes congelée peut foncer quelque peu, mais cela n'aura aucune incidence sur le goût du pain.

Faites d'abord chauffer le four à 160 °C (325 °F).
Moule à pain de 2 l (9 x 5 po) enduit d'un aérosol de cuisson végétal

1. Tamisez dans un bol la farine, le bicarbonate de soude et le sel.

2. Dans un autre bol, fouettez les œufs. Ajoutez en remuant la purée de bananes, l'huile, le miel et la cassonade. Ajoutez les ingrédients secs à la préparation à la banane, et remuez jusqu'à ce qu'ils soient bien amalgamés. Ajoutez les noix.

3. Versez la pâte dans le moule à pain apprêté. Faites cuire dans un four préchauffé pendant 75 minutes ou jusqu'à ce qu'un cure-dents introduit au centre du pain en ressorte propre. Posez le moule sur une clayette et laissez refroidir pendant 15 minutes. Introduisez la lame d'un couteau tout autour du moule, retournez-le et laissez le pain refroidir sur la clayette.

ANALYSE DES ÉLÉMENTS NUTRITIFS PAR PORTION	
Calories	211
Glucides	31 g
Fibres	1 g
Protéines	3 g
Total des matières grasses	9 g
Gras saturés	1 g
Sodium	185 mg
Cholestérol	27 mg

PAIN AU CITRON
et au yogourt

POUR 1 PAIN

(1 tranche par portion sur un total de 14)

1 ¾ tasse (425 ml) de farine tout usage

1 c. à thé (5 ml) de levure chimique

½ c. à thé (2 ml) de bicarbonate de soude

¼ c. à thé (1 ml) de sel

2 œufs

¾ tasse (175 ml) de sucre granulé

¾ tasse (175 ml) de yogourt nature allégé

⅓ tasse (75 ml) d'huile végétale

1 c. à soupe (15 ml) de zeste de citron râpé

SIROP AU CITRON

2 c. à soupe (30 ml) de jus de citron frais

2 c. à soupe (30 ml) de sucre granulé

Voici un pain à la saveur de citron qui reste moelleux pendant plusieurs jours, si l'on parvient à le conserver aussi longtemps !

Conseil

Je double les ingrédients de cette recette afin de mettre un second pain au congélateur. Enveloppez-le de pellicule plastique, puis de papier d'aluminium et conservez-le pendant près d'un mois au congélateur.

Variante

Pain au citron et aux graines de pavot

Ajoutez en remuant 30 ml (2 c. à soupe) de graines de pavot à la préparation à base de farine avant de la mélanger au yogourt.

Faites d'abord chauffer le four à 180 °C (350 °F). Moule à pain de 2 l (9 x 5 po) enduit d'un aérosol de cuisson végétal

1. Mélangez dans un bol la farine, la levure chimique, le bicarbonate de soude et le sel.

2. Fouettez les œufs dans un autre bol, plus grand celui-là. Ajoutez en remuant le sucre, le yogourt, l'huile et le zeste de citron. Ajoutez la préparation à base de farine en remuant jusqu'à l'obtention d'une consistance homogène.

3. À l'aide d'une cuillère, déposez la pâte dans le moule. Faites cuire dans un four préchauffé pendant 50 à 60 minutes ou jusqu'à ce qu'un cure-dents introduit au centre du pain en ressorte propre. Déposez le moule sur une clayette.

4. Pour le sirop au citron : Faites chauffer le jus de citron et le sucre dans une petite casserole et amenez-les à ébullition. Faites cuire en remuant jusqu'à ce que le sucre soit fondu. (Sinon, déposez-les dans un bol de verre et passez-les au micro-ondes à puissance maximale pendant 1 minute en remuant à une reprise.) Versez le sirop sur le pain chaud et laissez refroidir complètement avant de démouler.

ANALYSE DES ÉLÉMENTS NUTRITIFS PAR PORTION	
Calories	170
Glucides	26 g
Fibres	1 g
Protéines	3 g
Total des matières grasses	6 g
Gras saturés	1 g
Sodium	125 mg
Cholestérol	27 mg

'BARRES-COLLATIONS
aux céréales et aux arachides

POUR 24 BARRES

(1 barre par portion)

1 tasse (250 ml) de beurre d'arachide allégé crémeux
ou croquant

⅔ tasse (150 ml) de miel liquide ou de sirop de maïs doré

4 tasses (1 l) de céréales de riz grillé

2 tasses (500 ml) de muesli aux fruits et aux noix

Les amateurs de beurre d'arachide adoreront ces barres sans cuisson. On les prépare en moins de deux et elles sont bien meilleures et bien moins chères que les barres-collations que l'on trouve dans le commerce.

Conseil

Enveloppez les barres séparément et faites-les congeler. Lorsque vous préparerez les goûters, vous n'aurez qu'à glisser une barre surgelée dans la boîte à lunch de chacun.

Plat de cuisson de 3,5 l (13 x 9 po) chemisé de papier d'aluminium enduit d'un aérosol de cuisson végétal

1. Mélangez le beurre d'arachide et le miel dans une grande casserole; faites cuire à feu moyen en remuant sans cesse jusqu'à l'obtention d'une consistance homogène. (Sinon, déposez-les dans un grand bol de verre et passez-les au micro-ondes à la puissance maximale pendant 2 minutes ou jusqu'à l'obtention d'une consistance homogène, en remuant à une reprise.)

2. Incorporez les céréales jusqu'à ce qu'elles soient toutes enduites. Déposez-les en exerçant une pression ferme au fond du plat de cuisson. Laissez refroidir et taillez en barres de 8 x 4 cm (3 x 1 ½ po).

ANALYSE DES ÉLÉMENTS NUTRITIFS PAR PORTION	
Calories	121
Glucides	19 g
Fibres	1 g
Protéines	4 g
Total des matières grasses	4 g
Gras saturés	1 g
Sodium	110 mg
Cholestérol	0 mg

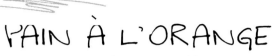

PAIN À L'ORANGE
et à la citrouille

POUR 1 PAIN

(1 tranche par portion sur un total de 14)

1 tasse (250 ml) de farine tout usage

¾ tasse (175 ml) de farine de blé complet ou tout usage

2 c. à thé (10 ml) de levure chimique

½ c. à thé (2 ml) de bicarbonate de soude

½ c. à thé (2 ml) de sel

1 ½ c. à thé (7 ml) de cannelle moulue

½ c. à thé (2 ml) de muscade fraîche moulue

¼ c. à thé (1 ml) de clou de girofle ou de piment de la Jamaïque moulus

1 ¼ tasse (300 ml) de cassonade bien tassée

2 œufs

1 tasse (250 ml) de purée de citrouille en conserve (pas la garniture à tarte)

⅓ tasse (75 ml) d'huile végétale

2 c. à thé (10 ml) de zeste d'orange râpé

¼ tasse (50 ml) de jus d'orange

La préparation de ce pain est beaucoup plus facile que celle de la tarte à la citrouille, mais il est plein des saveurs épicées que nous adorons tous.

Conseil

Afin de mesurer la farine avec exactitude, remuez-la rapidement, déposez-la à l'aide d'une cuillère dans une mesure sèche et nivelez sa surface à l'aide de la lame d'un couteau.

Faites d'abord chauffer le four à 180 °C (350 °F). Moule à pain de 2 l (9 x 5 po) enduit d'un aérosol de cuisson végétal

1. Mélangez dans un bol la farine, la levure chimique, le bicarbonate de soude et le sel. Remuez bien.

2. Dans un petit bol, mélangez la cannelle, la muscade et le clou de girofle. Déposez 5 ml (1 c. à thé) du mélange d'épices dans un autre bol, ajoutez 30 ml (2 c. à soupe) de cassonade. Réservez en prévision de la garniture.

3. Déposez le reste des épices et la cassonade dans un bol; ajoutez les œufs et mélangez rigoureusement. Ajoutez en remuant la purée de citrouille, l'huile, le zeste et le jus d'orange. Ajoutez les ingrédients secs à la préparation à base de citrouille en remuant jusqu'à ce qu'ils soient bien intégrés.

4. À l'aide d'une cuillère, déposez la pâte dans le moule à pain apprêté. Garnissez le dessus du mélange de cassonade et d'épices. Faites cuire au four sur la clayette du centre pendant 50 à 55 minutes ou jusqu'à ce qu'un cure-dents introduit au centre du pain en ressorte propre. Mettez le moule à refroidir sur une clayette pendant 15 minutes, démoulez le pain et laissez-le refroidir complètement.

ANALYSE DES ÉLÉMENTS NUTRITIFS PAR PORTION	
Calories	195
Glucides	33 g
Fibres	2 g
Protéines	3 g
Total des matières grasses	6 g
Gras saturés	1 g
Sodium	185 mg
Cholestérol	27 mg

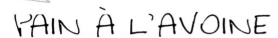

PAIN À L'AVOINE
et au miel

POUR 2 PAINS

(1 tranche par portion sur un total de 14)

1 sachet (11 ml ou 2 ¼ c. à thé) de levure sèche active

1 c. à thé (5 ml) de sucre granulé

1 tasse (250 ml) de lait faible en gras

¼ tasse (50 ml) de miel foncé, p. ex. de sarrasin, ou de mélasse de fantaisie

2 c. à soupe (30 ml) de beurre

2 ½ c. à thé (12 ml) de sel

1 tasse (250 ml) de flocons d'avoine à l'ancienne

2 tasses (500 ml) de farine de blé entier

3 tasses (750 ml) de farine tout usage (environ)

2 c. à thé (10 ml) de beurre fondu

1 blanc d'œuf

2 c. à soupe (30 ml) de flocons d'avoine supplémentaires

2 moules à pain de 2 l (9 x 5 po) enduits d'un aérosol de cuisson végétal

1. Versez 125 ml (½ tasse) d'eau tiède dans une tasse à mesurer en verre et déposez-y la levure et le sucre. Laissez reposer jusqu'à ce que la levure fasse de la mousse.

2. Mélangez dans une casserole 250 ml (1 tasse) d'eau tiède, le lait, le miel, 30 ml (2 c. à soupe) de beurre et le sel. Faites chauffer à feu moyen en remuant jusqu'à ce que des bulles se forment tout le tour de la casserole.

3. Déposez les flocons d'avoine dans un grand bol et versez dessus le liquide chaud. Laissez tiédir; au thermomètre, le mercure devrait osciller entre 40 et 45 °C (105 et 115 °F).

4. Ajoutez en remuant la farine de blé entier et la levure dissoute; remuez vigoureusement à l'aide d'une cuillère de bois pendant 1 minute ou jusqu'à l'obtention d'une pâte lisse. Ajoutez en remuant suffisamment de farine tout usage pour former une pâte ferme qui se détache de la paroi du bol.

5. Déposez la pâte sur une surface de travail farinée, en ajoutant suffisamment de farine pour l'empêcher de coller à la surface; pétrissez-la pendant 7 à 9 minutes ou jusqu'à ce qu'elle soit lisse et souple.

6. Façonnez une boule de pâte et déposez-la dans un bol enduit d'une généreuse quantité de beurre. Retournez-la afin de l'enduire de beurre. Couvrez de pellicule plastique et d'un torchon propre; laissez-la gonfler dans un endroit chaud jusqu'à ce qu'elle ait doublé de volume, soit environ 1 heure 30 minutes ou 2 heures.

Rien n'est plus accueillant lorsqu'on franchit le seuil de la porte que l'arôme du pain cuit à la maison. Qui peut attendre avant de tailler une tranche de pain chaud si savoureux que l'on se passe aisément de beurre ?

Conseils

Pour que la levure remplisse son rôle, il faut que les liquides soient à la bonne température afin de l'activer. S'ils sont trop chauds, les liquides détruiront l'effet de la levure et le pain ne lèvera pas. S'ils sont trop froids, la levure subira un choc et le pain ne montera pas autant qu'il le devrait. Servez-vous d'un thermomètre pour plus d'exactitude.

ANALYSE DES ÉLÉMENTS NUTRITIFS PAR PORTION	
Calories	112
Glucides	21 g
Fibres	2 g
Protéines	3 g
Total des matières grasses	2 g
Gras saturés	1 g
Sodium	225 mg
Cholestérol	3 mg

7. Assenez des coups de poing à la pâte et pétrissez-la pendant 1 minute afin de crever les bulles d'air. Divisez-la en deux. Façonnez des pains et déposez-les dans les moules apprêtés. Badigeonnez leur surface de 10 ml (2 c. à thé) de beurre fondu. Couvrez-les d'un torchon propre et laissez-les gonfler dans un endroit chaud pendant 75 minutes ou jusqu'à ce qu'ils aient presque doublé de volume. Faites chauffer le four à 190 °C (375 °F).

8. Fouettez légèrement le blanc d'œuf avec 5 ml (1 c. à thé) d'eau et badigeonnez la surface des pains. Garnissez chaque pain de 15 ml (1 c. à soupe) de flocons d'avoine.

9. Faites cuire dans un four préchauffé pendant 45 minutes ou jusqu'à ce que de petites tapes assenées à la base des pains démoulés rendent un son creux. Sortez les pains du four, démoulez-les et posez-les sur une clayette pour les laisser refroidir.

CRÊPES
au babeurre

POUR 18 CRÊPES

(2 crêpes par portion)

1 ¾ tasse (425 ml) de farine tout usage
1 c. à soupe (15 ml) de sucre granulé
2 c. à thé (10 ml) de levure chimique
½ c. à thé (2 ml) de bicarbonate de soude
½ c. à thé (2 ml) de sel
2 œufs
2 tasses (500 ml) de babeurre
2 c. à soupe (30 ml) de beurre fondu

S'il me fallait désigner un mets qui fait sortir mes enfants de sous leurs duvets par une matinée de week-end, ce serait les crêpes au babeurre.

Conseils

Afin de conserver les crêpes au chaud, déposez-les sur une clayette dans un four encore chaud.

Vous pouvez envelopper les crêpes qui restent pour les congeler, et les passer au grille-pain les matins où vous êtes pressé.

Afin de préparer à l'avance le déjeuner du week-end, je mesure les ingrédients secs en prévision de plusieurs lots de crêpes, je les dépose dans des sachets de plastique et les conserve au garde-manger. Il n'y a plus qu'à ajouter les ingrédients liquides et la pâte est prête pour la crêpière.

1. Mélangez dans un bol la farine, le sucre, la levure chimique, le bicarbonate de soude et le sel.

2. Dans un autre bol, fouettez les œufs; ajoutez le babeurre et le beurre fondu. Ajoutez à la préparation à base de farine en fouettant jusqu'à l'obtention d'une pâte épaisse et lisse.

3. Déposez dans une crêpière ou une grande poêle antiadhésive huilée qui chauffe à feu moyen 50 ml (¼ tasse) de pâte à crêpes et raclez-la pour former un cercle de 10 cm (4 po). Faites-la cuire pendant 90 secondes environ ou jusqu'à ce que des bulles se forment à la surface; tournez-la et laissez-la cuire jusqu'à ce qu'elle soit dorée des deux côtés.

Brochettes de fruits

Complétez le déjeuner par de jolies brochettes de fruits. Embrochez 5 ou 6 morceaux de fruits variés tels que des pommes, des bananes, des fraises, des kiwis, des poires et de l'ananas sur de petites broches de bambou (10 cm ou 4 po). (Vous pouvez tailler les brochettes en deux s'il le faut pour obtenir la longueur désirée.)

ANALYSE DES ÉLÉMENTS NUTRITIFS PAR PORTION	
Calories	156
Glucides	23 g
Fibres	1 g
Protéines	6 g
Total des matières grasses	4 g
Gras saturés	2 g
Sodium	355 mg
Cholestérol	50 mg

MUFFINS AUX POMMES,
aux noix et à l'érable

POUR 12 MUFFINS

(1 muffin par portion)

1 ¼ tasse (300 ml) de farine tout usage

2 ½ c. à thé (12 ml) de levure chimique

½ c. à thé (2 ml) de bicarbonate de soude

¼ c. à thé (1 ml) de sel

⅓ tasse (75 ml) de noix hachées fin

1 œuf

1 tasse (250 ml) de flocons d'avoine à cuisson rapide

1 tasse (250 ml) de pommes hachées grossièrement

⅔ tasse (150 ml) de sirop d'érable

½ tasse (125 ml) de yogourt nature allégé

¼ tasse (50 ml) d'huile végétale

Faites d'abord chauffer le four à 200 °C (400 °F).
Moule à muffins garni de caissettes en papier

1. Mélangez dans un bol la farine, la levure chimique, le bicarbonate de soude, le sel et les noix.

2. Dans un autre bol, fouettez l'œuf. Ajoutez en remuant les flocons d'avoine, les pommes râpées, le sirop d'érable, le yogourt et l'huile. Ajoutez en remuant au mélange à base de farine en prenant soin de ne pas trop remuer.

3. À l'aide d'une cuillère, déposez la pâte dans les caissettes en papier.

4. Faites cuire dans un four préchauffé pendant 20 minutes ou jusqu'à ce que le dessus des muffins reprenne sa forme sous une légère pression du doigt. Laissez les muffins refroidir légèrement avant de les déposer sur une clayette où ils refroidiront complètement.

ANALYSE DES ÉLÉMENTS NUTRITIFS PAR PORTION	
Calories	206
Glucides	30 g
Fibres	2 g
Protéines	4 g
Total des matières grasses	8 g
Gras saturés	1 g
Sodium	170 mg
Cholestérol	16 mg

Je me suis rendu compte que ces muffins santé ont la faveur d'un grand nombre. À titre de chroniqueuse culinaire pour le compte du quotidien montréalais *The Gazette*, j'ai publié cette recette dans l'une de mes chroniques hebdomadaires. La quantité de sirop d'érable a été omise en raison de difficultés techniques au moment d'aller sous presse et le journal a reçu plus de 500 appels de lecteurs désireux de connaître la quantité de sirop d'érable qu'exige la recette. La voici, cette fois-ci avec la quantité exacte de sirop !

Conseils

Je préfère employer les noix californiennes, qui sont légèrement colorées.

Il faut toujours conserver les noix dans un contenant rangé au réfrigérateur ou au congélateur afin d'en préserver la fraîcheur.

PAIN AU BICARBONATE DE SOUDE
à l'irlandaise

POUR 1 PAIN ROND

(1 tranche par portion sur un total de 12)

2 tasses (500 ml) de farine de blé entier

1 ⅔ tasse (400 ml) de farine tout usage

⅔ tasse (150 ml) de flocons d'avoine à l'ancienne

1 c. à soupe (15 ml) de sucre granulé

1 ½ c. à thé (7 ml) de bicarbonate de soude

½ c. à thé (2 ml) de sel

2 tasses (500 ml) de babeurre

GARNITURE

1 c. à soupe (15 ml) de babeurre

1 c. à soupe (15 ml) de flocons d'avoine à l'ancienne

Le pain au bicarbonate de soude accompagne à merveille un potage ou un ragoût. Les tranches qui restent font d'excellentes rôties au déjeuner.

Conseil

Afin de mesurer la farine avec exactitude, remuez-la rapidement, déposez-la à l'aide d'une cuillère dans une mesure sèche et nivelez sa surface à l'aide de la lame d'un couteau.

Faites d'abord chauffer le four à 190 °C (375 °F).
Plaque à cuisson enduite d'un aérosol de cuisson végétal

1. Mélangez dans un grand bol les farines, les flocons d'avoine, le sucre, le bicarbonate de soude et le sel. Remuez comme il se doit. Faites un puits au centre du mélange et versez-y le babeurre. Remuez jusqu'à ce qu'une pâte molle se forme.

2. Déposez la pâte sur une surface de travail légèrement farinée et pétrissez-la à cinq ou six reprises, jusqu'à ce qu'elle soit lisse. Façonnez une boule de pâte qui mesure 20 cm (8 po) de diamètre. Déposez-la sur la plaque à cuisson apprêtée. À l'aide d'un couteau tranchant dont la lame a été farinée, taillez une croix de 1 cm (½ po) de profondeur sur le dessus du pain.

3. Pour la garniture : Badigeonnez de babeurre le dessus du pain et garnissez-le de flocons d'avoine. Faites cuire dans un four préchauffé pendant 50 à 60 minutes ou jusqu'à ce que le pain ait levé et soit doré. Le pain doit rendre un son creux lorsqu'on tapote sa base. Enveloppez-le tout de suite d'un torchon propre et sec et laissez-le refroidir. Cette précaution empêchera la croûte de trop durcir.

ANALYSE DES ÉLÉMENTS NUTRITIFS PAR PORTION	
Calories	166
Glucides	33 g
Fibres	3 g
Protéines	6 g
Total des matières grasses	1 g
Gras saturés	0 g
Sodium	300 mg
Cholestérol	1 mg

MUFFINS À LA SEMOULE DE MAÏS
et aux bleuets

POUR 12 MUFFINS

(1 muffin par portion)

1 ½ tasse (375 ml) de farine tout usage	
⅓ tasse (75 ml) de semoule de maïs	
½ tasse (125 ml) de sucre granulé	
2 ½ c. à thé (12 ml) de levure chimique	
¼ c. à thé (1 ml) de sel	
1 œuf	
¾ tasse (175 ml) de lait faible en gras	
¼ tasse (50 ml) de beurre fondu	
1 c. à thé (5 ml) de zeste de citron râpé	
1 tasse (250 ml) de bleuets frais ou surgelés	

Quand il s'agit de célébrer le plaisir qu'offrent les fruits d'été, rien ne vaut les bleuets. Ils sont particulièrement prisés lorsqu'ils sont jumelés au citron, comme c'est le cas ici.

Conseil

Afin de minimiser le risque de voir les bleuets surgelés teinter de bleu la pâte, déposez-les dans une passoire et rincez-les à l'eau froide afin de faire fondre les cristaux de glace. Épongez-les rigoureusement à l'aide d'essuie-tout. Déposez les bleuets dans un bol et touillez-les avec 30 ml (2 c. à soupe) du mélange à base de farine. Incorporez-les aussitôt à la pâte en quelques mouvements rapides.

Faites d'abord chauffer le four à 200 °C (400 °F).
Moule à muffins garni de caissettes en papier

1. Mélangez dans un bol la farine, la semoule de maïs, le sucre, la levure chimique et le sel.

2. Dans un autre bol, fouettez les œufs. Incorporez le lait, le beurre fondu et le zeste de citron. Ajoutez au mélange à base de farine en prenant soin de ne pas trop remuer. Intégrez délicatement les bleuets.

3. À l'aide d'une cuillère, déposez la pâte dans les caissettes en papier de sorte qu'elles soient remplies aux trois quarts.

4. Faites cuire dans un four préchauffé pendant 20 à 24 minutes ou jusqu'à ce que le dessus des muffins reprenne sa forme sous une légère pression du doigt. Transférez les muffins sur une clayette où ils refroidiront complètement.

ANALYSE DES ÉLÉMENTS NUTRITIFS PAR PORTION	
Calories	157
Glucides	26 g
Fibres	1 g
Protéines	3 g
Total des matières grasses	5 g
Gras saturés	3 g
Sodium	155 mg
Cholestérol	26 mg

MUFFINS AU SON

POUR 12 MUFFINS
(1 muffin par portion)

2 œufs	
1 tasse (250 ml) de babeurre	
⅓ tasse (75 ml) de cassonade bien tassée	
¼ tasse (50 ml) d'huile végétale	
¼ tasse (50 ml) de mélasse	
1 ¼ tasse (300 ml) de farine de blé entier	
1 tasse (250 ml) de son naturel	
1 c. à thé (5 ml) de bicarbonate de soude	
½ c. à thé (2 ml) de levure chimique	
¼ c. à thé (1 ml) de sel	
½ tasse (125 ml) de raisins secs ou d'abricots séchés hachés	

Les muffins au son sont toujours en vogue. Bien moelleux à cause de la mélasse, ces muffins compteront vite parmi les préférés du matin.

Conseil

Mesurez toujours l'huile avant les édulcorants poisseux tels que la mélasse ou le miel. (Si la recette n'exige pas d'huile, pulvérisez un aérosol de cuisson végétal ou enduisez légèrement la mesure d'huile. Ainsi, l'édulcorant s'écoulera jusqu'à la dernière goutte.)

Faites d'abord chauffer le four à 200 °C (400 °F).
Moule à muffins garni de caissettes en papier

1. Fouettez les œufs dans un bol. Ajoutez le babeurre, la cassonade, l'huile et la mélasse.

2. Dans un autre bol, mélangez la farine, le son, le bicarbonate de soude, la levure chimique et le sel. Ajoutez aux ingrédients liquides en remuant jusqu'à ce que la pâte soit homogène et intégrez les raisins secs.

3. À l'aide d'une cuillère, emplissez aux trois quarts les caissettes en papier.

4. Faites cuire dans un four préchauffé pendant 20 à 24 minutes ou jusqu'à ce que le dessus des muffins reprenne sa forme sous une légère pression du doigt. Laissez refroidir pendant 10 minutes et déposez les muffins sur une clayette où ils refroidiront complètement.

ANALYSE DES ÉLÉMENTS NUTRITIFS PAR PORTION	
Calories	175
Glucides	29 g
Fibres	4 g
Protéines	4 g
Total des matières grasses	6 g
Gras saturés	1 g
Sodium	205 mg
Cholestérol	32 mg

DESSERTS
DES GRANDS JOURS

GÂTEAU
aux framboises

POUR 12 PERSONNES

1 ½ tasse (375 ml) de farine tout usage

¾ tasse (175 ml) de sucre granulé

½ tasse (125 ml) de noix de coco sucrée, râpée

2 c. à thé (10 ml) de levure chimique

½ c. à thé (2 ml) de bicarbonate de soude

¼ c. à thé (1 ml) de sel

¼ tasse (50 ml) d'huile de canola

2 œufs

¾ tasse (175 ml) de crème sure allégée

1 c. à thé (5 ml) de vanille

1 tasse (250 ml) de framboises ou de bleuets frais ou surgelés

GARNITURE

3 c. à soupe (45 ml) de cassonade bien tassée

2 c. à soupe (30 ml) de flocons d'avoine à cuisson rapide

2 c. à soupe (30 ml) de farine tout usage

2 c. à soupe (30 ml) de noix de coco sucrée, râpée

½ c. à thé (2 ml) de cannelle moulue

2 c. à soupe (30 ml) de beurre taillé en morceaux

Je conserve au congélateur l'année durant des baies surgelées individuellement afin de préparer ce délicieux gâteau aux framboises. Il vaut mieux le servir le jour de sa préparation, chaud ou à température ambiante.

Conseils

Inutile de faire décongeler les baies surgelées individuellement avant de les ajouter à la pâte.

L'inexactitude des mesures est la principale cause des désastres pâtissiers. Employez une tasse à mesurer pour les liquides et une mesure sèche pour les ingrédients secs tels que la farine. Déposez les ingrédients secs dans la mesure à l'aide d'une cuillère et nivelez le dessus à l'aide d'un couteau. Ne tassez pas les ingrédients secs en frappant la mesure sur le comptoir, car cela en augmente la quantité.

Faites d'abord chauffer le four à 180 °C (350 °F).
Moule à charnière de 23 cm (9 po) enduit d'un aérosol de cuisson végétal

1. Mélangez dans un bol la farine, le sucre, la noix de coco, la levure chimique, le bicarbonate de soude et le sel.

2. Dans un autre bol, fouettez l'huile et les œufs, la crème sure et la vanille. Ajoutez en remuant la préparation à base de farine et mélangez comme il se doit. Incorporez délicatement les framboises; déposez la pâte dans le moule apprêté.

3. Pour la garniture : Mélangez dans un bol la cassonade, les flocons d'avoine, la farine, la noix de coco et la cannelle. Incorporez le beurre à l'aide d'un coupe-pâte ou de deux couteaux de manière à former des miettes grossières dont vous garnirez le dessus du gâteau.

4. Faites cuire sur la clayette au centre d'un four préchauffé pendant 55 à 60 minutes ou jusqu'à ce qu'un cure-dents introduit au centre du gâteau en ressorte propre. Déposez le gâteau sur une clayette afin qu'il refroidisse.

ANALYSE DES ÉLÉMENTS NUTRITIFS PAR PORTION	
Calories	241
Glucides	34 g
Fibres	1 g
Protéines	4 g
Total des matières grasses	10 g
Gras saturés	3 g
Sodium	185 mg
Cholestérol	36 mg

CROUSTADE AUX PÊCHES
et aux amandes

POUR 9 PERSONNES

FRUITS

4 tasses (1 l) de pêches ou de nectarines pelées et tranchées

¼ tasse (50 ml) de pêches ou d'abricots en conserve

2 c. à thé (10 ml) de fécule de maïs

GARNITURE

½ tasse (125 ml) de gros flocons d'avoine

½ tasse (125 ml) de farine tout usage

¼ tasse (50 ml) de cassonade bien tassée

¼ c. à thé (1 ml) de gingembre moulu

¼ tasse (50 ml) de beurre fondu

2 c. à soupe (30 ml) d'amandes en lamelles

Lorsque des pêches fraîches et mûres se retrouvent avec une garniture aux noix croquantes, on obtient un régal juteux et sucré. Servez cette croustade tiède avec du yogourt allégé glacé; il s'agit du dessert réconfortant par excellence.

Conseil

Il est bien sûr préférable de préparer ce dessert avec des pêches fraîches, mais à défaut d'en avoir sous la main, vous pouvez employer 1 boîte (796 ml ou 28 oz) de pêches en tranches égouttées. Dans ce cas, laissez tomber la fécule de maïs.

Faites d'abord chauffer le four à 190 °C (375 °F).
Plat de cuisson de 2 l (8 po²) enduit d'un aérosol de cuisson végétal

1. Pour les fruits : Dans un grand bol, touillez les pêches fraîches, les fruits en conserve et la fécule de maïs. Déposez dans le plat de cuisson apprêté.

2. Pour la garniture : Dans un petit bol, mélangez les flocons d'avoine, la farine, la cassonade et le gingembre. Versez le beurre et remuez de manière à former des miettes grossières. Répandez sur les fruits et garnissez d'amandes.

3. Faites cuire dans un four préchauffé pendant 30 à 35 minutes ou jusqu'à ce que la croûte soit dorée et que la garniture bouillonne. Servez tiède ou à température ambiante.

ANALYSE DES ÉLÉMENTS NUTRITIFS PAR PORTION	
Calories	197
Glucides	34 g
Fibres	2 g
Protéines	3 g
Total des matières grasses	6 g
Gras saturés	3 g
Sodium	60 mg
Cholestérol	14 mg

POUDING AUX POMMES
et au sirop d'érable

POUR 9 PERSONNES

4 tasses (1 l) de pommes Macintosh pelées, évidées et tranchées	
½ tasse (125 ml) de sirop d'érable pur	
1 tasse (250 ml) de farine tout usage	
¼ tasse (50 ml) de sucre granulé	
1 ½ c. à thé (7 ml) de levure chimique	
½ c. à thé (2 ml) de bicarbonate de soude	
¼ tasse (50 ml) de morceaux de beurre	
1 œuf	
½ tasse (125 ml) de babeurre	
1 c. à thé (5 ml) de vanille	

Faites d'abord chauffer le four à 180 °C (350 °F).
Plat de cuisson de 2 l (8 po²) enduit d'un aérosol
de cuisson végétal

1. Amenez les pommes et le sirop d'érable à ébullition dans
une grande casserole; réduisez l'intensité du feu et laissez
mijoter pendant 3 minutes ou jusqu'à ce que les pommes
aient fondu. Versez dans le plat de cuisson apprêté.
2. Dans un grand bol, mélangez la farine, le sucre, la levure
chimique et le bicarbonate de soude. Incorporez le beurre à
l'aide d'un coupe-pâte de manière à former des miettes fines.
3. Mélangez l'œuf, le babeurre et la vanille dans un petit
bol. Versez sur la préparation à base de farine et remuez jusqu'à ce que tous les ingrédients soient mélangés. Déposez
des cuillerées de pâte sur les tranches de pommes chaudes.
4. Faites cuire dans un four préchauffé pendant 30 minutes
ou jusqu'à ce que le dessus du pouding soit doré et qu'un
cure-dents introduit en son centre en ressorte propre. Servez
tiède.

Des fruits en sauce garnis d'une pâte de gâteau composent l'un des desserts les plus satisfaisants qui soient. Cette
version vient du Québec et marie le goût sucré des
pommes Macintosh à l'ambre du sirop d'érable.

Conseil

Lorsque la boîte ou le flacon est ouvert, il faut conserver
le sirop d'érable au réfrigérateur. On peut également le
faire congeler.

ANALYSE DES ÉLÉMENTS NUTRITIFS PAR PORTION	
Calories	207
Glucides	36 g
Fibres	1 g
Protéines	3 g
Total des matières grasses	6 g
Gras saturés	3 g
Sodium	190 mg
Cholestérol	35 mg

PAIN PERDU AUX RAISINS
et à la cannelle

POUR 9 PERSONNES

12 tranches de pain aux raisins et à la cannelle
(1 pain de 500 g ou 1 lb)

6 œufs

2 tasses (500 ml) de lait entier

1 tasse (250 ml) de demi-crème (10 %)

¾ tasse (175 ml) de sucre granulé

2 c. à thé (10 ml) de vanille

GARNITURE

2 c. à soupe (30 ml) de sucre granulé

½ c. à thé (2 ml) de cannelle moulue

Faites d'abord chauffer le four à 190 °C (375 °F).
Plaques à cuisson
Plat de cuisson de 2,5 l (12 x 8 po)
enduit d'un aérosol de cuisson végétal
Grande rôtissoire peu profonde ou lèchefrite profonde

1. Déposez les tranches de pain en un seul rang sur les plaques à cuisson et faites-les légèrement griller dans un four préchauffé pendant 10 à 12 minutes. Laissez-les refroidir. Laissez chauffer le four. Taillez le pain en cubes et déposez-le dans le plat de cuisson.

2. Mélangez dans un bol les œufs, le lait, la crème, le sucre et la vanille. Versez sur le pain. Laissez tremper pendant 10 minutes en exerçant de délicates pressions à l'aide d'une spatule.

3. Pour la garniture : Mélangez dans un bol le sucre et la cannelle. Saupoudrez sur le pain.

4. Déposez le plat de cuisson dans la rôtissoire ou la lèche-frite; versez-y suffisamment d'eau bouillante pour qu'elle atteigne la mi-hauteur du plat de cuisson. Faites cuire dans un four préchauffé pendant 45 à 50 minutes ou jusqu'à ce que le dessus du pouding ait gonflé et que la crème pâtissière ait figé. Déposez le plat sur une clayette et laissez refroidir. Servez tiède ou à température ambiante.

Le pain perdu est l'un de mes desserts réconfortants préférés en raison des souvenirs qui y sont liés. Cette recette toute simple, à base de pain aux raisins et de crème pâtissière, se fait en un tournemain.

ANALYSE DES ÉLÉMENTS NUTRITIFS PAR PORTION	
Calories	329
Glucides	50 g
Fibres	2 g
Protéines	11 g
Total des matières grasses	10 g
Gras saturés	4 g
Sodium	275 mg
Cholestérol	140 mg

PAIN PERDU
aux poires caramélisées

POUR 8 PERSONNES

6 tranches de pain de blé entier
2 c. à soupe (30 ml) de beurre amolli
4 œufs
⅔ tasse (150 ml) de sucre granulé
2 c. à thé (10 ml) de vanille
2 tasses (500 ml) de lait chaud faible en gras
4 poires pelées, évidées et tranchées
½ c. à thé (2 ml) de muscade fraîche râpée
⅓ tasse (75 ml) de raisins secs
¼ tasse (50 ml) de lamelles d'amandes blanchies

Autrefois, le pain perdu était un plat économique préparé à partir de pain sec et de crème pâtissière. Mais la modestie des moyens n'a pas sa place dans cette recette. La garniture aux poires caramélisées truffée de raisins en fait un dessert des grands jours. Servez-le froid ou à température ambiante.

Conseils

Les poires Bartlett sont idéales pour cette recette.

Vous avez du mal à évaluer le volume d'un plat de cuisson ? Voyez les mesures au fond du plat ou versez-y de l'eau pour qu'il soit plein à ras-bord et mesurez ensuite la quantité d'eau qu'il contient.

Lorsque je parle d'un moule, il s'agit d'un récipient de cuisson en métal; lorsque je parle d'un plat de cuisson, il s'agit d'un récipient fait de verre ou de pyrex.

Faites d'abord chauffer le four à 180 °C (350 °F).
Plat de cuisson de 2 l (8 tasses) enduit d'un aérosol de cuisson végétal
Rôtissoire peu profonde

1. Taillez la croûte des tranches de pain et tartinez de beurre un côté de chaque tranche. Taillez chaque tranche en 4 triangles et disposez-les dans le plat apprêté en les faisant se chevaucher légèrement.

2. Dans un grand bol, mélangez, à l'aide d'un fouet, les œufs, 75 ml (⅓ tasse) de sucre et la vanille. Versez d'un trait le lait chaud en remuant sans cesse à l'aide du fouet. Versez sur le pain.

3. Faites cuire à feu moyen dans une grande poêle antiadhésive le reste de sucre et 30 ml (2 c. à soupe) d'eau en remuant de temps en temps, jusqu'à ce que le mélange prenne la couleur du caramel foncé. Ajoutez les poires et la muscade sans plus tarder (prenez garde aux éclaboussures). Faites cuire en remuant souvent pendant 5 minutes ou jusqu'à ce que les poires soient tendres et la sauce, homogène. Ajoutez les raisins secs en remuant; à l'aide d'une cuillère, déposez sur les tranches de pain. Garnissez de lamelles d'amandes.

ANALYSE DES ÉLÉMENTS NUTRITIFS PAR PORTION	
Calories	247
Glucides	41 g
Fibres	3 g
Protéines	7 g
Total des matières grasses	7 g
Gras saturés	3 g
Sodium	150 mg
Cholestérol	103 mg

4. Déposez le plat de cuisson dans la rôtissoire et versez-y suffisamment d'eau bouillante pour qu'elle atteigne la mi-hauteur du plat de cuisson. Faites cuire dans un four préchauffé pendant 40 à 45 minutes ou jusqu'à ce que la crème pâtissière ait figé. Déposez le plat sur une clayette et laissez refroidir.

CRÈME CARAMEL

POUR 6 PERSONNES

CARAMEL

½ tasse (125 ml) de sucre granulé

¼ tasse (50 ml) d'eau

FLAN

2 œufs

2 jaunes d'œufs

½ tasse (125 ml) de sucre granulé

1 c. à thé (5 ml) de vanille

2 ½ tasses (625 ml) de lait entier

Ce flan qui baigne dans son propre caramel a connu une grande popularité dans les années 1970. Maintenant que la cuisine française a retrouvé la faveur populaire, ce dessert attrayant et étonnamment facile à préparer est de retour au menu.

Conseil

La crème caramel peut être préparée jusqu'à deux jours à l'avance.

Faites d'abord chauffer le four à 160 °C (325 °F).
6 ramequins d'une portion ou des coupes
à crème pâtissière de 175 ml (6 oz)
Moule de 3,5 l (13 x 9 po)

1. Pour le caramel : Mélangez l'eau et le sucre dans une casserole moyenne à fond épais. Posez-la sur un feu doux le temps que fonde le sucre; augmentez l'intensité du feu à la puissance moyenne-élevée et amenez à ébullition (sans remuer). Lorsque le sirop a pris la couleur du caramel, retirez-le du feu et versez-le dans les ramequins. Remuez vite les ramequins afin que le caramel se répande uniformément au fond de chacun.

2. Pour le flan : Dans un bol, fouettez les œufs, les jaunes d'œufs, le sucre et la vanille. Dans une autre casserole, faites chauffer le lait à feu moyen jusqu'à ce qu'il soit presque bouillant. Versez le lait chaud en un mince filet dans la préparation aux œufs en remuant sans cesse. Passez le liquide au tamis en le versant dans les ramequins.

3. Disposez les ramequins dans le moule. Versez délicatement de l'eau bouillante dans le moule de manière à ce qu'elle atteigne 2,5 cm (1 po) de hauteur. Enfournez le moule et faites cuire pendant 25 minutes ou jusqu'à ce qu'un cure-dents introduit au centre des flans en ressorte propre. Laissez refroidir à température ambiante et réfrigérez. Au moment de servir, passez la lame d'un couteau sur le pourtour des ramequins avant de démouler les flans. Déposez les flans à l'envers dans les assiettes de service.

ANALYSE DES ÉLÉMENTS NUTRITIFS PAR PORTION	
Calories	196
Glucides	28 g
Fibres	0 g
Protéines	6 g
Total des matières grasses	7 g
Gras saturés	3 g
Sodium	75 mg
Cholestérol	139 mg

POUDING AU RIZ

POUR 8 PERSONNES

½ tasse (125 ml) de riz à grain court tel que l'arborio

5 tasses (1,25 l) de lait entier

⅓ tasse (75 ml) de sucre granulé

½ c. à thé (2 ml) de sel

1 jaune d'œuf

¼ tasse (50 ml) de raisins Sultana

1 c. à thé (5 ml) de vanille

cannelle moulue (facultatif)

1. Dans une grande casserole, mélangez le riz, 1,12 l (4 ½ tasses) de lait, le sucre et le sel. Amenez à ébullition; ramenez le feu à moyen-doux et laissez mijoter, en couvrant la casserole en partie, pendant 45 à 50 minutes ou jusqu'à ce que le riz soit tendre et que la préparation ait épaissi.

2. À l'aide d'un fouet, mélangez 125 ml (½ tasse) de lait et le jaune d'œuf. Ajoutez à la préparation à base de riz en remuant pendant 1 minute ou jusqu'à ce que la texture soit crémeuse. Retirez du feu. Ajoutez les raisins et la vanille.

3. Servez tiède ou à température ambiante. (Le pouding épaissit quelque peu à mesure qu'il refroidit.) Saupoudrez de la cannelle moulue si vous le voulez.

ANALYSE DES ÉLÉMENTS NUTRITIFS PAR PORTION	
Calories	194
Glucides	29 g
Fibres	0 g
Protéines	6 g
Total des matières grasses	6 g
Gras saturés	3 g
Sodium	220 mg
Cholestérol	44 mg

Lorsqu'il est question d'un dessert réconfortant, le pouding au riz me vient tout de suite en tête. Il est crémeux, succulent et me rappelle les joies de l'enfance.

Conseils

Si vous ne trouvez pas de riz à grain court, remplacez-le par du riz à grain long (pas de riz prétraité cependant). Étant donné que le riz à grain long contient moins de fécule, il faudra réduire la quantité globale de lait à 1 l (4 tasses). Mélangez le riz à grain long à 875 ml (3 ½ tasses) de lait et suivez les indications de la recette.

Prenez garde aux débordements et veillez à ce que le pouding ne colle pas à la casserole. Réglez l'intensité du feu de sorte que la préparation mijote lentement.

Plutôt que de parfumer le pouding avec de la vanille, ajoutez une pelure de citron de 8 cm (3 po) alors que vous faites cuire le lait et le riz. Il faudra l'enlever au moment de servir.

TRANCHES DE POMMES
et canneberges séchées à la cassonade

POUR 6 PERSONNES

⅓ tasse (75 ml) de jus d'orange

¼ tasse (50 ml) de cassonade bien tassée

1 c. à thé (5 ml) de fécule de maïs

4 pommes pelées, évidées et tranchées

¼ tasse (50 ml) de canneberges séchées

½ c. à thé (2 ml) de cannelle moulue

Ce dessert vite fait est génial seul ou avec du yogourt allégé. Il a le goût de la tarte aux pommes à l'ancienne, mais sans l'effort nécessaire à sa confection et sans son apport calorique.

Conseil

Employez des pommes qui se tiennent après la cuisson telles que des Cortland, des Granny Smith et des Golden.

1. Dans une grande casserole, mélangez le jus d'orange, la cassonade et la fécule de maïs jusqu'à obtention d'une consistance homogène. Ajoutez en remuant les tranches de pommes, les canneberges et la cannelle. Faites cuire à feu moyen, en remuant de temps en temps, pendant 7 à 9 minutes ou jusqu'à ce que les pommes soient tendres et que la sauce ait légèrement épaissi. Servez chaud ou à température ambiante.

ANALYSE DES ÉLÉMENTS NUTRITIFS PAR PORTION	
Calories	111
Glucides	29 g
Fibres	2 g
Protéines	0 g
Total des matières grasses	0 g
Gras saturés	0 g
Sodium	5 mg
Cholestérol	0 mg

CRÈME PÂTISSIÈRE
à l'érable et fruits frais

POUR 4 PERSONNES

2 jaunes d'œufs

1 ⅓ tasse (325 ml) de lait

⅓ tasse (75 ml) de sirop d'érable pur

2 c. à soupe (30 ml) de fécule de maïs

2 pêches, poires ou bananes pelées et tranchées

Il vous faut un dessert facile à préparer qui saura plaire à tous ? La préparation de celui-ci n'exige que quelques minutes.

Conseil

Vous pouvez employer tous les types de fruits, frais, en conserve ou surgelés. Essayez les fraises, les framboises, les bleuets, les pêches ou les prunes, ou encore un mélange de plusieurs fruits de saison.

1. À l'aide d'un fouet, mélangez, dans une petite casserole, les jaunes d'œufs, le lait, le sirop d'érable et la fécule de maïs jusqu'à l'obtention d'une consistance homogène. Faites cuire à feu moyen en remuant sans cesse pendant 2 à 4 minutes ou jusqu'à ce que la crème bouillonne et épaississe.

2. Déposez les fruits dans quatre coupes et versez la crème chaude. Couvrez et réfrigérez pendant 1 heure ou jusqu'à ce que les coupes soient fraîches.

ANALYSE DES ÉLÉMENTS NUTRITIFS PAR PORTION	
Calories	165
Glucides	30 g
Fibres	1 g
Protéines	4 g
Total des matières grasses	3 g
Gras saturés	1 g
Sodium	45 mg
Cholestérol	98 mg

BON APPÉTIT !